k.

David Safier

Happy Family

Roman

Kindler

1. Auflage September 2011
Copyright © 2011 by Rowohlt Verlag GmbH,
Reinbek bei Hamburg
Illustrationen Ulf K.
Satz Arno Pro, InDesign,
bei Dörlemann Satz, Lemförde
Druck und Bindung GGP Media GmbH, Pößneck
Printed in Germany
ISBN 978 3 463 40618 3

Für Marion, Ben und Daniel – ihr macht mich happy!
(Du natürlich auch, Max)

EMMA

«Ein indianisches Sprichwort sagt: Je mehr man jemanden liebt, desto mehr möchte man ihn umbringen», erklärte meine Angestellte.

Und ich dachte mir: Mann, muss ich meine Familie lieben.

Schon zum x-ten Male klingelte während der Arbeit in meinem kleinen Kinderbuchladen das Handy. Zuerst hatte meine Teenagertochter Fee angerufen, um mich seelisch darauf vorzubereiten, dass sie sitzenbleibt (sie besaß nun mal leider die Mathe-Begabung eines Labradors).

Danach rief ihr kleiner Bruder Max an, um mir zu sagen, dass er nicht in die Wohnung reinkäme, weil er wieder einmal den Schlüssel vergessen hätte (ob es eigentlich so etwas wie Kinder-Alzheimer gab?).

Und diesmal war es laut Handy-Display mein Ehemann Frank. Höchstwahrscheinlich, um mir mitzuteilen, dass er – wie fast jeden Tag – später aus dem Büro nach Hause kommen würde. (Was nicht nur bedeutete, dass ich mich erst mal ganz allein mit Fee wegen ihrer geradezu olympischen schulischen Faulheit herumstreiten dürfte, sondern auch, dass ich wieder mal ohne jegliche Hilfe gegen das Chaos in unserer Wohnung ankämpfen müsste. Die sah an einigen Tagen so aus, als ob plündernde Hunnen durch sie gewandert waren. Begleitet von Elefanten. Und von Ogern. Und von Britney Spears.)

Ich beschloss, nicht ans Handy zu gehen, um mir ein Gespräch zu ersparen, bei dem ich mich nur wahnsinnig aufregen würde und an dessen Ende ich mich noch mehr darüber aufregen würde, dass ich mich so aufgeregt hatte.

Stattdessen starrte ich stumpf aus dem Fenster meines Buchladens namens *Lemmi und die Schmöker*. Dabei dachte ich traurig daran, dass es mal eine Zeit gegeben hatte, in der ich meine Familie ohne negative Gedanken geliebt hatte. Das war, bevor wir von diesen gemeinen Monstern heimgesucht worden waren, die da hießen: Berufsstress, Midlife-Crisis und Pubertät.

Ja, wir Wünschmanns waren mal eine glückliche Familie gewesen. Aber irgendetwas war uns in den letzten Jahren verloren gegangen. Bedauerlicherweise hatte ich keine Ahnung, um was genau es sich dabei handelte, und dementsprechend noch viel weniger Ahnung, wie ich dieses Etwas je wiederfinden konnte. Dabei wünschte ich es mir so sehr.

Während ich mich nach den alten Zeiten zurücksehnte, ging am Fenster meines Buchladens ein junger Mann mit einem faszinierenden Hintern vorbei. Ich rückte meine Brille zurecht und betrachtete ihn mir genauer.

«Knackiger Po, was?», bemerkte meine alte Angestellte Cheyenne, die eigentlich Renate hieß, aber auf diesen Namen nicht hörte und mit ihren Blumen im Haar und ihren wallenden Kleidern wohl die älteste Hippiefrau des uns bekannten Universums war.

«Ähem, ich hab keinen Po gesehen», flunkerte ich nicht sonderlich überzeugend. Cheyenne lächelte nur verschmitzt. Daher fügte ich schnell hinzu: «Abgesehen davon, war der ein bisschen zu knochig.»

«Du hast ihn also doch gesehen, Emma», grinste die alte Dame. Und während ich ertappt dreinblickte, stellte sie fest: «Der Junge könnte dein Sohn sein.»

Mein Gott, Cheyenne hatte recht. Ich war Ende dreißig, der Typ höchstens Anfang zwanzig. Und ich gaffte so einem jungen Mann hinterher. Wie beschämend.

«Wann hattest du eigentlich das letzte Mal Sex, Emma?», fragte Cheyenne und nippte an ihrem Yogi-Tee, der roch, als hätte ein sehr alter Yogi seine Füße darin gebadet.

«Ähem ...», zögerte ich mit der Antwort, weil ich Schwierigkeiten hatte, mich daran zu erinnern.

«Hab ich mir gedacht», grinste sie nun sehr breit.

Tatsächlich war bei all dem Stress, den Frank und ich mit unseren Berufen und Kindern hatten, regelmäßiger Sex für uns beide Science-Fiction.

«Ich hatte gestern das letzte Mal», teilte Cheyenne freudig mit.

Noch bevor ich sie darum bitten konnte, nicht ins Detail zu gehen, redete sie weiter: «Ich sag dir, Werner ist zwar etwas klapprig, aber er hat ein riesiges Dingeling ...»

«Moment mal», fragte ich etwas irritiert, «du nennst sein Ding ... ‹Dingeling›?»

«‹Dingeling› oder ‹Pipimann›.»

«Dann lieber Dingeling», befand ich.

«Das findet Werner auch.»

Sie nippte noch mal an dem Tee und fuhr genüsslich fort: «Werner ist fast so ein guter Liebhaber wie Carlos, damals im heißen Herbst.»

Cheyenne erzählte immer wieder gerne von all ihren verflossenen Liebhabern, die sie im Laufe der Jahrzehnte vernascht hatte, von Yussuf, Mumbato oder Mao ... Und ich liebte es, ihren Geschichten aus all den fernen Ländern zu lauschen. Länder, die ich wohl nie sehen würde, obwohl ich als junges Mädchen immer davon geträumt hatte, die ganze Welt zu bereisen.

«Ich muss nach Hause, meinen Sohnemann in die Wohnung lassen ...», erklärte ich seufzend und nahm meine abgewetzte Lederjacke von der Garderobe.

«Geh nur, Emma, wir haben ja eh kaum Kunden», lächelte die alte Hippiebraut.

«Oh, wir haben viele Kunden!», protestierte ich. Aber das stimmte nicht. Auch an diesem Vormittag waren es nur wenige gewesen: die Ärztin, die sich einmal die Woche stundenlang von mir beraten ließ und sich dann die Bücher immer auf Amazon bestellte. Eine Familie, deren Kinder sich einen Band vom *Magischen Baumhaus* kauften, dafür aber mit ihren Softeishänden zwölf teure Hardcoverbücher beim Durchblättern ruinierten. Und Cheyennes Lover Werner, der, nur um seine Liebste zu sehen, sich das Pixi-Buch *Conny schläft im Kindergarten* anschaffte.

«Wir sollten Erotikromane verkaufen», schlug Cheyenne vor.

«Wir sind ein Kinderbuchladen!»

«Es gibt da aber ganz viele interessante Titel im Erotikbereich», ließ sie nicht locker, «zum Beispiel *Die Kosakensklavin* ...»

Ich verzog das Gesicht.

«Oder *Bettenwechsel in Dänemark* ...»

Ich verzog noch mehr das Gesicht.

«Oder *Drei Nüsse für Aschenbrödel* ...»

«Das ist eine Kindergeschichte», widersprach ich.

«Nicht in dieser Variante», grinste Cheyenne.

«Ich will nicht solche Bücher verkaufen!», protestierte ich und fügte noch schnell hinzu: «Und auch nicht genauer darüber nachdenken, warum es drei Nüsse sind.»

«Aber der Laden geht sonst den Bach runter!», insistierte Cheyenne. «Unser Lesesofa ist durchgesessen, die Spielecke für die Kinder fast so alt wie ich, und als ich neulich im Lager die Regale entstaubt habe, sah mich plötzlich eine Kakerlake an.»

Cheyenne sprach lauter ungeliebte Wahrheiten über meine Buchhandlung aus. Wahrheiten, die ich nicht hören wollte, weil ich sie selbst zu verantworten hatte. Wenn ich mehr Energie und Zeit für den Laden hätte, würde es hier besser aussehen und auch um den Umsatz besser stehen. Aber wer hatte schon Zeit und Energie, wenn er so eine kraftraubende Familie besaß wie ich?

Cheyenne sprach gleich noch eine weitere Wahrheit aus, eine sehr bittere: «Du hast nur eine Möglichkeit, den Gewinn zu steigern: Du musst mich entlassen.»

«Das kommt nicht in die Tüte», erwiderte ich.

«Du brauchst mich aber nicht», seufzte Cheyenne traurig und wirkte mit einem Male wirklich alt, «die paar Bücher kannst du auch selbst verkaufen.»

Das stimmt, dachte ich.

«Und ich verrechne mich andauernd», klagte sie leise.

«Das stimmt», sprach ich nun laut aus.

«Und ich hab letzte Woche das Klo verstopft.»

«Du warst das?!?», rief ich empört aus, denn das verstopfte Klo hatte eine extrem hohe Klempnerrechnung nach sich gezogen. «Wie hast du denn das hingekriegt?»

«Mir ist mein Hämorrhoidenpflaster reingefallen», gestand sie kleinlaut.

Cheyenne hatte mit allem recht: Wenn ich sie entlassen würde, wäre es besser für mein Konto und wohl auch für meinen Laden. Aber ohne Lohn würde sie in ihrem VW-Bus übernachten müssen, bezog sie doch kaum Rente, weil sie, anstatt zu arbeiten, ihr Leben lang durch die Welt gezogen war. Dabei hatte sie – wie ich immer wehmütig dachte – mehr erlebt und gelebt, als ich es in meinem kleinen, langweiligen Leben je tun würde.

«Ich werde dich nie entlassen», erklärte ich bestimmt.

Cheyenne lächelte mich zutiefst dankbar an und sagte: «Du bist eine Gute.»

Ich musste zurücklächeln. Aber mir war klar, dass ich mir irgendetwas einfallen lassen musste, wenn ich wollte, dass mein Laden überlebte. Denn ohne ihn würde ich nur noch Hausfrau und Mutter sein. Und das war mir viel zu wenig. Vor allem in dem Zustand, in dem sich diese Familie gerade befand.

Ich schickte einen Wunsch ins Universum, dass es eine Rettung für meinen Laden geben möge, nur um gleich darauf festzustellen: Das Universum besaß einen recht merkwürdigen Sinn für Humor.

Ich wollte gerade aus der Tür gehen, da betrat sie meinen Laden: Lena. Ausgerechnet Lena! Ich hatte sie seit fünfzehn Jahren nicht mehr gesehen, und sie sah fast noch genauso aus wie damals: schlank und umwerfend. Nur hatte sie jetzt auch noch schicke, teure Klamotten an, die ich außerhalb von Lifestylemagazinen noch nie gesehen hatte.

Lena und ich hatten in grauer Vorzeit gemeinsam als junge motivierte Lektorinnen in der deutschen Filiale des Penguin-Buch-Verlags gearbeitet. Lena war ehrgeizig und neigte zu Ellenbogeneinsatz. Dennoch hatte ich die Nase immer leicht vorn. Schließlich bekam ich sogar eine Stelle in London angeboten, bei der es sich um einen absoluten Traumjob handelte, von dem aus ich – so wie ich es mir schon als Mädchen erträumt hatte – die Welt hätte erobern können. Als Lena von dem Angebot hörte, wurde sie grün vor Neid.

Allerdings hatte ich wenige Wochen zuvor Frank in einem Beach-Club an der Spree kennengelernt. Ich spielte mit Freunden Volleyball, er kam hinzu, erklärte, dass er als Jura-Student neu in der Stadt wäre, und fragte, ob er mitspielen könnte. Ich sah in seine tiefen blauen Augen, und mein Gehirn machte winke, winke. Es überließ meinen Hormonen die Schlüssel zu meinem Körper und verabschiedete sich in den Urlaub, um an irgendeinem Karibikstrand Caipirinhas zu trinken und sich beim Limbo-Tanz zu vergnügen.

Parallel dazu verabschiedete sich auch Franks Gehirn. Und wenn zwei Gehirne sich so verabschieden, dann kommt es schon mal nach einiger Zeit zu Situationen, in denen man liebestoll übereinander herfällt und sich vor lauter Leidenschaft nicht sonderlich dafür interessiert, dass das Kondom verrutscht ist. Mit der Folge, dass man ein paar Wochen später über Morgenübelkeit staunt.

Als wir den positiven Schwangerschaftstest in den Händen hielten, freuten wir uns unheimlich. Dabei war mir schon klar, dass ich mit Kind den Traumjob in London nicht annehmen konnte. Aber ich liebte Frank, wie ich noch nie jemanden zuvor geliebt hatte. Und das Kind wegzumachen … allein bei dem Gedanken wurde mir gleich noch morgenübler.

Als ich dann beim Arzt das erste Mal auf dem Ultraschall das kleine schwimmende Etwas sah, das in mir heranwuchs, wurde mir ganz wohl ums Herz. Zutiefst beseelt, deutete ich auf das Ultraschallbild und flüsterte leise: «Es ist wunderschön.» Und es machte mir auch kaum etwas aus, als der Arzt anmerkte: «Das ist Ihre Blase.»

Ich entschied mich gegen London, für das Kind und für Frank. Lena konnte mich nicht verstehen, sie hätte sich für eine Abtreibung entschieden, erklärte sie mir. Aber sie freute sich, konnte sie doch statt meiner die Stelle in London antreten, was sie mit dem Satz kommentierte: «Dein verrutschtes Kondom ist mein Glück.»

Später hörte ich dann gelegentlich, dass Lena in London richtig Karriere gemacht hatte. Ich wollte aber nichts Genaueres über das Leben erfahren, das ich nicht gelebt hatte. Anfangs, weil ich mit meinem Familienleben so happy war, in den letzten Jahren hingegen eher, weil ich mich immer mal wieder bei Was-wäre-wenn-Gedanken ertappte, denen ich keinen Raum geben wollte. Doch jetzt stand dieses Leben direkt vor mir. In meiner kleinen Buchhandlung.

«Lena …?», fragte ich ungläubig.

«Wie ich leib und lebe», strahlte sie.

Was wollte sie hier? Nach all den Jahren?

«Du …», stammelte ich, «du siehst unglaublich aus, wie früher.»

«Du aber auch, Emma Wünschmann!», erwiderte sie, und wir wussten beide, dass das gelogen war. Ich besaß bereits so viele graue Haare, dass ich schon öfters unsicher im Bad vor dem roten Haarfärbemittel meiner Tochter stand. Außerdem, und eigentlich noch viel schlimmer, besaß ich einen von den Schwangerschaften mitgenommenen dicken Bauch (Cheyenne hatte mir sogar mal ein T-Shirt geschenkt mit der Aufschrift *Ich habe meine Magersucht überwunden*).

«Und du bist auch wieder schwanger!», freute sich Lena und deutete auf meinen Bauch.

Ich wurde hochrot.

Und Cheyenne musste vor sich hin prusten.

Lena sah in mein peinlich berührtes Gesicht und verstand: «Oh, tut mir leid …»

«Was … was führt dich hierher?», fragte ich, um von meinem Bauch abzulenken.

«Ich bin beruflich in Berlin. Und als ich von den Leuten aus unserer alten Abteilung erfahren habe, dass du eine kleine Buchhandlung hast, dachte ich mir, ich komm mal vorbei», strahlte sie.

«Und … wie läuft es so in London?», fragte ich und bereute die Frage schon, kaum hatte ich die Worte ausgesprochen.

«Sehr gut. Ich leite jetzt die Abteilung Internationale Bestseller und betreue Dan Brown, John Grisham oder Cornelia Funke …», schilderte sie in einem möglichst bescheidenen Tonfall, der ihre Lust am Angeben nur unzulänglich kaschierte. Jetzt war es klar, warum sie hier war: Sie wollte mir unter die Nase reiben, was für ein tolles Leben sie führte. Kleingeistig.

Wirklich kleingeistig. Aber leider von Erfolg gekrönt. Ich hatte echt Mühe, vor Neid nicht grün anzulaufen.

«Man kommt viel in der Welt herum», erklärte Lena nonchalant lächelnd. «Erst letzte Woche war ich bei einem Literaturfestival auf Mauritius.»

Nun lief ich doch grün an und dachte: Wenn sie das noch steigert, dann schreie ich!

«Ich hab da Hugh Grant betreut.»

«AHHHH!!!», schrie ich nun laut.

«Alles in Ordnung?», fragte Lena besorgt.

«Ähem, ja, ja ...», flunkerte ich hastig, «mich ... mich hat nur eine Kakerlake gebissen.»

«Du hast Kakerlaken in deinem Laden?», fragte sie angewidert.

«Nur eine ...», gab ich zurück und wollte am liebsten vor Scham im Boden versinken. Aber ich riss mich nach ein paar Sekunden wieder zusammen und versuchte mir einzureden, dass ich nicht neidisch auf Lena sein musste. Karrierefrauen hatten in der Regel keine funktionierenden Beziehungen und auch keine Kinder und waren daher – so kennt man es ja aus Filmen und Frauenzeitungen – hinter ihrer strahlenden Fassade unglücklich und leer.

«Und hast du eine Familie?», fragte ich daher.

«Nein», erwiderte sie, und ich freute mich in Gedanken: Wusste ich's doch, unglücklich!

«Ich habe erst mal so richtig gelebt», erklärte Lena. «Und ich hatte richtig viele Liebhaber. Du weißt ja, wie das ist.»

«Nein, das weiß sie nicht», grinste Cheyenne breit, und ich hätte ihr gerne ein Buch an den Kopf geworfen. Oder zwanzig.

«Oh ja», korrigierte sich Lena, «du hast ja das große Glück, schon seit fünfzehn Jahren den gleichen Mann im Bett zu haben.»

Großes Glück, seufzte ich innerlich und dachte daran, dass

Frank seit einiger Zeit nachts unter stressbedingten Blähungen litt.

«Jedenfalls bin ich jetzt mit Liam zusammen», strahlte Lena und wirkte dabei leider kein bisschen unglücklich und leer. «Er ist Investmentbanker, und wir wohnen in einem sehr schnuckeligen Landhäuschen in der Nähe von London.»

Sie ließ diesem Bild vom idyllischen Landleben etwas Zeit, sich vor meinem geistigen Auge zu formen, dann stellte sie die Frage, vor der ich am meisten Angst hatte: «Und, Emma, wie geht es bei dir so?»

Ich wollte mir keine Blöße geben und Lena demonstrieren, dass ich in meinem Leben auch alles richtig gemacht hatte. Daher erklärte ich: «Ich hab zwei ganz, ganz tolle Kinder!»

Cheyenne kicherte.

«Sag mal», fragte ich meine alte Angestellte, «hast du nicht ein paar Bücher, die du einsortieren musst?»

«Nö, hab ich nicht», grinste sie. Die Hippiedame wollte sich das Schauspiel nicht entgehen lassen.

Ich wandte mich wieder an Lena und erklärte mit gespieltem Lächeln: «Und Frank und ich führen schon seit fünfzehn Jahren eine richtig gute Ehe.»

Cheyenne kicherte erneut, und ich hätte sie am liebsten gefragt: Sag mal, hast du keine Wand, gegen die du laufen musst?

«Und», wollte Lena nun wissen, «wie läuft deine Buchhandlung so?»

«Ziemlich gut», erwiderte ich.

Cheyenne gackerte jetzt laut auf. Ich warf ihr einen bösen Blick zu. Sie verstand und erklärte: «Ich muss mal für kleine Mädchen», und verschwand.

Lena blickte der alten Dame irritiert nach und flüsterte: «So eine schräge Angestellte würde ich sofort entlassen.»

«Das würde ich nie tun», erklärte ich bestimmt. Lena war davon sichtlich verblüfft. Sie wechselte jedoch schnell das

Thema: «Ich hoffe, ich werde irgendwann genauso eine glückliche Familie haben wie du.»

Man hörte lautes Gelächter vom Klo.

«Was hat die Frau die ganze Zeit?», wollte Lena wissen.

«Ach, ihre Inkontinenz-Tabletten haben Nebenwirkungen», sagte ich.

«Das habe ich gehört!», protestierte Cheyenne hinter der Toilettentür.

«Ich habe eine Idee für deinen Laden», erklärte Lena unvermittelt. Sie begriff ganz genau, dass das Geschäft nicht gut lief, und genoss es nun offensichtlich, mir gegenüber die Gönnerhafte zu geben. «Stephenie Meyer stellt heute Abend hier im Ritz-Carlton ihr neues Buch *Biss zum Ende* vor. Und dreimal darfst du raten, wer sie betreut?»

Ich brauchte nicht ein einziges Mal zu raten.

«Ich kann sie dir bei der Buchpremiere vorstellen, und vielleicht können wir dafür sorgen, dass sie in deinem Laden eine Lesung macht ...»

Ich wusste gar nicht, was ich sagen sollte. So eine Veranstaltung würde meinen Laden stadtbekannt machen! Am liebsten wäre ich Lena in diesem Augenblick vor Dankbarkeit um den Hals gefallen, obwohl mir klar war, dass sie mich nur einlud, damit ich aus nächster Nähe sehen konnte, was für eine traumhafte Karriere sie gemacht hatte.

«Die Buchpremiere wird ein ganz großes Event», erklärte Lena begeistert. «Mit tollem Essen. Und wilden Monster-Kostümen. Weißt du was, bring doch deine Familie mit! Dann kann ich sie mal kennenlernen.»

«Das mache ich!», antwortete ich lachend. Zum einen freute ich mich wegen der großen Chance. Zum anderen dachte ich mir: Wenn Lena meine Familie sieht, würde sie vielleicht neidisch auf mich werden. Schließlich war eine Familie das Einzige, was ich hatte und sie nicht! Und wenn Lena neidisch war … na ja, dann müsste ich nicht mehr so neidisch auf sie sein.

Lena verabschiedete sich mit zwei angedeuteten Wangenküsschen und rauschte aus meinem Laden raus. Kaum war sie draußen, hörte ich die Spülung. Cheyenne kehrte von der Toilette zurück und stellte fest: «Vergiss es, die Tussi ist glücklicher als du.»

Doch ich erwiderte entschlossen: «Das wollen wir doch mal sehen!»

FEE

Ich wäre so gerne ein Hohltier gewesen.

Seit Wochen langweilte unser bescheuerter Biolehrer uns mit Meeresquallen und anderen Hohltieren und versuchte dabei verzweifelt, die Illusion aufrechtzuerhalten, dass es irgendwie wichtig wäre, über diese Lebewesen Bescheid zu wissen. Was für eine verschwendete Zeit für uns alle! Denn selbst für den unwahrscheinlichen Fall, dass man mal in ferner Zukunft als Erwachsene in einem Sessel sitzt und tatsächlich denken sollte: Mann, ich würde jetzt aber wirklich zu gerne wissen, wie diese blöden Hohltiere sich vermehren!, könnte man dann ja immer noch bei Wikipedia nachschlagen oder auf irgendeiner hundertmal besseren Internetnachschlageseite, die es bis dahin garantiert gab.

Heute aber dachte ich das erste Mal richtig über die Hohltiere nach. Die hatten es eigentlich tierisch gut. So ein Hohltier hatte keine nölende Mutter, keinen gestressten Vater, keinen abnervenden Bruder und keinen Unterricht, in dem es mit Hohltieren angeödet wird.

Vor allen Dingen aber konnte so ein Hohltier nicht sitzenbleiben, nur weil es keine Ahnung von Hohltieren hatte.

Papa würde auf meine Ehrenrunde wohl eher desinteressiert reagieren, er war ja in seinem Bankjob so überarbeitet, dass er vermutlich noch nicht mal wusste, in welcher Klasse ich war. Mama aber würde sicherlich zur «Psycho-Mum» mutieren. Ständig hing sie mir in den Ohren damit, dass ich an meine Zukunft denken solle. Natürlich meinte sie es damit nur gut, das war mir schon klar, ich war ja nicht völlig verblödet. Aber je mehr sie die Dinge in ihrem Nölton vortrug, desto weniger Bock hatte ich, auf sie zu hören. Wenn man bei Wiki den Begriff «kontraproduktiv» eingeben würde, käme als Ergebnis bestimmt ein Foto meiner Mutter. Und überhaupt, wie sollte ich an meine Zukunft denken, wenn ich kaum die Gegenwart geregelt bekam?

Die Gegenwart saß zwei Reihen vor mir, hieß Jannis, war ein ziemlich guter Gitarrist und sah aus wie Pete Doherty, nur deutlich gesünder. Mit Jannis hatte ich gestern nicht nur gekifft, sondern auch in seinem Übungsraum auf dem Sofa herumgeknutscht. Allerdings bin ich nicht die volle Distanz mit ihm gegangen. Zum einen, weil ich noch nie mit einem Typen geschlafen hatte, und zum anderen, weil ich nicht wusste, wie ernst es Jannis mit mir überhaupt meinte.

Dabei wäre es ziemlich schön gewesen, wenn er was von mir gewollt hätte, denn er war echt zärtlich, besonders in dem Augenblick, als er sanft meine beiden Schmetterlings-Tattoos auf den Schultern geküsst hatte. (Die Jungs, die ich davor hatte, waren nicht ansatzweise so geschickt gewesen wie Jannis. Die einen hatten sich nicht getraut, mich anzufassen, andere wiederum hatten meine Brüste mit Knetgummi verwechselt.)

Leider war Jannis dafür berühmt, es mit Frauen so ernst zu meinen wie Dracula. Und selbst wenn er jemals eine aufrichtig lieben sollte, dann war das bestimmt nicht ich. Die Kerle, in die ich mich verknallte, ließen mich gerne mal sitzen.

Mit dieser Jannis-Geschichte war ich also auf dem besten

Wege, unglücklich zu werden. Aber obwohl ich das wusste, konnte ich nicht gegen meine Gefühle ankämpfen. Die Hohltiere hatten es auch in einer anderen Hinsicht gut: Sie hatten keine Hormone.

Hormone sind doof.

Man sollte sie abschaffen.

Oder ins Gefängnis sperren.

Da gehören sie hin, diese beknackten Hormone. Wären sie hinter Gitter, müsste ich mich nicht andauernd mit der Gegenwart rumschlagen, sondern könnte mich tatsächlich, wie von Mama gewünscht, mal um meine Zukunft kümmern.

Meine ebenso dicke wie gute Freundin Jenny merkte, dass ich Jannis anstarrte, und flüsterte mir zu: «Bist du scharf auf ihn, Fee?»

«Red keinen Schwachsinn», zischelte ich zurück.

«Das heißt also ‹ja›.»

«Nein, das heißt ‹Red keinen Schwachsinn›!»

«Und das heißt: ‹Au Mann, fühl ich mich ertappt›», grinste Jenny. Sie war immer total selbstsicher. Dabei war sie so dick, dass sie in jeder High-School-Komödie das Mädchen spielen konnte, das bei der Jungensmannschaft der Ringer mitmacht. Aber Jenny hatte die Einstellung: Ich werde nie einen perfekten Körper haben, also ist es besser, sich jetzt damit abzufinden, als die nächsten siebzig Jahre unglücklich auf dem Erdball herumzulaufen.

Ich selber war schlank und haderte dennoch ständig mit meinem flachbusigen Körper, mit dem ich die nächsten siebzig Jahre auf dem Erdball herumlaufen würde. Denn wenn der Körper meiner Mutter ein Indikator für meine Gene sein sollte, war klar, dass bei mir vornerum nichts mehr wachsen würde.

Endlich klingelte es zur Pause, der Biolehrer beendete den Hohltiermonolog, bei dem er selber fast eingepennt wäre. Wir standen auf, und Jenny sagte: «Ich verzieh mich dann mal, Fee.»

«Wieso?», fragte ich.

«Weil Jannis sich nähert.»

Jannis kam wirklich auf uns zu!

Meine Knie begannen zu zittern.

«Hi, Fee», sagte er bemüht lässig.

Jetzt steckten meine Knie mit dem Zittern auch noch meine Unterlippe an, und ich antwortete: «Hhhhh.»

Mein Gott, so hatte ich mich ja noch bei keinem Jungen benommen. Ich kam mir vor, als sei ich *Hannah Montana* entsprungen.

«Ähem, was?», fragte Jannis nett.

Ich versuchte es nochmal, mit wenig Erfolg: «Hihhjjjanns.»

Er schaute mich an, als ob ich von gestern noch bekifft wäre.

Wir schwiegen etwas peinlich berührt. Erst als der Klassenraum leer war, begann er zu reden: «Du, wegen gestern ...»

Es war klar, was jetzt kommen würde: Er würde sagen, dass er gestern zugedröhnt gewesen wäre, es nicht ernst gemeint hätte und sich das nächste Mädchen anschaffen wollte. Na ja, Letzteres würde er wohl nicht zugeben, er würde stattdessen irgendetwas von mangelnder Zeit labern. Aber im Prinzip würde es heißen: Die Nächste bitte.

Um der Abfuhr zuvorzukommen, plapperte ich hastig drauflos: «Du, das war gestern alles ein Fehler. Ich hätte gar nicht erst mit dir rumgemacht, hätten wir das Gras nicht geraucht, denn mal im Ernst, du bist nicht gerade mein Typ, und gestern hättest du auch ruhig etwas mehr Deo vertragen können ...»

Er schwieg, sah betreten zu Boden und sah dabei aus wie ein Hund, dem man über den Schwanz gefahren war.

«Ist was?», fragte ich daher unsicher.

«Nein, wieso?», erwiderte er bemüht cool.

«Na ja, du siehst aus, als ob dir jemand über den Schwanz gefahren ist.»

«WAS?»

«Ich meine … wenn du ein Hund wärst …», erwiderte ich hastig. Ich benahm mich von Sekunde zu Sekunde durchgeknallter.

«Na ja …», sagte er, «es ist nur so … das gestern mit dir … das fand ich gut. Und du … du hast auch gut gerochen.»

Er meinte es aufrichtig, das spürte ich genau.

«Iiiii …», stammelte ich daher. Unterlippe und Oberlippe zitterten nun im Duett.

«Was?», fragte er.

«Iiii», stammelte ich weiter und motzte innerlich: Ihr beknackten Körperteile, könnt ihr euch mal zusammenreißen?

Sie taten es tatsächlich. Etwas. Zumindest so, dass ich wieder halbwegs verständlich reden konnte: «Ich … ich fand das gestern auch gut.»

«Aber warum hast du dann eben gesagt, alles wäre ein Fehler gewesen?», wollte Jannis wissen.

«Weil ich manchmal ein Hohltier bin.»

«Das sind wir alle mal», antwortete er mit einem super Lächeln. Und wäre ich nicht schon längst in ihn verknallt gewesen, hätte ich mich spätestens in diesem Augenblick in ihn verliebt.

Dann fragte er: «Hast du Lust, heute Abend was mit mir zu unternehmen? Mit Gras, ohne, ganz egal?»

«Ja, das habe ich», erwiderte ich überglücklich und dachte bei mir: Nichts, nichts auf der Welt wird mich davon abhalten können, mich heute Abend mit Jannis zu treffen!

EMMA

Meine Familie war von der Stephenie-Meyer-Idee ziemlich unterwältigt.

«Ich bin verabredet», motzte Fee, noch heftiger als sonst.

«Ich hab zu arbeiten», sagte Frank, noch deprimierter als sonst.

«Ich will lesen», flüsterte Max, genauso leise wie sonst. Er war für seine zwölf Jahre etwas zu klein geraten, auch etwas zu dick. Er war hochbegabt, was seine Popularitätswerte in seiner Klasse nicht gerade hochschnellen ließ. Max war daher in den letzten Jahren zu einem extrem schüchternen Bücherwurm geworden, der es liebte, in Phantasiewelten abzutauchen. Die Realität war ihm eindeutig zu realistisch. Einerseits konnte ich das verstehen, andererseits konnte ich das nicht zulassen. Zuerst hatte ich versucht, ihn dazu zu bringen, Musik zu machen, aber seine Chorleiterin nahm mich zur Seite: «Tut mir leid, das sagen zu müssen: Aber Ihr Sohn trifft einen Ton nicht mal, wenn er vor ihm steht.» Daraufhin hatte ich ihn beim Fußball angemeldet, aber sein Trainer erinnerte in seinen Methoden der Teamführung an Saddam Hussein. Beim letzten Spiel, bevor Max aufhörte, ranzte Saddam mich an: «So wie Ihr Sohn spielt, sollten Sie mal nachprüfen, ob er nicht schwul ist.» Jetzt suchte ich nach einem neuen Ort, an dem Max die Realität genießen konnte, ohne bisher einen solchen gefunden zu haben.

Ich blickte meine Familie an, die am Küchentisch in unserer Altbauwohnung saß, und erklärte entschlossen: «Wir machen das heute Abend als Familie!»

«Ich mach, was ich will», erwiderte Fee.

Es war einer ihrer Standardsätze. So wie: «Ich räume später auf», «Ich schaff das schon noch pünktlich zur Schule» oder «Mama, ich würde doch nie kiffen». (Mir war es schon immer schleierhaft gewesen, warum einige Teenager in der Pubertät anfingen, Gras zu rauchen. Eigentlich müssten das doch die Eltern tun, um diese Phase des Lebens durchzustehen.)

Fees Lieblingsstandardsatz aber war: «Mama, du bist peinlich.» Wenn ich sang, war ich peinlich. Wenn ich mich schminkte, war ich peinlich. Wenn ich mich nicht schminkte, war ich noch peinlicher. Nur einmal, als ich im Badeanzug mit ihr ins Freibad ging, war ich nicht peinlich gewesen. Sondern todpeinlich.

Normalerweise versuchte ich ja, meine Kinder ohne allzu viele Drohungen zu erziehen, aber mir war es nun mal unglaublich wichtig, dass wir als Familie zu Stephenie Meyer gingen, damit ich vor Lena angeben konnte, und so erklärte ich bestimmt: «Wenn du nicht mitkommst, Fee, gibt es Stubenarrest!»

Sie sah mich zornesrot an, wütender als sonst, es handelte sich anscheinend um eine besonders wichtige Verabredung. Bestimmt mit einem Jungen. Aber wenn ich das ansprechen würde, oder gar die Tatsache, dass sie sitzenblieb, dann würde sie garantiert gleich explodieren. Und wenn sie explodierte, würde ich auch explodieren. Und während wir fröhlich vor uns hin detonierten, würde Frank sich zu seinem Laptop verkrümeln und Max zu seinem aktuellen Buch. Daher erwiderte ich gar nichts und ließ ihre Wut im Raum hängen, bis Fee zischelte: «Es ist immer toll, was mit der Familie zu machen. Besonders wenn man es so freiwillig tun darf.»

Frank nahm mich darauf beiseite und fragte leise: «Aber mir wirst du doch keinen Stubenarrest geben, wenn ich nicht mitkomme, Emma? Ich muss mir überlegen, wie ich den Mitarbeitern in der Bank die Einsparungen verkaufe.»

Frank war eigentlich mal Anwalt geworden, um den Armen zu helfen. Doch nach dem Jurastudium stellte er fest, dass Leute, die den Armen helfen, selber arm bleiben. Und da er eine Familie ernähren wollte, nahm er eine Stelle in der Rechtsabteilung einer Bank an und war jetzt dort für Restrukturierungen und das Zeichnen von Organigrammen zuständig. Er litt sehr unter seiner Aufgabe. Es war ja auch schwer, den Menschen zu sagen, dass sie entlassen werden sollten. Wie sollte man so eine Rede überhaupt einleiten? Wohl kaum mit: «Dreimal dürfen Sie raten, wessen Chefs sich völlig verspekuliert haben», oder mit:

«Ab jetzt müssen Sie sich nicht mehr über Ihren Abteilungsleiter aufregen», oder mit: «An Ihrer Stelle würde ich in Zukunft mein Essen im Garten anbauen»?

Ich versuchte seine Anspannung mit einem Scherz aufzulockern: «Stubenarrest gibt es nicht, dafür aber Sexentzug.»

«Wie bitte?» Er verstand nicht ganz.

«Du musst dich entscheiden: deine Arbeit oder Sex mit mir heute Nacht. Was soll es sein?»

«Na ja ...», überlegte er.

Er überlegte tatsächlich!

Au Mann, ich hatte ja immer gedacht, dass meine eigenen Eltern früher kaum Leidenschaft hatten. Aber auch wenn sie kaum zärtlich miteinander waren, hatten sie mit über fünfzig immer noch Sex, wie ich einmal leidvoll feststellen musste, als ich als Teenager aus Versehen in ihr Schlafzimmer kam – es sah aus, als ob zwei Walrösser miteinander Wrestling machten.

«Das ist mir heute Abend sehr wichtig!», erklärte ich Frank unmissverständlich.

«Na gut, dann arbeite ich an dem Konzept, wenn wir nach Hause kommen. Schlaf ist was für Amateure», lächelte er müde.

Ich war immer wieder überrascht, wie sehr mich sein Lächeln noch bezaubern konnte, selbst wenn es noch so müde war. Jedes Mal, wenn er lächelte, überlegte sich mein Gehirn, dass es doch schön wäre, mal wieder in die Karibik zu reisen und Limbo zu tanzen. Dabei sah Frank ganz anders aus als früher. Sein Haar lichtete sich sehr, sein Gesicht war fahl und eingefallen. Er gehörte zu jenen Menschen, die bei Stress abnahmen, was ich als Stress-Esserin manchmal für eine beneidenswerte Eigenschaft hielt.

Ich gab Frank einen Kuss auf die Wange, ging zu dem widerwilligen Max und erklärte ihm: «Wenn du nicht mitkommst, melde ich dich wieder beim Fußball an.»

Danach hatte ich alle drei an Bord und zeigte ihnen die Kostüme, die ich am Nachmittag für teures Geld bei einem Verleih geholt hatte. Schließlich war die Buchpremiere eine Monster-Kostümparty, und ich wollte, dass wir dort Eindruck schindeten. Ich hatte klassische Verkleidungen der berühmtesten Filmmonster aus der guten alten Zeit des Kinos gewählt.

«Frankensteins Monster», seufzte Frank müde, als ich ihm sein Kostüm gab, mit dem er rumlaufen sollte wie einst Boris Karloff: mit zerrissener grauer Hose, brauner Fellweste und einem grünen Quadratschädel, der mit Schrauben besetzt war.

«Und was sind das für Bandagen?», fragte Fee, extrem genervt, als sie ihr Kostüm von mir in die Hand gedrückt bekam. «Bin ich das Mullbindenmonster?»

«Nein, du bist die Mumie», erklärte ich begeistert. «Dreitausend Jahre hast du im Sarkophag in einer Pyramide gelegen, bis du von Grabräubern befreit wurdest.»

«Na super! Ich gehe also als dreitausend Jahre altes Gammelfleisch», schnaubte sie. «Das passt besser zu dir, Mama.»

Reizend. Das war mal wieder eine Bemerkung, die meine These bestätigte, dass die Geburtswehen nur ein Vorgeschmack der Natur auf die Pubertät waren.

«Wir können uns ja gerne mal über deine gammeligen Schulleistungen unterhalten», erwiderte ich gereizt.

«Das wäre bestimmt ein super Thema», erwiderte sie, und ihre Augen funkelten dabei.

«Nun streitet euch doch nicht wieder», versuchte Frank zu schlichten. Fee und ich herrschten ihn im Chor an: «Halt du dich da raus!»

Erschrocken davon, schüttelte er nur den Kopf und sagte den Satz, den wir beide am meisten hassten: «Ihr seid euch echt ähnlich.»

Wir wollten ihm gerade für diese Bemerkung gemeinsam an die Gurgel gehen, da meinte Max leise: «Ich wäre gerne ein Zombie.»

«So wie du lebst, bist du schon einer», stellte Fee fest.

Ich beschloss, sie fürs Erste zu ignorieren, wandte mich dem Kleinen zu und erklärte ihm: «Wir gehen alle als klassische Filmmonster. Deswegen bist du ein Werwolf.»

Als ich ihm sein haariges Wolfskostüm gab, blickte er recht enttäuscht drein. Auch darauf ging ich nicht ein und verkündete: «Ich gehe als Vampir. Im stilvollen alten Dracula-Look.»

Enthusiastisch zeigte ich mein gefälschtes Gebiss mit spitzen Zähnen und das schwarze Kostüm mit einem samtenen roten Umhang.

«Darin siehst du eher aus wie Graf Zahl», kommentierte Fee.

«Früher hast du Graf Zahl sehr gemocht», antwortete ich und erinnerte mich wehmütig an die schöne Zeit, wie sie als kleines Mädchen frisch gebadet und nach Bübchen-Shampoo duftend im Schlafanzug auf meinem Schoß saß und wir uns gemeinsam die Sesamstraße ansahen. Sie wurden einfach viel zu schnell groß. Je älter man selber wird, desto mehr bekommt man den Eindruck, dass irgendjemand beim Leben auf schnellen Vorlauf gedrückt hat.

«Graf Zahl kann maximal bis zehn zählen», erwiderte Fee. «Außerdem hat er ADHS.»

«Immerhin ist er damit formidabler in der Arithmetik als du», sagte Max leise. Er sprach sonst nicht viel, aber wenn, dann ärgerte er gerne seine große Schwester.

«Halt den Mund, oder ich verkaufe dich als Robbe an den Zirkus.»

«Irgendwann gibt es für all deine Gemeinheiten eine Revanche!», drohte Max, vor Wut bebend, traf es ihn doch immer sehr, wenn sie sein Übergewicht ansprach.

«Mein Herz zittert vor Angst, Robbi!», grinste sie.

Fee bereitete es ebenfalls große Freude, ihn mit Sprüchen ins Mark zu treffen. Sie war davon überzeugt, dass Max unser Liebling war und sie so etwas wie die unverstandene Cinderella, die nur von einem Prinzen aus ihrem schlimmen Schicksal befreit werden konnte. Oder von der Volljährigkeit.

Dabei liebte ich beide Kinder, auch wenn ich sie manchmal gerne gegen zwei Wellness-Massagen eintauschen wollte. Manchmal, in den wenigen und immer seltener werdenden harmonischen Momenten, die ich mit ihnen hatte, liebte ich sie sogar so sehr, dass es wehtat. Es war der schönste Schmerz in meinem Leben.

Ich vermutete, oder besser gesagt, ich hoffte, dass die beiden Geschwister sich insgeheim ebenfalls liebten. Auch hoffte ich, dass Frank und ich uns immer noch – unter all dem Alltagsstress – so liebten wie früher. Aber wenn das alles wirklich so war, wenn wir uns alle liebten, warum war es dann nicht wie früher? Warum mussten wir uns fast jeden Tag streiten? Warum musste ich sie alle dazu zwingen, dass wir gemeinsam etwas unternahmen? Wann hatten wir überhaupt das letzte Mal als Familie etwas miteinander unternommen?

Während ich mich dies fragte, erkannte ich, dass es an diesem Abend nicht nur darum gehen würde, Lena zu beeindrucken oder meinen Laden zu retten: Wir Wünschmanns würden auch das erste Mal seit langem wieder etwas als Familie machen. Womöglich würden sie sehen, wie viel Spaß wir zusammen haben. Schließlich machten wir mit dem Besuch der Buchpremiere etwas ganz Außergewöhnliches. Und vielleicht, ganz vielleicht, würden wir an diesem Abend sogar wiederfinden, was wir als Familie verloren hatten.

Als wir alle mit den Kostümen in unserem alten Ford saßen, war ich schon ein bisschen stolz auf uns, denn wir sahen imposant aus: Papa, das Frankensteinmonster, meine Tochter, die Mumie, mein Sohn, der Werwolf, und ich, der unglaubliche Vampir mit Brille. Vier Monster auf dem Weg in die große weite Welt!

Die Stimmung bei den anderen war nicht ansatzweise so gut wie meine: Max las eins seiner Bücher, Frank beschwerte sich, weil er mit seinem riesigen Frankensteinkopf bei jedem Schlagloch gegen das Autodach stieß, und Fee simste in einer Tour. Ich verstand einfach nicht, warum sie andauernd simste oder chattete. Ich verstand so vieles nicht bei ihr: warum sie sich ständig Kopfhörer in die Ohren stopfte, warum sie ihren jungen, schönen Körper mit Tattoos verunstaltet hatte oder warum es eine solch unüberwindliche, herkuleshafte Aufgabe sein sollte, mal die Spülmaschine auszuräumen.

Andererseits, meine Mutter hatte früher auch nicht alles bei mir verstanden: warum ich wie *Material Girl* Madonna rumgelaufen war, warum ich so laut Duran, Duran hörte und schon gar nicht, warum ich auf Don Johnson stand (zugegeben, wenn ich heute zufällig eine Wiederholung von *Miami Vice* sah, fragte ich mich das auch: Don trug Pastellanzüge, einen Vohukila und war schätzungsweise 1,23 Meter groß).

Womöglich stimmte es, was mir Fees Klassenlehrerin gesagt hatte: Die Synapsen im Gehirn des Teenagers werden in der Pubertät neu verdrahtet. Übersetzt hieß das dann wohl, man konnte an das Teenagerhirn ein Schild hängen mit der Aufschrift: *Wegen Umbau geschlossen.*

Ich beschloss daher, mir von Fees Synapsen nicht den Abend verderben zu lassen. Je ruhiger ich blieb, desto größer war die Wahrscheinlichkeit, dass wir heute alle miteinander Spaß haben konnten. Im Radio lief gerade *Rastaman Vibration* von Bob Marley. Ein Lied, das ich früher geliebt hatte, so machte ich lauter und sang mit: «It's a new day, a new time and a new feeling ... »

Dabei wurde mir warm ums Herz in der Hoffnung, dass es heute Abend vielleicht wirklich ein neuer Tag für unsere Familie werden würde, der eine neue Zeit einläutete, mit einem neuen Gefühl.

Ich sang so lange, bis Fee maulte: «Muss das sein, Mama?»

«Ach, ist das jetzt wieder peinlich?», fragte ich pikiert.

«Nein, ist es nicht», erwiderte Fee.

«Ist es nicht?», fragte ich freudig überrascht.

«Nein», lächelte sie, «das ist einfach nur Scheiße.»

Es würde sicherlich nicht einfach werden, sich den Abend von ihren Synapsen nicht verderben zu lassen.

Kurz darauf fuhren wir vor dem edlen Ritz-Carlton-Hotel vor, und ich verkündete: «Gleich sehen wir Stephenie Meyer.» Wohl wissend, dass keiner von meiner Familie ein Fan der Autorin war. Fee las außer SMS eigentlich gar nichts, Frank hatte ohnehin keine Zeit zum Lesen, und Max waren Meyers Vampire zu «kindisch», er stand mehr auf Zombies, Orks und Barbaren.

Wir gingen über einen roten Teppich in das Hotel und wurden in einen herrschaftlichen Saal geleitet, in dem sich weit über zweihundert Gäste tummelten. Sie hatten Champagnergläser in der Hand, und wir hätten sicherlich diese wundervolle, festliche Stimmung genießen können, wäre da nicht eine Kleinigkeit an den Gästen gewesen, die uns alle arg stutzen ließ. Nach einer Weile des gemeinschaftlichen entsetzten Schweigens sprach Max das Offensichtliche aus: «Mama … hier hat keiner ein Kostüm an.»

Und Fee ergänzte: «Außer uns vier Volldeppen.»

Es war einer jener Augenblicke, in denen man gerne etwas anderes hätte sagen können als: «Tjahaha …»

Fee reagierte am schnellsten und lächelte zufrieden: «Dann können wir ja wieder abhauen.»

Das war ein durchaus verständlicher Fluchtreflex, besonders wenn man bedachte, dass die ersten Gäste zu uns sahen.

«Gute Idee», fand Frank, den es zu seiner Arbeit zurückzog.

«Nein, wir bleiben und nehmen das Ganze humorvoll», munterte ich meine Familie auf.

«Ich befürchte», gab Frank zu bedenken, «die Einzigen, die das hier humorvoll nehmen, sind die anderen Gäste.»

Ich blickte in seine Richtung und sah, dass sie bei unserem Anblick schmunzelten oder lachten, einige zeigten sogar mit dem Finger auf uns. Bevor ich etwas antworten konnte, meldete sich Frank wieder zu Wort: «Ist das da nicht deine Lena?»

Tatsächlich, Lena schlenderte elegant auf uns zu, und Frank gaffte sie aus seinem Frankensteinkopf fasziniert an. Er hatte es noch nie verstanden, unauffällig auf attraktive Frauen zu schauen. Immer wenn ich es merkte, versetzte es mir einen Stich. Ich hatte ihn jedoch nie darauf aufmerksam gemacht, um weder ihn noch mich zu demütigen.

Lena begrüßte mich überrascht: «Ihr seid ja kostümiert!»

«Ach nee», kommentierte Fee.

«Du hast gesagt, es gibt wilde Monster-Kostüme ...», versuchte ich zu erklären.

«Ja», lachte Lena, «aber die tragen doch nicht die Gäste. Nur die Band, die nachher spielt.»

Meine Familie warf mir einen entsprechenden Blick zu.

«Hast du das nicht begriffen?», fragte Lena.

«Nein, hat sie nicht!», antworteten meine Kinder im Chor.

Lena wandte sich nun an Fee und fragte: «Und, wie findet ihr Stephenie Meyer so?»

Ich betete, dass meine Tochter jetzt nicht irgendwie provozieren würde, nur um mir zu demonstrieren, wie wenig Lust sie auf die ganze Veranstaltung hatte.

Fee antwortete: «Ich finde Stephenie Meyer ganz, ganz toll.»

Ich war ungeheuer erleichtert, das zu hören.

«Sie ist meine absolute Lieblingsautorin!», legte Fee nach.

Es war kaum zu fassen, Fee wollte einen guten Eindruck machen.

«Ich liebe Stephenie Meyer!»

Auch wenn sie jetzt vielleicht etwas dick auftrug, war ich dankbar: Ich hatte wohl doch nicht alles in meiner Erziehung falsch gemacht, wenn Fee sich in Anwesenheit anderer benehmen konnte.

«Ich liebe Stephenie Meyer so sehr», plapperte sie weiter, «am liebsten würde ich mich von ihr entjungfern lassen.»

Mir fiel alles aus dem Gesicht.

Lena auch.

Und Fee grinste mich feist an. Das konnte ich, obwohl ihr Mund von den Mumien-Bandagen verdeckt war, genau erkennen.

Ich wollte die Situation entschärfen und überlegte krampfhaft, wie ich Lena klarmachen konnte, dass meine Tochter ein liebenswerter, lustiger kleiner Scherzkeks war. Doch bevor ich irgendetwas sagen konnte, hörten wir eine flötende Stimme: «What did this nice girl say about me?»

Es war Stephenie Meyer.

Sie trug einen schicken Hosenanzug, stand direkt hinter uns und lächelte freundlich, nichts ahnend. Wir waren alle sprachlos. Schon bei jeder anderen Star-Autorin wäre Fees Ausspruch extrem peinlich gewesen. Aber Frau Meyer war zu allem Überfluss auch noch Mormonin, fiel mir gerade siedend heiß ein.

Sie ging zu Fee und fragte sie lächelnd: «Come on, you can tell me.»

Ich sah in Fees entsetztes Gesicht und war mir sicher: Sie würde mich nicht noch mehr blamieren. Sie ging zwar manchmal zu weit. Aber so weit? Das würde nicht mal sie bringen.

Dummerweise hatte sie einen Bruder. Und der hatte ja zu

Hause angekündigt, dass er sich für Fees gesammelte Gemeinheiten irgendwann mal revanchieren würde. So übersetzte er
Frau Meyer freundlich, was Fee gesagt hatte: «She wants to be
deflowered by you.»

Nun fiel auch Stephenie Meyer alles aus dem Gesicht.

Dies wiederum war einer jener Augenblicke, in denen man
gerne sagen würde: «Ich sehe diese Kinder zum ersten Mal.»

Stattdessen versuchte ich, mich aus der Nummer rauszuwin-
den, und erklärte: «She said, she wants to give flowers to you.»

Stephenie Meyer erkannte, dass Fee keine «flowers» dabei-
hatte, und sah mich mit einem Blick an, der besagte: «I can ver-
arsch me myself.»

Dann ging sie zutiefst beleidigt weiter, um mit anderen Gästen zu plaudern. Ich sah zu Frank, doch der wusste nicht, wie
er mich trösten sollte. Männer sind beim Trösten nun mal un-
wesentlich begabter als Orang-Utans. Nach einer Weile sagte er
nur leise: «Ich … ich glaub, ich geh mal zum Buffet.»

«Ich komme mit», ergänzte Fee hastig.

«Ich habe einen enormen Werwolfshunger», stimmte Max
schnell mit ein. Meine Familie dampfte ab. Nach einer Weile des
betretenen Schweigens meinte Lena zögerlich zu mir: «Deine
Kinder sind nicht ganz so perfekt, oder?»

Ich nickte bestätigend mit dem Kopf.

«Mit deinem Mann läuft es auch nicht so gut, nicht wahr?»,
fragte sie vorsichtig.

«Wieso?», fragte ich unsicher. Wie kam sie darauf? Frank
hatte sich ja bisher nicht allzu danebenbenommen.

«Er starrt unentwegt auf den Hintern von Stephenie Meyer.»

Tatsächlich: Frank, der am Buffet stand, gaffte aus seinem
grünen Frankensteinschädel direkt auf den Po von Frau Meyer,
die sich ein paar Meter hinter uns unterhielt. Das tat weh. Noch
mehr als der Auftritt der Kinder. Und der hatte auch schon
ziemlich wehgetan.

«Wir kriegen das mit der Lesung noch hin», tröstete Lena.

Ausgerechnet sie tröstete mich! Dabei hatte sie mich doch eingeladen, um anzugeben. Eines war jetzt schon klar: Ich würde Lena nicht zeigen können, dass ich glücklicher war als sie, was hauptsächlich daran lag, dass ich nicht glücklicher war. In etwa so, wie der junge Werther nicht glücklicher war als Gustav Gans.

Ich sah von ihr weg, wieder zu Frank, der sich mit dem Meerrettich eines Lachsschnittchens auf die Fellweste kleckerte, dies aber nicht mitbekam, weil er weiter seine Hinterteilbetrachtung vornahm.

«Dabei hat die Meyer doch einen Breiarsch ...», fluchte ich traurig.

Da fragte Stephenie Meyer hinter mir: «What did she say?»

Am liebsten hätte ich mich wie ein Vampir in eine Fledermaus verwandelt und wäre aus dem Saal geflogen.

Die Meyer kam auf uns zu und fragte mich: «What exactly is a ‹Breiarsch›?»

Ich wusste nicht, was ich darauf antworten sollte, und stammelte nur: «Sólo hablo español.»

«Qué es un Breiarsch?», fragte sie.

Die blöde Kuh konnte auch noch Spanisch.

Obwohl ich in der Oberstufe mal ein Jahr Spanisch hatte, konnte ich eigentlich nicht viel mehr sagen als: «Hey Macarena.» Aber dies schien mir als Antwort in dieser Situation etwas unpassend.

Völlig verzweifelt fragte ich daher verquer lächelnd: «Czi mowi Polski?»

Stephenie Meyer machte nur eine abfällige Handbewegung und ging. Jemand Irres im Monsterkostüm, die sie auch noch beleidigte, war ihre Zeit nicht wert. Lena legte den Arm sanft um mich und seufzte: «Ich glaube, wir kriegen das mit der Lesung doch nicht mehr hin.»

Vor meinem geistigen Auge sah ich, wie der Insolvenzverwalter bald in meinen Laden spazierte, sich über meine Buchhaltung königlich amüsierte und über die Kakerlake und das verstopfte Klo wunderte.

Aber dass ich nicht mehr den Laden mit der Hilfe von Frau Meyer wiederbeleben konnte, war nicht das Schlimmste. Nein, das Schlimmste war: Der Abend mit meiner Familie war katastrophal verlaufen. Keiner von uns genoss ihn auch nur ansatzweise. Vielleicht war es an der Zeit, sich endlich einzugestehen, dass wir wirklich keine echte Familie mehr waren.

FEE

Mama war so stinkig auf uns, dass sie in einem Fahrstil durch Berlin sauste, der an *Grand Theft Auto* erinnerte. Aber niemand von uns anderen motzte. Niemand von uns traute sich, überhaupt etwas zu sagen. Selbst Papa hielt den Mund, obwohl er ständig mit seinem Frankensteinschädel gegen die Wagendecke knallte. Atmen taten wir alle nur so viel wie nötig, um nicht zu ersticken. Es war ein Schweigen wie vor dem Shootout im Western. Eins war klar: Wenn einer von uns jetzt was sagen würde, würden im Auto die Kugeln fliegen.

Während ich weiter überflüssiges Atmen vermied, sah ich auf mein Handy. Dort war eine SMS von Jannis: «Ich hab dich gern.» Diese SMS hatte ich inzwischen circa 287 Mal gelesen. Und ich überlegte fieberhaft, was ich antworten sollte. «Ich dich auch», wäre angemessen gewesen. Aber mein Herz hüpfte so hoch vor Freude, dass ich am liebsten sofort «Ich liebe dich» getippt hätte. Doch wenn ich so was Offensives geantwortet hätte, wäre ich genauso verrückt wie diese Frau, die ihre Familie gezwungen hatte, sich in Monsterkostümen zu blamieren.

Dennoch träumte ich ein bisschen vor mich hin, wie es wohl wäre, wenn ich Jannis «Ich liebe dich» simsen würde und er das

Gleiche antwortete und so dieser Tag – trotz Sitzenbleiben und Horrorabend als Mumie – zum schönsten Tag meines Lebens würde. Meine Finger tippten die Worte spaßeshalber ein, natürlich, ohne dass ich sie jemals abschicken würde. In diesem Moment zeigte Mama mal wieder null Interesse an einer roten Ampel und brauste so schnell um eine Kurve, dass wir fast alle aus dem Fenster flogen. Wie in Zeitlupe sah ich, wie mein Daumen auf «Senden» glitt. Mein «Ich liebe dich» wurde versendet.

Ich glaube zwar nicht an Gott, aber in diesem Augenblick betete ich still: Bitte, bitte, lieber Gott, mach, dass das Mobilnetz einen Totalausfall hat.

Gott tat mir diesen lächerlichen kleinen Gefallen nicht: Die Balken auf meinem Handy blieben alle stehen.

Wenige Zehntelsekunden später kam die Antwort von Jannis: «Was?»

Das war jungenstypisch nicht sehr geistreich. Und es war schon gar nicht die Antwort, die ich mir in meinem albernen Tagtraum vorhin erhofft hatte, deswegen schrieb ich hastig zurück: «Ich hab mich vertippt.»

Ich hoffte, dass er das schlucken würde und dass damit das Texten zu Ende war. Vergebens.

«Was wolltest du denn tippen?», fragte er per SMS.

Panisch simste ich zurück: «Ich schiebe dich.»

«Du schiebst mich???», kam die Antwort, und man merkte, er hätte gerne noch ein paar hundert weitere Fragezeichen getippt.

Noch panischer antwortete ich: «Ich meine schaben.»

«Du schabst mich?»

«Ja.»

«???»

«Es ist ja Freitag, Schabbat bei den Juden», schrieb ich.

«?????»

Mittlerweile musste er mich für total durchgeknallt halten.

Am liebsten hätte ich ihm jetzt ein kleines Männchen zurückgesimst, das sich verpieselt. Doch da ließ mich Jannis vom Haken. Er fragte nicht mehr nach, sondern simste den schönsten Satz, den mir je ein Junge gesagt, geschrieben oder getextet hatte: «Ich schiebe dich auch, Fee.»

Eine Welle des Glücks überrollte mich. Ich war total happy und hätte alle umarmen können. Vielleicht sogar Mama.

Die sah in ihrem Rückspiegel, dass ich in meinem Mumienkostüm lächelte. Als sie mich so glücklich sah, machte sie vor lauter Wut eine Vollbremsung ... auf dem Fußweg.

Und dann begannen die Kugeln zu fliegen.

EMMA

Ich sprang wehenden Umhangs aus dem Wagen heraus und sah dabei, dass ich, nur wenige Meter von einer alten Bettlerin entfernt, zum Stehen gekommen war. Die alte Frau bettelte am Wegesrand, trug ein Kopftuch, hatte ein graues Gesicht, und der Anzahl ihrer Augenringe nach zu urteilen, war sie schon sehr, sehr alt. Dass ich auf den Gehsteig gerast war, hatte ihr offenbar keinen Schrecken eingejagt. Ganz im Gegenteil. Sie schaute lächelnd zu mir rüber, als ob sie in ihrem Leben schon viel Schlimmeres erlebt hatte. Dann hob sie ihre Blechbüchse und fragte radebrechend: «Du haben Euro?»

Ich war viel zu sehr in Rage, um auf sie einzugehen, stattdessen befahl ich meiner Monsterfamilie auszusteigen. Ich baute mich vor Frankenstein, Mumie und Werwolf auf und rastete aus, wie noch nie jemand im Draculakostüm, einschließlich Dracula selbst, zuvor ausgerastet war: «Fee, was fällt dir ein, so zu grinsen? Du blamierst mich, du bleibst sitzen, du kiffst ...!»

«Ich kiffe nicht ...», setzte Fee zum schwachen Protest an.

«Für wie blöd hältst du mich eigentlich?», schnitt ich ihr das Wort ab. «Und wehe, du gibst darauf eine ehrliche Antwort!»

Sie schaute schuldbewusst zu Boden. Max grinste, woraufhin ich mir den Jungen gleich als Nächstes vorknöpfte: «Und du ... du kriegst deinen Mund nur auf, wenn es darum geht, deine Schwester zu ärgern!»

Jetzt blickte auch er schuldbewusst zu Boden. Frank hingegen stellte sich vor die beiden und versuchte zu schlichten: «Wir wollen die Kinder doch nicht anschreien ...»

«Im Augenblick schon!»

«Das hat doch keinen Sinn ...», erwiderte er zaghaft.

«Ach, jetzt machst du auf einmal einen auf Kindererziehung?», schnauzte ich ihn an, und die Kinder waren sichtlich froh, fürs Erste aus der Schusslinie geraten zu sein. «Du bist doch den ganzen Tag gerade mal zwanzig Minuten im wachen Zustand zu Hause und dabei auch nur körperlich anwesend.»

«Willst du jetzt etwa mich anmachen?», fragte er etwas begriffsstutzig.

«Glaubst du etwa, ich hab nicht gesehen, wie du Stephenie Meyer pausenlos auf den Breiarsch gestarrt hast?»

«Breiarsch ...», kicherte Max.

«Klappe!», schnauzte ich ihn an und spürte, dass Tränen in mir aufstiegen. Ich schimpfte meine Familie nur so sehr an, weil ich so traurig war und ansonsten losheulen würde. Und wenn ich einmal damit beginnen würde, könnte ich nicht mehr aufhören.

«Meinst du nicht», fragte ich Frank, «das tut mir weh? Dass ich nicht mehr so attraktiv für dich bin wie früher?»

Er wusste nicht, was er darauf antworten sollte, starrte mich nur hilflos an. Es wäre ein sehr guter Zeitpunkt gewesen zu sagen: «Aber Schatz, du bist für mich noch genauso attraktiv wie am ersten Tag.»

Doch er stand einfach nur da und schwieg.

So keilte ich los: «Dabei bist du auch nicht gerade ein Adonis!»

«Was …?», fragte er überrascht.

«Dein Gesicht sieht eingefallen aus. Und deine Haare wachsen nur noch an den falschen Stellen!»

«Ich dachte, du findest die am Rücken süß …», stammelte er völlig durcheinander. «Du nennst mich doch immer ‹Felli› …»

«Keine Frau auf der ganzen Welt mag Fellis!»

«Wisst ihr», warf Fee ein, «Kinder stehen eigentlich nicht so darauf zu erfahren, wie wenig die Eltern aufeinander abfahren.»

Bei dieser Bemerkung drehte ich endgültig durch: «Es ist so ein Mist, dass meine Tochter mich nur noch anpampt. Es ist auch Mist, dass mein Sohn sich nur zurückzieht. Und besonderer Mist ist es, dass mein Mann und ich keine richtige Ehe führen. Aber wisst ihr, was die Mutter aller Misten ist? Die Mutter aller Misten ist, dass wir keine echte Familie mehr sind … und ja, ich weiß auch, dass ‹Misten› kein richtiger Plural ist, aber er müsste extra für uns mistige Familie erfunden werden …!»

Alle schauten mich betreten an, während mir die ersten Tränen in die Augen schossen. Ich flehte sie alle drei mit brüchiger Stimme an: «Ich … ich kann so nicht mehr weitermachen.»

In meinem tiefsten Inneren fand ich nun, dass dies der ideale Augenblick für Frank gewesen wäre zu sagen: «Alles wird gut.»

Aber in seinen Augen stand nichts von «gut werden». Sie sahen mich nur leer und müde an. Ich blickte zu Max, ihm sah man an, dass er jetzt gerne in einem seiner Zombie-Romane versinken würde, und Fee köchelte weiter genervt vor sich hin. Da wurde mir klar: Hier würde nichts mehr gut werden. Rein gar nichts.

Völlig am Ende, stammelte ich noch: «Ich hätte mit Hugh Grant auf Mauritius sein können …»

Dann heulte ich endgültig los.

FRANK

Müde.

Ich war so müde.

So unglaublich müde.

Die Kinder waren nicht müde. Sie konnten nicht ertragen, ihre Mutter so weinen zu sehen, und blickten zu Boden. Ich aber war viel zu matt. So fragte ich mich erst mal nur verwirrt: «Hugh Grant ... wieso Hugh Grant?»

Was wollte Emma denn mit dem auf Mauritius? Gut, man konnte sich schon vorstellen, was sie mit ihm da wollte. Aber wie kam sie jetzt darauf? Ich verstand gar nichts mehr.

Schon seit einiger Zeit hatte ich dieses Gefühl, dass mein Hirn wie in Watte gepackt war. «Seit einiger Zeit» hieß in diesem Fall «seit Jahren». Bei meiner Arbeit in der Bank kam ich mir vor wie ein Marathonläufer. Einem, dem man am Ende des Laufes sagt: «Übrigens, das hier ist ein Triathlon.» Und dem man am Ende des Triathlons verkündet: «Du, weil es so schön war, machen wir gleich noch einen.» Und an dessen Ende einem wiederum erklärt wird: «Übrigens, du hast am Start des allerersten Laufes etwas liegenlassen. Kannst du das bitte noch mal holen?»

In unserer Abteilung waren wir alle so erledigt. Ein Kollege von mir, der eine gewisse musikalische Begabung besaß, hatte darüber schon ein Lied komponiert mit dem Titel: *Ich kann nicht mehr*. Als er merkte, wie sehr das Lied bei uns Anklang fand, komponierte er gleich den Folgesong *Ich will auch nicht mehr*. Songs, die in unserer modernen Welt das Zeug zum Gassenhauer hatten. Es folgten noch so einige Lieder. Als da waren:

Ich brauch fünf Kaffee

Tinnitus

I am looking for freedom

Ich glaub, ich werde wahnsinnig
Ich höre schon Stimmen
Ich kaufe mir eine Uzi (ein Stimmungssong, bei dem alle im Refrain rhythmisch mitsingen: «Uzi! Uzi! Uzi!»)

Und als Letztes komponierte er den Reggae-Song: *I shot the Vorstand, but I did not shoot the Kantinenchef.*

Dabei waren wir uns alle im Kollegium einig, dass der Kantinenchef so ein Shooting durchaus mal verdient hätte.

Wäre ich nicht so matt, so alle, so fertig gewesen, hätte ich mich sicherlich nicht den ganzen heutigen Abend wie ein Idiot benommen und hätte auch nicht all die Fehler gemacht: Ich hätte Emma bei dem Ausflug zur Buchpremiere mehr unterstützt, ich hätte ihr Angebot, heute Nacht Sex zu haben, sofort angenommen, und vor allen Dingen hätte ich nicht Stephenie Meyer auf den Hintern gesehen (oder zumindest mich nicht von Emma dabei erwischen lassen). Zudem hätte ich jetzt in einem wacheren Zustand sicherlich Worte des Trostes finden können. Aber so fiel mir gerade nicht viel mehr ein als: «Alles wird gut.» Ich behielt dies aber für mich, war ich mir doch sicher, dass Emma so etwas Läppisches gar nicht hören wollte. Außerdem hatte ich keinen Schimmer, was ich hätte antworten sollen, wenn sie gefragt hätte: «Und wie soll alles wieder gut werden?»

Sie war unglücklich, und wir trugen alle unseren Teil dazu bei. Das hatte sie uns ja mit ihrem «Misten»-Monolog klargemacht. Dabei, so dachte ich etwas wütend, war sie an ihrem Unglück auch selber schuld: Emma wollte immer viel mehr als unser kleines Leben. Sie wollte immer mehr als ich. Sie wollte die Welt sehen, sie erobern und so weiter und so fort. Aber jedes Mal, wenn ich auch nur ansatzweise erwähnt hatte, dass es auch an ihr selber lag, dass sie unglücklich war, wurde sie sauer, und ich landete ziemlich schnell im Lande «Herrjemine». Deswegen hielt ich zu diesem Thema seit ein paar Jahren schon den

Mund. So wie ich mich auch nicht einmischte, wenn ich das Gefühl hatte, sie würde zu sehr versuchen, das Leben der Kinder zu kontrollieren. Und wenn ich ihr ausgerechnet jetzt, mitten beim Weinen, meine ehrliche Meinung sagen würde, dass sie sich immer viel zu sehr von den Kindern reizen ließ, würde sie mir garantiert den Monsterkopf abreißen.

Emma hörte gar nicht mehr auf zu weinen. Sie versuchte es nicht einmal. Sie krümmte sich, und ich konnte es einfach nicht mehr ertragen. Ihr Schmerz war mir schon immer näher gegangen als mein eigener. Ich liebte diese Frau ja immer noch, jedenfalls wenn ich mal nicht müde war, was – wie gesagt – vor Jahren das letzte Mal der Fall gewesen war.

Gott, ich wünschte mir so sehr, nicht mehr müde zu sein!

Jedoch, wenn ich es mir so recht überlegte, wusste ich ja eigentlich doch nicht so genau, ob ich sie noch liebte, da ich ja immer so fertig war. Konnte es vielleicht sein, wenn ich jemals wieder wach werden würde, dass ich sie dann doch nicht mehr als Ehefrau haben wollte?

Wenn ich sie noch lieben würde, wäre mir dann das im Ägyptenurlaub passiert?

Dieser Gedanke machte mich gleich noch viel müder.

Ich verwarf ihn und beschloss, es doch einfach mit «Alles wird gut» zu versuchen und wenn Emma mich nach dem «Wie» fragen sollte, würde ich einfach «Wird schon» sagen und alle weiteren Versuche von ihr, ins Detail zu gehen, mit einem «Schhh ... nicht sprechen» abbügeln. Doch just, als ich meinen Plan umsetzen und zu meiner Frau gehen wollte, um sie zu umarmen, sah ich, wie die Bettlerin sich ebenfalls in Richtung Emma in Bewegung setzte.

BABA YAGA

Diese Frau im Vampirkostüm! Diese lächerliche, selbstgerechte, weinende Frau! Sie meine allerletzte Möglichkeit gewesen. Diese Frau mich vielleicht nach Hause bringen konnten!

Ich nicht gewesen in Heimat seit über 250 Jahre. Weil ich verbannt wurde. Und ich hatten nicht mehr viel Zeit. Denn ich in drei Tagen sterben. Gegen meine Krankheit halfen keine Medizin. Keine Gebete. Keine schwarze Magie. Nicht mal meine.

Ich gingen mit Blechdose auf die Frau zu, die heulten wie Schlosshund, der erfahren, dass Tierärztin ihn kastrieren will.

Nichts gab es zu verlieren bei meine Plan mit diese Frau. Außer lächerliche Leben von ihre Familie.

EMMA

Auf einmal stand die Alte vor mir. Sie war ungewöhnlich flink für ihr Alter. Eigentlich war sie ungewöhnlich flink für jedes Alter. Sie öffnete den Mund, und ich erkannte, dass sich Spatzen in den Lücken ihres Gebisses ein Nest hätten bauen können. Wieder fragte sie: «Du haben Euro?»

«Sehen Sie nicht», blaffte ich sie an, «dass ich mit einem Nervenzusammenbruch beschäftigt bin?»

«Du haben Euro?», ließ sie nicht locker. Dabei wirkte sie extrem missmutig. Und das nicht nur, weil ich ihr keinen Euro gab. Es schien, als sei sie zutiefst angewidert von mir. Lag es an meinem Geheule?

Die Bettlerin streckte mir die Hand entgegen. Selbst wenn ich ihr einen Euro hätte geben wollen, hätte ich es nicht tun können, mein Dracula-Kostüm hatte zwar ein schönes Cape, aber keine Innentasche. Und eine Handtasche hatte ich nicht dabei, denn ein Vampir mit Handtasche wirkt nun mal höchstens halb so authentisch.

«Du seien unglücklich mit Familie», stellte sie fest.

«Du seien Blitzmerker», antwortete ich.

Das Gute war, dass die Alte mich mit ihrem Gerede vom Heulen abhielt. Ich schnäuzte mich und hörte auf zu weinen, während sie sich den anderen angewidert zuwandte: «Ihr seien alle genauso unglücklich.»

Den Blicken meiner Familie nach zu urteilen, fühlten sich alle ertappt. Mein Gott, hatte die zahnlose Frau recht? Waren meine Kinder und mein Mann genauso unglücklich wie ich? Da hätte ich am liebsten gleich wieder losgeheult. Noch lauter.

Bevor jedoch meine Tränendrüsen aus der Arbeitspause kamen, erklärte die Bettlerin voller Pathos: «Alle glücklichen Familien sind einander ähnlich. Jede unglückliche Familie jedoch ist auf ihre besondere Weise unglücklich.»

«Hast du eine Ausgabe von *Anna Karenina* verschluckt?», fragte ich schwer gereizt, wusste ich doch, dass dieses Zitat von Tolstoi stammte. Meine Familie wusste nicht, wovon ich redete, sie kannte Tolstoi nicht, und jeder von ihnen wäre wohl auf Seite drei von *Anna Karenina* in einen Tiefschlaf gefallen.

«Ich haben Tolstoi damals beim Schreiben geholfen», erklärte die Alte.

«Das ist nicht möglich», erwiderte ich, wusste ich doch, dass er das Buch im vorletzten Jahrhundert verfasst hatte. Die Alte war zwar alt, aber so alt, dass sie damals gelebt haben könnte, war kein Mensch.

Als Antwort lächelte sie fast zahnlos. Wissend. Überheblich. Etwas irre. Nein, streichen wir das «etwas» und ersetzen es durch «komplett». Mir wurde mulmig zumute, und ich forderte sie auf: «Verschwinde.»

Sie antwortete nicht, grinste nur weiter. Dabei blickte sie mir durchdringend in die Augen, und ich hatte das fiese Gefühl, dass sie mir tief in meine Seele sehen konnte. Ich wollte mich abwenden, war aber von ihrem Blick gefangen. Ich konnte mich einfach nicht wegdrehen.

«Verschwinde ...», wiederholte ich schwach.

«Du nicht schätzen dein Leben», verkündete sie abfällig.

«Und du haben Begriffsstutz», konterte ich tapfer, bekam es aber zugleich richtig mit der Angst zu tun: Hatte sie mir etwa wirklich, wie ich gefühlt hatte, in die Seele geblickt?

Dann ließ sie endlich von mir ab. Aber richtig durchatmen konnte ich nicht. Denn anstatt endlich abzuhauen und anderen Leuten Furcht einzujagen, wandte sie sich Max zu. Auch ihm blickte sie tief in die Augen, auch er konnte sich nicht von ihr abwenden, was ihm ebenfalls Angst bereitete. Nach ein paar unheimlichen Sekunden des Schweigens erklärte sie ihm: «Du fliehen vor Leben!»

Da hätte ich ihr am liebsten recht gegeben, war Max ja wirklich jemand, der sich vom Leben zurückzog.

Sie ging weiter, Max wankte beiseite. Darauf knöpfte sie sich Fee vor. Obwohl auch Fee am liebsten weggesehen hätte, konnte sie es auch nicht. Ebenso wenig wie Max oder ich.

«Du haben keine Idee für dein Leben», erklärte sie Fee.

«Dafür», konterte Fee, «rede ich nicht so, als ob ich ‹Yodas Jedi-Schule für freie Rede› besucht habe.»

Obwohl die Alte ihr eine Heidenangst bereitete, versuchte sie, es sich nicht anmerken zu lassen. Allerdings mit wenig Erfolg: Fee knibbelte – wie immer, wenn sie nervös war – an ihren Fingern. Max hingegen verknotete seine Beine beim Stehen so, als ob er sich gleich in die Hose machen würde. Er war immer schon ein extrem ängstlicher Junge gewesen, hatte sich schon als kleines Kind vor allen möglichen Dingen gefürchtet: vor Clowns, vor Quallen am Strand, vor Shanty-Chören ...

«Lassen Sie unsere Kinder in Ruhe», stellte sich nun Frank

vor die Verrückte. Ein Fehler. Denn nun geriet auch er in den Bann ihres hypnotischen Blickes. In seiner Seele – ich war mittlerweile so gut wie überzeugt, dass sie in die Seelen der Menschen sehen konnte – fand sie: «Du haben keine Emotion im Leben.»

Nachdem sie dies gesagt hatte, musste Frank zittern. Wir alle zitterten. So hatte ich mir das mit dem «endlich mal wieder was gemeinsam machen» nicht vorgestellt.

Die alte Bettlerin nahm ein Amulett aus der Tasche ihres zerrissenen Mantels. Es war aus Silber, der Knauf sah aus wie ein Katzenkopf, und auf ihm konnte man die Worte *Baba Yaga* lesen.

Sie rief: «Ich bald sterben.»

«Oh, das tut mir aber leid», versuchte ich die Situation mit etwas Mitgefühl zu entspannen.

«Das ich dir nicht glauben», erwiderte sie und hielt mir aggressiv das Amulett vor die Nase. Ich hatte das Gefühl, dass sie mich gleich mit umbringen wollte. Entweder indem sie mich mit dem Amulett erschlägt oder indem sie mich mit ihrem Mundgeruch anhaucht.

In diesem Augenblick tat sie mir wirklich nicht mehr leid. Im Gegenteil, ich ertappte mich bei dem unfreundlichen Gedanken, dass es schön wäre, wenn es mit dem «bald sterben» ganz schnell gehen würde.

«Ich in drei Tagen sterben, und ihr jammert!»

Deswegen hatte sie mich von Anfang an so böse angesehen. Sie hielt mich für eine egoistische Heulsuse.

«Ihr lebt euer Leben nicht. Ihr Leben nicht wert sein!», brüllte sie, und ihr Atem ließ meinen fast vergehen.

«Ähem ... finden Sie nicht, dass Sie etwas überreagieren ...?», versuchte ich zu beschwichtigen.

Ihre Augen begannen nun zu funkeln, und sie rief: «Ich euch verfluchen!»

«Ähem ... wie bitte ... was?», fragte ich verängstigt.

«Ich euch verfluchen!», wiederholte sie, und ihre Pupillen schienen jetzt regelrecht zu blitzen.

Fee erwiderte tapfer: «Nein, du uns nerven.»

Anstatt einer Antwort streckte die Alte das Amulett in Richtung Himmel und rief, fast eine Oktave tiefer und drei Klassen unheimlicher: «Este tranaris, este pranduce ...»

«Was soll das denn jetzt?», wollte ich ängstlich wissen.

«Nici mort ...», brabbelte sie weiter. «Niki al franci ...»

«Das ist jetzt nicht Ihr Ernst ...»

«Ich ... ich glaube doch», meinte Frank. Seine Stimme klang verängstigt, und er deutete nach oben. Ich blickte hoch und sah: Der Himmel war an sich wolkenlos, und dennoch begannen sich Blitze am Firmament zu formen. Da stammelte ich: «Jetzt reagieren Sie wirklich etwas über.»

Max starrte mit offenem Mund nach oben. So wie Frank und ich jetzt auch. Fee aber trat zu der Alten, versuchte irgendeine Erklärung für das Spektakel zu finden, so unwahrscheinlich sie auch sein mochte, und meinte tapfer: «Ja, super Show ... klasse ... ich wusste gar nicht, dass neuerdings Bettlerinnen gemeinsam mit Pyrotechnikern arbeiten ... Aber ich bin kein Fan von Special Effects ...»

Als Antwort begannen die Augen der Alten auf einmal grün zu leuchten – wie Smaragde. Die ganzen Augen. Man konnte ihre Pupillen nicht mehr sehen.

«Von grünen Augen bin ich auch kein Fan ...», flüsterte Fee, sichtlich eingeschüchtert.

Max fand nun seine Sprache wieder und stammelte ängstlich: «Du dumme Hülsenfrucht, das ist keine Pyrotechnik. Das ist okkulte Magie.»

Die alte Bettlerin unterstrich Max' These mit weiteren Beschwörungen: «Re spirit, re brut ...», rief sie. Lauter. Tiefer. Unheimlicher.

Die Blitze fanden sich im Himmel zusammen. Zu einer riesigen, zuckenden Feuerkugel. Auch wenn ich als aufgeklärter Westeuropäer nicht an so was wie Zauberei hätte glauben dürfen, sprach doch die Faktenlage eindeutig dafür, dass es sich hier um welche handelte. War die Frau, wie Max sagte, eine Magierin? Oder vielleicht eher eine Hexe? Spielten solche Feinheiten angesichts der Blitze, die über uns hingen, überhaupt noch eine Rolle? War es doch klar, dass diese jeden Augenblick auf uns herunterjagen würden.

«Rece brut tre animal!»

Die Feuerkugel hing nun genau über uns im Himmel, und eine schwere, schwarze Furcht ergriff mich. Todesangst. Dabei hatte ich weniger Angst um mich als um meine Kinder. Die Frau hatte ja gesagt, wir waren es alle nicht wert zu leben. Also auch nicht Fee und Max.

«Verschonen Sie die Kinder ...», flehte ich. «Bitte!»

Frank wiederholte leise: «Bitte ...»

Die Alte sah uns an und lächelte. Es war ein schreckliches Lächeln. Aber immerhin: Sie lächelte auf meine Frage nach den Kindern. Hoffnung keimte in mir auf. Würde die Hexe – sie musste eine Hexe sein, was sonst? – die Kinder wirklich verschonen?

Die Hexe hörte auf zu lächeln.

Mein Herz wurde von der Angst um meine Kinder ganz klein. Es fühlte sich an, als ob man es zerquetschen würde. Dies musste das furchtbarste Gefühl sein, das ein Mensch nur haben kann. Es war jedenfalls das Schrecklichste, das ich je in meinem Leben empfunden hatte.

Die smaragdgrünen Augen leuchteten immer heller, als ob jetzt hinter ihnen eine Kernexplosion stattfinden würde. Die Hexe öffnete den fast zahnlosen Mund und schrie: «SEMPER MONSTER!»

Die Augen explodierten jetzt tatsächlich. Smaragdgrüne

Strahlen feuerten aus ihnen heraus gen Himmel. Wie Laserstrahlen.

Fee stammelte leise, verängstigt: «Und davon bin ich erst recht kein Fan.»

Und Frank sagte mit flatternder Stimme: «Dem kann man nur beipflichten.»

Die grünen Strahlen aus den Augen der Bettlerin trafen auf die zuckende Feuerkugel, die über uns hing. Unendlich langsam, fast wie in Zeitlupe, löste sich die Kugel unter dem Beschuss des Smaragdlichtes in Blitze auf. In smaragdgrüne Blitze. Die zur Erde feuerten. Vier Stück insgesamt. Sie sausten direkt auf uns zu. Auf jeden von uns einer.

Bevor sie einschlugen, murmelte Fee – widerspenstig selbst im Moment der Todesangst – noch als Letztes: «Wenn ich ausgerechnet heute sterben muss, werde ich echt tierisch sauer.»

Wenn ich etwas Zeit und Muße gehabt hätte, darüber nachzudenken, wie es wohl sein würde, wenn man von einem Blitz – egal ob smaragdgrün oder herkömmlich koloriert – getroffen würde, dann hätte ich wohl vermutet, dass sich das Ganze sicherlich anfühlt wie ein enormer elektrischer Schlag. Nur eben einer, an dessen Ende man zu einem Häuflein Asche wurde, das durch den Wind verweht wird und damit zur Erderwärmung durch CO_2-Ausstoß beiträgt.

Tatsächlich fühlte es sich überhaupt nicht an wie ein elektrischer Schlag, es war eher, als ob man mich in tausend Einzelteile zerlegt hatte. Nein, nicht «als ob». Es war genau so!

Ob ich bei der Zerlegung geschrien hatte, weiß ich nicht. Mein Mund war ja auch, wie die anderen Körperteile, für eine kurze Zeit ein Einzelteil. Vielleicht hatte er gesagt: «Ich hätte der Alten den Euro geben sollen.»

Und dann wurde ich wieder neu zusammengesetzt. Mit neuen Teilen. Zu denen, wie ich kurze Zeit später herausfinden sollte, auch zwei Reißzähne gehörten.

Als ich meine Augen wieder öffnete, lag ich auf dem Boden und sah alles verschwommen. Wie durch Milchglas. Das Einzige, was ich erkannte, war, dass mein linkes Brillenglas wohl einen Riss hatte. Ich nahm die Brille ab, und mit einem Male konnte ich ganz klar sehen. Wie konnte das sein? Ohne meine Gläser war ich zwar nicht blind, aber ein bisschen kurzsichtig schon. Doch nun sah ich deutlich – quasi in HD –, wie mich die Irre mit ihrem verfaulten Gebiss auslachte. Da hätte ich am liebsten gleich wieder die Brille aufgesetzt.

Ich wollte gerade zu der Alten hin, sie anbrüllen, was sie mit uns gemacht hatte, da hörte ich Fee panisch schreien: «Ich krieg die Bandagen nicht ab!»

Mein Mutterherz konnte die Panik in ihrer Stimme nicht ertragen. Ich ließ irre lachende Hexe irre lachende Hexe sein und rannte zu meiner Tochter. Die saß auf dem Bordstein und riss an ihren Bandagen, die anders aussahen als zuvor. Wirkten sie vorher noch wie Mullbinden aus der Apotheke, waren sie nun alt, schmutzig und grau. Als hätten sie unter der Erde gelegen.

Ich setzte mich zu meiner Tochter an den Wegesrand und sagte: «Es ist kein Problem, Mama hilft dir, mein Schnuffel.»

Früher, als sie klein gewesen war, hatte ich sie immer Schnuffel genannt. Aber seit sie in die Pubertät gekommen war, sah sie mich bei dem Wort «Schnuffel» immer so böse an, als ob sie gleich Boden-Luft-Raketen einsetzen würde. Doch jetzt war sie so verängstigt, dass ihr das Wort sogar etwas kindliches Vertrauen einflößte.

Ich versuchte nun, die Bandagen des Kostüms abzumachen. Vergeblich. Es war, als ob ich an ihrer Haut ziehen würde.

«Du kriegst sie auch nicht ab, du kriegst sie auch nicht

ab ...», stellte Fee fest und war kurz davor, völlig auszuflippen. Und ich wäre am liebsten mitgeflippt. Aber das durfte ich nicht. Also beschloss ich, sie mit einer Lüge zu beruhigen, nahm sie in die Arme und erklärte: «Das alles hier ist nur ein ganz, ganz böser Traum, Schnuffel.»

So etwas hatte ich früher auch immer gesagt, wenn sie als kleines Mädchen nachts aufgewacht war, weil sie einen Albtraum hatte. Dann ließen wir sie zu uns ins Elternbett krabbeln, wo sie sich dann manchmal über Franks Stressblähungen beschwerte und Dinge sagte wie: «Oh Papa! Ich hätte jetzt echt gerne einen Schnupfen.»

«Das ist ein Traum ...?», fragte Fee ungläubig in meinen Armen.

«Ja, das alles ist ein Figment deiner Imagination.»

«Klingt gut ... was immer auch ein Figment ist.»

«Das ist ...», hob ich zu einer Erklärung an.

«... mir wurscht», vollendete sie meinen Satz und kuschelte sich bei mir ein.

Das letzte Mal hatte sie sich vor Jahren bei mir eingekuschelt. Ich sah dabei in ihre Augen, die aus all den unheimlichen, festsitzenden Bandagen im Gesicht hervorlugten. Die Augen sahen erschreckend alt aus. Und die Pupillen waren schwarz. Ich versuchte, mir den unglaublichen Schreck, den ich dabei bekam, nicht anmerken zu lassen.

«Dass die Alte lacht, ist auch nur so ein Figment?», fragte Fee.

«Ja ...», antwortete ich leise.

«Und dass die Bewohner vor lauter Angst die Vorhänge zuziehen, auch?»

Ich blickte die Häuser hoch. Die Menschen an den Fenstern hatten sichtlich Angst. Wegen der Blitze. Wegen der Alten. Wegen uns?

«Das ist auch ein Figment», bestätigte ich.

«Ich steh auf Figmente», erklärte Fee. «Auch wenn das Wort etwas versaut klingt.»

Darauf ging ich nicht ein.

«Ich hätte das Gras gestern nicht rauchen sollen», murmelte sie in meinen Armen.

«Du hast Gras geraucht?», fragte ich sauer. Stellte aber dann schnell fest, dass ich gerade ganz andere Probleme hatte.

«Das war garantiert gestreckt», mutmaßte Fee. «Vielleicht mit Flüssigplastik ...»

Man streckte Hasch mit so einem Zeug? Die Welt der Teenager von heute war anscheinend viel gefährlicher, als ich es ohnehin befürchtet hatte. Aber vermutlich nicht so gefährlich wie das, was wir hier erlebten.

«Ich bilde mir also alles ein?», fragte Fee. Sie brauchte jetzt die Versicherung im Fünf-Sekunden-Takt.

«Ja.»

«Also auch, dass Max sein Bein hebt und die Laterne anpinkelt?»

«ER TUT WAS?»

Ich sah zu Max. Er sah aus wie ein richtiger Wolf. Und er hob an der Laterne sein Bein.

Er hob sein Bein?!?!?

«Wenn du das auch sehen kannst», kombinierte Fee und begann wieder zu zittern, «dann ist das hier doch kein Traum.»

«Ich seh das nicht», log ich weiter.

«Dann ist Papa auch nicht ungefähr zwei Meter dreißig groß und reißt gerade die Autotür heraus?»

Ich sah zu Frank. Er war ein Riese. Ein Riese mit Quadratschädel. Er sah mehr aus wie das verdammte Monster von Frankenstein, als es Boris Karloff je getan hatte. Er hielt die herausgerissene Autotür in der Hand und starrte sie mit großen, wenig Intelligenz ausstrahlenden Augen an.

«Das siehst du auch nicht?», fragte Fee.

«Nein … und jetzt hör bitte endlich auf, andauernd Fragen zu stellen!» Ich konnte mich kaum noch darauf konzentrieren, sie vom Ausrasten abzuhalten, war ich doch jetzt viel zu sehr damit beschäftigt, nicht selber auszurasten.

«Alles wird gut», flüsterte ich, löste die Umarmung und ging zu der Hexe, die sich inzwischen wieder eingekriegt hatte.

«Was hast du mit uns gemacht?», wollte ich wissen.

«Was ihr haben verdient.»

«Was soll das heißen?», fragte ich.

«Glücklich kann nur leben, wer Glück im Leben schätzt.»

«Wenn ich mit einem Glückskeks reden möchte, würde ich mir einen kaufen», erklärte ich wütend.

«Ich euch alle verwandelt.»

«Verwandelt?»

«Ich dir zeigen», bot sie an.

«Gut, sonst ich dir auch eine schmieren», erwiderte ich.

Sie öffnete ihren Mantel, steckte ihr Amulett in die rechte Innentasche und holte aus der linken einen schlichten, hölzernen sechseckigen Handspiegel.

«Das einziger Spiegel auf Welt sein», erklärte sie, «in dem du dich sehen können wirst.»

Ich blickte in das Sechseck und sah, dass mein Gesicht total blass war. Fast wie feines Pergament. Und es war ganz eben. Ich hatte keine Pickel mehr. Keine Mitesser. Selbst meine kleine Warze am Kinn war weg. Meine Augen waren dafür rot. Blutunterlaufen. Dennoch strahlte ich eine unglaubliche Vitalität aus. Ich sah toll aus. Umwerfend. Richtig, richtig heiß.

Wenn es an diesem Spiegel lag, dass ich so unglaublich aussah, dann hätte ich gerne so einen für unser Badezimmer gehabt.

Aber natürlich lag es nicht an dem Spiegel.

Das wurde mir klar, als ich ein letztes kleines furchterregendes Detail in meinem Spiegelbild sah: Ich hatte tatsächlich zwei blitzend weiße Reißzähne.

«Bin ... bin ich ein Vampir?», fragte ich die Hexe verdattert.

«Mit unglaublich lange Leitung», antwortete sie.

Und fort war sie.

MAX

Wenn man so intelligent ist wie ich, erscheinen einem die anderen Menschen oft wie geistige Amöben. Auch wenn meine Eltern und meine Schwester es nicht sofort prozessiert hatten, mir war sofort klar, was geschehen war: Die Bettlerin hatte uns mit ihrem Fluch in Monster transformiert. Für immer. Was «semper» ja auf Latein bedeutete (ja, auch in dem Fach hatte ich eine Eins plus). Bettlerinnen waren, wie man aus alten Geschichten wusste, hochkompetent, wenn es um Flüche ging. Allerdings nicht so sehr, was die Zahnpflege betraf. Jedenfalls war es gut für mich, dass ich doch kein Zombie-Kostüm gewählt hatte.

Ich war nun also ein Werwolf und hatte noch keine Ahnung, wie ich das finden sollte. Auf der positiven Seite war zu verbuchen: Als solch animalisches Wesen war ich jetzt bestimmt, obwohl ich es noch nicht ausprobiert hatte, schnell und stark. Ich fühlte mich so, als ob ich Hunderte Kilometer rennen könnte, während für mich normalerweise die hundert Meter in der Schule schon eine Langstrecke waren. Und die tausend Meter eine Via Dolorosa.

Auf der negativen Seite stand: Ich hatte jetzt überall am Körper Haare. Falls ich für «semper» eine Ganzkörperbehaarung besitzen sollte, würde das wohl bedeuten, dass ich nie ein Mädchen für mich gewinnen würde (Mama schauderte ja schon bei der Rückenbehaarung von Papa). Andererseits, wenn man den X-Men-Comics glauben durfte, fanden Frauen den behaarten Helden «Beast» total sexy. Doch: Wer will schon ein Mädchen, das auf eine Ganzkörperbehaarung abfährt?

Nicht ganz sicher war ich, ob ich es positiv oder negativ finden sollte, dass mein animalischer Geruchssinn jetzt so ausgeprägt war. Einerseits eröffnete es mir eine völlig neue, rauschartige Welt der Sinne. Andererseits roch ich ziemlich genau, dass ein Penner vor kurzem an ein Gebäude um die Ecke uriniert hatte.

«Fass!», rief Mama mir zu.

Sie rief tatsächlich «Fass».

Sie war total hysterisch. Ich sollte garantiert die Hexe einholen, damit sie den Fluch wieder rückgängig macht. Anscheinend hatte auch Mama langsam prozessiert, was los war, und keine Lust, für den Rest ihres unsterblichen Lebens eine Blutsaugerin zu sein. Ich hingegen war weiter unentschieden, ob ich in der Gestalt eines Werwolfes verharren wollte oder nicht. Als Werwolf besaß ich Superkräfte. Ich könnte Schurken bekämpfen und ein Superheld werden, den dann selbst Mädchen scharf finden, die eigentlich nicht auf so viele Haare stehen.

Andererseits wusste ich aus allen möglichen Geschichten, dass übernatürliche Mutationen gerne mal von einem Dorfmob auf dem Scheiterhaufen flambiert werden. Oder in irgendwelchen Laboratorien der amerikanischen Regierung landeten, um dort auf dem Seziertisch auseinandergenommen zu werden, in der Hoffnung, dass man aus so einem Werwolf ein Kraft-Serum entwickeln kann. Ein Serum, das dann Soldaten injiziert wird, die darauf selbst zu Werwölfen in Army-Uniform werden und anschließend per Hubschrauber in Afghanistan abgesetzt werden, um dort den Taliban mal zu zeigen, was eine haarige Angelegenheit ist.

Hätte ich gewusst, dass wir heute verflucht werden, hätte ich mich als was anderes kostümiert: als Superman zum Beispiel. Obwohl – dann müsste ich ja die ganze Zeit mit blauem Pyjama herumrennen. James Bond wäre faszinierend gewesen. Oder noch besser: Godzilla. Als Godzilla hätte ich meine Schule mit dem Schweif zertrümmern können. Dann wäre auch das Klo pulverisiert worden, in das mein Peiniger immer meinen Kopf reingedrückt und abgespült hat.

Mein Peiniger hieß übrigens Jacqueline.

Ja, mein persönlicher Terrorist war ein Mädchen. Sie war fünfzehn und Stammgast in der siebten Klase. Jacqueline war recht attraktiv, zumindest wenn man auf durchgedrehte Bodybuilder-Frauen mit Piercings und Pitbull-Tattoo stand.

Die Lehrer hatten genauso viel Angst vor ihr wie alle anderen, ließen sie daher gewähren und sagten nur Dinge wie «Was sich liebt, das neckt sich». Wenn ich dann fragte «Das mag sein, aber wirft es sich auch in Mülltonnen?», bekam ich als Antwort nur ein: «Och, das gehört doch zum Necken dazu.»

Jacqueline terrorisierte mich am meisten, weil es zwischen uns den größten IQ-Abstand der Schule gab. Ich versuchte bei ihren Attacken stets, meine Würde zu behalten. Einmal erklärte ich ihr: «Eines Tages werde ich mit meinem luxuriösen Mercedes an dir vorbeifahren, und du wirst eine Hartz-IV-Empfängerin sein.»

«Ja», gab sie lachend zu. «Aber du wirst in deinem Mercedes immer wissen: Diese Hartz-IV-Empfängerin hat mich früher dauernd vermöbelt.»

«FASS!», rief Mama wieder.

Jetzt galt es. Ich musste mich langsam entscheiden. Wollte ich ein starker Werwolf bleiben, auch auf die Gefahr hin, dass ich von Silberkugeln erlegt werde? Oder ein Bücherwurm, der weiterhin von Jacqueline in das Klo gestopft wird?

Da fiel die Entscheidung nicht schwer.

«FASS!!!», rief Mama nur erneut.

Ich setzte mich auf meine Hinterpfoten. Und obwohl ich zu der Spezies Werwölfe gehörte, die in der menschlichen Sprache parlieren konnten, antwortete ich nur: «Wau! Wau!»

EMMA

Wir waren alle Monster. Freakige ... verunstaltete ... Monster!

Ich musste die Hexe einfach zwingen, uns zurückzuverwandeln. Dazu musste ich sie nicht nur einholen, sondern ich brauchte dafür sicherlich auch Hilfe. Ich rannte zu Frank, der immer noch verwirrt auf die Autotür starrte.

«Hey!», rief ich.

Er starrte weiter auf die Tür.

«Hey!», rief ich noch lauter. Jetzt sah er zu mir, lehnte dabei den Kopf leicht zur Seite. Es sah so aus, als ob er versuchte, sich an mich zu erinnern, es aber nicht konnte.

«Wir müssen die Hexe zwingen, uns zurückzuverwandeln!», erklärte ich.

«Ufta», antwortete er, mit tiefer, scheppernder Stimme.

Jetzt hätte man wissen müssen, was «Ufta» bedeutete.

«Was?», fragte ich.

«Ufta», schepperte er noch mal.

Das machte das Ganze auch nicht klarer. War das jetzt nur ein Problem seines Sprachzentrums oder seiner Intelligenz? So wie er mich ansah, befürchtete ich das Schlimmste.

«Weißt du, wer ich bin?», fragte ich vorsichtig.

«Ufta?», fragte er zurück.

«Nein, ich bin Emma», erwiderte ich.

«Ufta?»

«EMMA!»

«Efta?»

Es gab einen Lerneffekt, wenn auch einen geringen.

«Emma», versuchte ich es noch mal, ganz deutlich.

«Ufta?», fragte er darauf wieder.

So viel zum Lerneffekt.

«Arrghh», schrie ich daher verzweifelt.

«Argghh?», fragte er und deutete auf mich.

«Nein, ich bin nicht Arrghh, ich bin Emma!»

«Efta», erklärte er mit seiner scheppernden Stimme zufrieden.

«Irgendetwas sagt mir, dass du gerade keine allzu große Hilfe bist», stellte ich betrübt fest. Und noch betrübter stellte ich fest, dass dies eben eins der längsten Gespräche war, die wir in der letzten Woche geführt hatten.

So viel war jetzt klar, ich musste mir die Hexe allein vorknöpfen. Die flinke Alte war schon fast am Ende der Straße angelangt, und ich rannte los. Frank rief mir noch «Efma!» nach, und in seiner Stimme klang etwas Freude darüber, dass er wieder einen Lernfortschritt gemacht hatte. Dabei wedelte er mit der herausgerissenen Autotür, und ich fragte mich für einen kurzen Moment, wie wir den Schaden wohl der Vollkasko erklären wollten.

Doch der Gedanke machte gleich einem anderen Platz. Beim Rennen merkte ich, dass ich unfassbar schnell laufen konnte. Als Vampir könnte man anscheinend locker bei der Tour de France mitmachen. Ohne Fahrrad.

Die Hexe bog in eine Sackgasse ein. Eine, wie man sie aus amerikanischen Fernsehserien kannte. Eine, in der der hispanische Drogendealer verzweifelt versucht, am Ende der Gasse über die hohe Mauer zu klettern, aber dann von dem Cop runtergezogen wird und dieser dann mit dem Dealer üble Dinge veranstaltet, die ich am liebsten auch mit der Hexe gemacht hätte. Die Alte lief auf die Mauer zu, aber sie tat mir nicht den Gefallen, an ihr hängen zu bleiben. Stattdessen blieb sie mitten in der Gasse stehen und lächelte mich überlegen an. Dann ging sie die Hauswand des Alt-Berliner Mietshaus zu ihrer Rechten hoch.

Richtig, sie ging die verdammte Hauswand hoch!

Langsam. Beständig. Komplett in der Senkrechten. Im 90-Grad-Winkel zum Boden. Als ob sie Super-Saugnäpfe unter ihren Schuhen hätte. Und eine beeindruckende Rückenmuskulatur, die man sich in keinem Fitnessstudio antrainieren konnte. Sie blickte auf mich hinab und grinste mich erneut überheblich an. Sie war voll im Angebermodus.

«Mist», fluchte ich frustriert, weil sie mir zu entwischen drohte, ballte dabei die Faust und sprang beim Fluchen wütend in die Höhe. Drei Meter! Anscheinend gehörte auch eine beeindruckende Sprungkraft zu meinen Vampirfähigkeiten. Aber anstatt mich darüber zu freuen, war ich viel zu erschrocken, so hoch in der Luft zu fliegen. Panisch packte ich mit einer Hand die Regenrinne des Hauses und krallte mich mit der anderen an einem Fenstersims fest. Ich hing an der Wand, als hätte mich King Kong dagegengespuckt. Ich zog mich an dem Fenstersims hoch und stand nun auf ihm, direkt unter der Hexe, der ich jetzt unter den herunterhängenden Rock sehen konnte. An einem Abend voller unheimlicher Anblicke war das eine Steigerung.

Über mir lag ein weiterer Fenstersims. Ich sprang von meinem ab und landete eine Etage höher. Der Hexe fiel das Zahnlückenlächeln aus dem Gesicht, und sie erhöhte das Tempo: «Du mich nie einholen!», rief sie mir zu.

«Du pfeifen im Walde», erwiderte ich selbstbewusst und sprang gleich auf den nächsten Fenstersims. Dort sah ich durch das halboffene Fenster, wie ein Paar circa Anfang dreißig miteinander Sex hatte. Die Frau sah mich und sagte das, was ich an ihrer Stelle wohl auch gesagt hätte, nämlich: «AHHHHHHH!»

Der Mann, der mich noch nicht sah, motzte frustriert: «Jetzt übertreibst du es aber mit der Kritik an meinen Liebeskünsten!»

Die Frau deutete Richtung Fenster, dann drehte er sich um, sah mich und pflichtete ihr bei: «AHHHHHHH!»

Hilflos stammelte ich so ziemlich das Blödeste, was man in einer solchen Situation nur sagen kann: «Lassen Sie sich durch mich nicht stören. Machen Sie ruhig weiter.»

Die beiden starrten mich an, sahen erschrocken meine Reißzähne und machten nicht weiter.

Ich hingegen blickte nach oben, die Alte war schon im vierten Stock, noch eine Etage, und sie würde auf dem Dach sein. Ich ließ das Paar, das spätestens jetzt einen Sexualtherapeuten benötigen würde, zurück und sprang weiter an den Fenstersimsen hoch.

Als die Hexe das Dach erklomm, landete ich im vierten Stockwerk, direkt vor einem alten Alkoholiker, der mit Rotweinflasche in der Hand am offenen Fenster stand. Er trug eine weiße Unterhose und eins von jenen Feinrippunterhemden, von denen ich dachte, dass sie seit den 80er Jahren ausgestorben waren. Als er mich sah, bekam er überraschenderweise keinen Schreck, sondern meinte anerkennend: «Das ist mal was anderes.»

«Was anderes?», fragte ich und verbarg mit meinem Umhang meinen Mund, damit man meine Reißzähne nicht sah. Ich wollte ihm ja keine unnötige Angst einjagen.

«Sonst seh ich im Suff immer nur meine verstorbene Tochter.»

Ich bekam Mitleid mit dem betrunkenen Mann. Der Schmerz durch den Verlust seiner Tochter hatte ihn ganz offensichtlich in den Alkohol getrieben. Mir wäre es wohl auch so gegangen, hätte die Hexe tatsächlich meine Kinder getötet. Sicher wäre ich ebenfalls Säuferin geworden. Oder ich hätte mich gleich umgebracht.

Sanft antwortete ich: «Ich soll Sie von Ihrer Tochter grüßen. Es geht ihr im Himmel sehr gut.»

Der Mann lächelte darauf gerührt. Und ich lächelte hinter meinem Umhang auch etwas. In all dem Chaos hatte ich einen

Moment der Menschlichkeit. Der traurigen Menschlichkeit. Aber immerhin.

Dann besann ich mich, dass ich noch etwas anderes zu tun hatte, machte zwei Sprünge und landete elegant auf dem Kies des Daches. Unter normalen Umständen hätte ich von hier die wunderbare Aussicht auf die Lichter Berlins genießen können – es hätte eigentlich nur noch ein Strandstuhl und eine Margarita gefehlt –, aber ich rannte der Hexe hinterher. Sie lief zum Rand des Daches. Gleich würde ich sie eingeholt haben. Selbst wenn sie das Haus wieder runtergehen sollte, würde ich schneller springen, als sie gehen könnte. Aber sie ging nicht runter, als sie an den Rand gekommen war. Sie blieb auch nicht stehen. Sie sprang auf das nächste Haus und rannte dort weiter. Hektisch erreichte ich den Rand und fragte mich, ob ich jetzt auch springen sollte. Mein neuer Körper konnte ja anscheinend so einiges. Aber die Distanz bereitete mir unglaubliche Angst. Einen Sturz aus dieser Höhe würde ich womöglich nicht überleben. In diesem Augenblick hätte mein Herzschlag im Akkord wummern müssen. Ich griff mir an die Brust. Aber da war kein Herzschlag zu spüren.

Ach du meine Güte, ich hatte kein Herz mehr!

Daraufhin packte mich eine noch größere Angst. Ich hatte keine Wahl: Ich musste die Hexe einholen, und dazu musste ich ihr hinterherspringen. Ich ging ein paar Schritte zurück, nahm Anlauf und sprang. Gewaltig. Weit. Es war ein großartiges Gefühl. Wie fliegen!

Nach wenigen berauschenden Sekunden landete ich auf dem anderen Haus. Die Hexe war davon nicht begeistert und sprang auf das nächste. Ich folgte ihr. Es war eine Verfolgungsjagd über die Dächer von Berlin, und ich befürchtete, dass diese noch stundenlang so weitergehen konnte, hatte Berlin doch so einige Dächer. Aber ich durfte nicht lockerlassen, ich wollte, dass meine Familie wieder so würde wie noch vor wenigen Minuten, obwohl sie mir da nicht sonderlich attraktiv erschienen war. Eigentlich tat sie dies immer noch nicht. Aber es war allemal besser, als auf ewig wie die Addams-Family aus den Monstergeschichten zu sein. Andererseits: Die Addams waren im Gegensatz zu uns Wünschmanns glücklich! Jetzt war ich sogar schon auf eine Monsterfamilie neidisch.

Kaum ärgerte ich mich darüber, realisierte ich, dass ich mich nicht richtig auf meine Sprünge konzentriert hatte. Ich wollte gerade von einem Mietshaus auf das nächste hüpfen, da erkannte ich, dass ich für die große Entfernung weiter hätte springen müssen. Viel weiter. Ich stürzte wie ein Stein. Ich hatte nicht mal mehr die Zeit, wie eine Zeichentrickfigur hektisch mit den Füßen in der Luft zu strampeln. Brutal knallte ich auf einen fahrenden Ford Transit. Das Autodach schepperte und verbeulte unter meinem Einschlag. Ich rollte unkontrolliert von dem Wagen und landete unsanft auf der Straße. Genau auf meiner Schulter. Die schmerzte höllisch. Auch wenn dieser Vampirkörper viel athletischer war, war ich ganz offensichtlich weit davon entfernt, unverwundbar zu sein. Ich rappelte mich auf, hielt mir die Schulter, die ich glücklicherweise noch bewegen konnte, und sah, wie der Ford Transit weiterfuhr. Der Fahrer blickte in den Rückspiegel. Aber er konnte mich nicht sehen. Vampire besaßen ja kein Spiegelbild. Wobei ich mir glatt die Frage stellte: Wenn Vampire sich nicht im Spiegel anschauen konnten, wie zum Teufel schminkten sich die Vampirfrauen? Ohne nachher auszusehen wie Ronald McDonald?

Ich hörte von oben das Lachen der Hexe. Sie sah von einem Dach spöttisch auf mich hinab. Aber anstatt endgültig zu verschwinden, ging sie senkrecht das Haus zu mir runter, was die nächtlichen Passanten unfassbar erschreckte. Als die Hexe auf dem Gehweg wieder in die Waagrechte gelangte, baute sie sich vor den staunenden Passanten auf und forderte: «Ihr nach Hause laufen und vergessen, was ihr gesehen habt.»

Ich hatte noch nie Leute so synchron nicken gesehen. Und auch so schnell verschwinden.

«Du haben Kräfte eines Vampirs», stellte sie zufrieden fest, als sie sich zu mir wandte. «Und du kannst sie nutzen. Nicht gut. Aber immerhin.»

«Wovon redest du?»

«Ich dich geprüft haben.»

«Wie? ... Was? ... war die Verfolgungsjagd eben nur ein Test ...?»

«Ich doch sagen», grinste die Alte. «Du haben lange Leitung.»

Ich verstand rein gar nichts mehr. Für was hatte sie mich getestet?

«Du ihm gefallen wirst», sagte sie und nickte dabei zufrieden.

«Wem?», fragte ich. «Wem werde ich gefallen?»

«Ihm.»

«‹Ihm› ist ja wohl kaum sein Name. Um wen handelt es sich?»

«Dem Fürst der Verdammten.»

«Geht es vielleicht noch etwas kryptischer?», fragte ich gereizt.

«Nein», lächelte sie, «geht es nicht.» Endlich konnte sie mal einen Satz fehlerfrei aussprechen. Blöd, dass mich das auch nicht weiterbrachte.

«Ich jetzt endlich reisen zurück in Heimat. Dank dir, ich jetzt können sterben.»

Dann drehte sie sich um und ging. Langsam. Seelenruhig. In eine Dönerbude namens *Don Osmans Süperdöner*. Was wollte die Hexe denn dadrin? Den Köfte-Spezialteller essen? Eigentlich war das ja auch egal. In dem Laden saß sie in der Falle. Jetzt würde ich sie mir schnappen. Mit Gewalt. Mit Reißzähnen. Egal wie!

Entschlossen ging ich in die Dönerbude. Kaum hatte ich die Türschwelle überschritten, wurde mir schlagartig übel. Es war nicht das normale «Ich komm in eine Bude, in der sich schon seit der ersten Einwanderungswelle türkischer Migranten in die Bundesrepublik das fettige Fleisch vierundzwanzig Stunden am Tag um die eigene Achse dreht und entsprechend riecht»-Übelsein. Es war ein «Mein Gott, es fühlt sich so an, als ob jemand meine Eingeweide mit einem brennenden Feuereisen traktiert»-Übelsein. Ich brach, kaum einen Schritt in der Bude, zusammen, riss dabei noch einen Aluminiumhocker mit um und krachte längs auf den Boden. Der feurige Schmerz übermannte mich. Ich wollte «Was geschieht mit mir?» fragen, aber es kam nur Geröchel aus meinem Mund heraus. Dennoch verstand die Hexe mich. Sie beugte sich zu mir herunter und flüsterte in mein Ohr nur ein einziges Wort: «Knoblauch.»

Als ich wieder aufwachte, lag ich draußen an der frischen Luft, und Don Osman, der Dönerbudenbesitzer, verabreichte mir eine Mund-zu-Mund-Beatmung. Zum Glück ernährte sich der Don nicht von seinem eigenen Döner und hatte daher keinen Knoblauchmundgeruch. Wahrscheinlich wusste er genau, was ihm sein preisgünstiger Fleischlieferant so brachte, und aß deshalb lieber nur anatolisches Gemüse.

Osman presste seine Lippen auf die meinen, und das war – wie ich mir eingestehen musste – leider der intimste Moment, den ich seit Wochen mit einem Mann gehabt hatte.

Neben uns stand ein Kerl im Nadelstreifenanzug, Typ geschniegelter Banker, und mampfte ungerührt seinen Döner. Anscheinend besaß er – im Gegensatz zu Frank – den unmenschlichen Magen aus Stahl, den man brauchte, um in einer Bank eine ganz große Karriere zu machen.

Schließlich ließ Don Osman von mir ab und erklärte in akzentfreiem Deutsch, das alle negativen Integrationsdebatten widerlegte: «Diese Frau atmet nicht mehr.»

Diese Tatsache hätte mich vor ein paar Minuten noch aufgeregt. Aber ich wusste ja bereits, dass ich auch kein Herz hatte. Da war mittlerweile ein organisches Gesamtkonzept zu erkennen.

«Sie ... sie ist kalt wie ein Fisch», stammelte Don Osman mitgenommen.

Das regte mich dann doch auf: «Sie sind aber nicht sehr charmant.»

Der Banker hörte vor Schreck auf zu essen und zeigte damit so etwas wie eine menschliche Regung, und Don Osman rief aus: «Allah!»

«Ich befürchte, der hat damit nichts zu tun», erklärte ich.

«Was ... was bist du?», fragte Don Osman.

Ich blickte nach oben, sah, dass die Bettlerin verschwunden war, und antwortete: «Gekniffen.»

Benommen bedankte ich mich bei dem Dönerbudenbesitzer dafür, dass er mich aus seinem Laden gezogen hatte, rappelte mich auf und beschloss, zu meiner Familie zurückzukehren. Anstatt über die Dächer zu hüpfen, entschied ich mich für den herkömmlichen Weg mit der S-Bahn. Ich hatte zwar weder Geld noch Ticket, aber ich wollte dennoch Bahn fahren, um ein wenig Normalität in mein Leben zu bringen. Wenigstens für einen Moment. Und es war wirklich auch nur ein kurzer Moment, denn kaum war ich eingestiegen, beobachteten mich die anderen Fahrgäste misstrauisch, ängstlich, ja fast panisch. Ihr Verstand wollte sich einreden, dass ich nur ein Kostüm trug. Aber die Instinkte der Leute sagten ihnen etwas anderes. Sie spürten, dass es sich bei mir um keinen echten Menschen handelte, und so verzogen sie sich alle in die andere Hälfte des Wagens. Vampire besaßen anscheinend eine weitere Fähigkeit: Sie konnten jederzeit, selbst im Stoßverkehr, einen freien Sitzplatz finden.

Während die S-Bahn über die Gleise ruckelte, hörte ich von den anderen Fahrgästen Sätze wie: «Oh mein Gott! … Die … die Frau spiegelt sich nicht in der Scheibe …»

«Ach du heilige Scheiße, das stimmt ja!»

«Das … das ist bestimmt nur ein Trick.»

«Was für ein Trick soll das denn bitte schön sein?»

«Irgendwas von Hollywood.»

«Hollywood? Siehst du hier Tom Cruise oder so?»

«Nein, der würde mir auch noch mehr Angst machen.»

«Ich glaube, das ist kein Trick.»

«Das befürchte ich langsam auch.»

«Und ich befürchte, ich hab mir gerade in die Hose gemacht.»

Während die anderen Fahrgäste wohl mit dem Gedanken spielten, die Notbremse zu ziehen, fragte ich mich, wer der «Fürst der Verdammten» sein mochte, von dem die Hexe gesprochen hatte. Warum nannte er sich nur Fürst? Wenn ich Chef der Verdammten wäre, würde ich mich doch an seiner Stelle Kaiser, König oder Aufsichtsratsvorsitzender der Verdammten nennen. Und warum sollte ich dem Fürst gefallen? In diesem Zustand? Oder auch nur in meinem ursprünglichen? Der niedere Adelige besaß wohl einen ziemlich exzentrischen Geschmack.

Endlich hielt die Bahn. Ich stieg aus, vergaß den Fürst und eilte in die Straße, in der ich meine Familie, unser Auto und unsere Autotür zurückgelassen hatte. Fee saß immer noch auf dem Bordstein und betrachtete ihre bandagierten Hände wie zwei Fremdkörper. Max hingegen knurrte die Menschen hinter den Vorhängen an, und es schien ihm Spaß zu machen, wenn sie sich vor Angst weit ins Innere ihrer Wohnungen zurückzogen. Und Frank? Frank starrte auf zwei Polizisten. Sie waren aus ihrem Streifenwagen gestiegen und näherten sich so vorsichtig, wie man sich einem Zwei-Meter-dreißig-Mann mit Schrauben im Kopf nähern sollte.

Einer der beiden Polizisten war groß. Der andere klein. Beide untersetzt. Und beide wirkten etwas unsicher. Dass Frank gerade eine Laterne verbog, mochte zu ihrer Unsicherheit beitragen. Frank tat dies nicht bösartig. Eher wie ein interessiertes Kind. Ein interessiertes Kind mit übermenschlicher Kraft. Ein bisschen so wie der kleine Obelix, dessen Eltern man ja auch nicht hätte sein wollen.

«Lassen Sie das!», forderte der große Polizist Frank auf.

«Ufta?», antwortete er exakt das, was ich erwartet hatte.

«Sind Sie Ausländer?»

«Ufta?»

«Du sein also Ausländer. Du haben Aufenthaltsgenehmigung?», fragte der große Polizist. Es war ein interessantes Phänomen, dass Deutsche immer wieder dachten, Ausländer würden sie besser verstehen, wenn sie selber schlechtes Deutsch sprachen.

«Uftata?», variierte Frank leicht.

«Du zeigst uns jetzt deine Papiere!», erklärte der große Polizist und ging auf Frank zu, begleitet von dem kleinen, dem allmählich Angstschweiß auf die Stirn trat und der sich offenbar fragte, ob das mit dem Papiere zeigen lassen wirklich eine so gute Idee war.

Als der Große kurz vor Frank war, fühlte der sich angegriffen und grollte laut: «Uhrghh!»

Die Polizisten hielten inne, und ich war ziemlich davon überzeugt, dass das «Uhrghh» ein Hinweis darauf war, dass hier gleich etwas stattfinden würde, was die Nachrichtensprecher im Fernsehen so gerne mit dem Begriff Blutbad umschreiben. Ich musste also eingreifen, und so trat ich dazwischen.

«Efma!», donnerte Franks Stimme froh, als er mich sah,

und es freute mich, dass er mich erkannte. Noch mehr freute ich mich, dass ich ihn von den Polizisten ablenken konnte.

«Guten Abend», begrüßte ich die beiden, und sie sahen mich so erschrocken an, dass sie mir bestimmt ebenfalls sofort einen Sitzplatz in der S-Bahn frei gemacht hätten, wenn wir denn in einer S-Bahn säßen.

«Kennen Sie den Kerl?», fragte der große Polizist und versuchte, seine Stimme nicht allzu sehr zittern zu lassen.

«Ja, das ist mein Cousin aus Albanien», log ich.

«Der sieht aber nicht aus wie ein Albaner.»

«Ähem … er ist nur ein Halbalbaner», erklärte ich hastig.

«Was ist denn die andere Hälfte?», fragte der große Polizist zweifelnd.

Ich überlegte krampfhaft und sagte die erste Nationalität, die mir einfiel. Leider war die «Norweger».

Die Polizisten glaubten das nicht wirklich. Doch bevor sie ihr Misstrauen äußern konnten, trat Fee hinzu, betrachtete die beiden von nahem und erklärte: «Wenn ihr Typen auch Figmente meiner Imagination seid, dann ist es offiziell: Meine Imagination lässt echt zu wünschen übrig.»

«Was sind ‹Figmente›?», fragte der große Polizist.

«Was ist ‹Imagination›?», fragte der kleine.

«Wer zum Teufel seid ihr Freaks?», war der große wieder an der Reihe.

«Wir waren auf einem Kostümfest», beschwichtigte ich.

Die beiden hätten mir am liebsten diese Lüge geglaubt, aber wir waren so unheimlich, dass sie es einfach nicht konnten. Max knurrte indessen fröhlich eine aufgetakelte Frau mit Stöckelschuhen an, die gerade in die Straße gebogen war und sich bei seinem Anblick überlegte, dass ja viele Wege nach Rom führten, selbst hier in Berlin. Die Frau rannte davon, und Max hatte sichtlich Freude, ihr einen Schreck eingejagt zu haben. Ich vermutete immer mehr, dass er genau wusste, was er da tat.

«Gehört der Hund ... oder was das auch immer ist ... etwa auch zu Ihnen?», fragte der große Polizist.

«Ja», antwortete ich, wollte Max aber auch nicht demonstrativ streicheln. Keine Ahnung, was er mit so einer Vampirhand machen würde.

«Wo ist denn seine Hundemarke?»

«Ähem ... tja ... das ist eine sehr gute Frage», stammelte ich.

«Finde ich auch.»

«Eine Frage, die man nicht so einfach mit ‹Ja› beantworten kann», legte ich nach, um Zeit zu gewinnen.

«Diese Frage begann ja auch mit einem ‹Wo›», bestätigte der große Polizist gereizt.

«Das könnte der grammatikalische Grund dafür sein», stimmte ich zu.

«Wenn er keine Marke hat, müssen wir ihn mit aufs Revier nehmen!» Dem großen Polizisten riss langsam der Geduldsfaden.

«Müssen Sie wirklich?», fragte ich.

«Müssen wir wirklich?», fragte der kleine Polizist ängstlich. Er wusste zwar nicht, was das Wort Imagination bedeutete, besaß aber anscheinend genug davon, um sich auszumalen, wie es wohl sein würde, wenn man einen Wolf wie Max auf dem Rücksitz des Wagens hatte. Denn das könnte bedeuten: Polizist, dein Name ist Chappi.

Mit Blick auf den ängstlichen kleinen Polizisten bot ich an: «Wir fahren jetzt einfach alle nach Hause und vergessen die Hundemarke.»

«Ich finde, das ist eine ganz hervorragende Idee», erklärte der darauf seinem großen Kollegen. «Wir können ja mit der Hundemarke ein Auge zudrücken. Und auch mit der Laterne ...»

«Sie wollen mit diesem Auto da fahren?», unterbrach der

große Polizist, der vom «Auge zudrücken» anscheinend ganz und gar nichts hielt, und sah auf unseren Ford Transit, dem ja eine Autotür fehlte.

«Ja», antwortete ich schwach.

«Ihr Freaks seid alle verhaftet!», kam die Antwort, und er zog seine Pistole. Sein Geduldsfaden war nun endgültig gerissen.

«URGHH», meinte Frank dazu, der die Bedrohung als solche erkannte.

Das bereitete dann auch dem großen Polizisten Angst.

Ich hatte genug von dem ganzen Geplänkel. Daher hatte ich nichts dagegen, unseren beiden Freunden und Helfern noch mehr Angst einzujagen, und sagte: «Ihr habt gehört, was der Albano-Norweger gesagt hat.»

Darauf richtete der große Polizist die Pistole direkt auf mich.

«Das mit der Pistole meint ihr doch nicht wirklich?», fragte ich ihn lächelnd, aber mit drohendem Unterton.

«Grghh», donnerte Frank unterstützend.

Zusätzlich kam Max hinzu, hob sein Bein und strullerte gegen das Bein des kleinen Polizisten. Dann knurrte er ihn an. Der kleine Polizist plapperte völlig verängstigt: «Nein, das meinen wir nicht so. Das war nur ein Spaß. Wir sind echte Komiker. Auf dem Revier nennt man uns nur ‹Siegfried und Roy der Witzbolde›. Nur dass wir nicht zaubern und weniger schwul sind … also eigentlich sind wir gar nicht schwul, und Tiger haben wir auch nicht, aber sonst …»

«Ich habe schon verstanden, Siegfried», erklärte ich. Dann drehte ich mich zu dem großen Kollegen und fragte lächelnd: «Du auch, Roy?» Dabei riss ich meinen Mund so weit auf, dass meine Reißzähne schön im Mondlicht blitzten.

Darauf erklärte der: «Ich hab auch verstanden», und senkte seine Pistole. Und ich war sehr erleichtert. Die akute Gefahr war gebannt. Wir konnten jetzt nach Hause und uns dort sammeln.

Überlegen, was zu tun war, um aus dem ganzen Schlamassel herauszukommen. Wenn man überhaupt herausgelangen konnte.

Die Autofahrt nach Hause war dank Frank ziemlich eng und dank der fehlenden Tür auch ziemlich luftig, was aber nicht schlecht war, schließlich roch Max doch sehr streng nach felligem Tier und Fee etwas nach Leichentuch. Ich parkte das kaputte Auto vor dem Haus, wir gingen die Treppen hoch, und als wir gerade unsere Mietwohnung betreten wollten, warnte ich Frank: «Achtung, du musst dich du…»

Doch bevor ich das «cken» aussprechen konnte, knallte er bereits gegen den Türrahmen. Mit der Stirn.

«Ufta», grunzte er dabei verblüfft, und ich sah, dass einiges an Holz durch die Kollision aus dem Rahmen gesprengt worden war. Nachdem ich Frank gezeigt hatte, wie man sich bückt, betraten wir die Wohnung – Gott sei Dank ein hoher Altbau. Frank konnte in den Zimmern aufrecht gehen, was ihn allerdings nicht daran hinderte, mit dem Kopf gegen unseren Ikea-Kronleuchter zu laufen. Der schwang zurück, kam wieder und knallte erneut gegen seine Stirn. Wütend riss er den Leuchter von der Decke und rief dabei: «Irggh», was vermutlich so etwas wie «Scheiß Ikea» bedeutete. Das Ding knallte mit einem lauten Scheppern auf den Boden. Traurig daran war, dass dies in dem Chaos, das in unserer Wohnung sowieso immer herrschte, gar nicht so recht ins Gewicht fiel.

Während Max in der Situation erschrocken den Schwanz einzog, lief Fee wie eine Schlafwandlerin weiter durch die Wohnung. Ich machte mir langsam richtig Sorgen um sie. Sollten wir je wieder zurückverwandelt werden, würden wir Wünschmanns um ein paar Therapiestunden sicherlich nicht herumkommen.

Wir gingen ins Wohnzimmer, und ich ließ mich aufs Sofa

fallen. Normalerweise, wenn ich abends auf dem Sofa liege, besteht die Gefahr, dass ich augenblicklich einschlafe. Jetzt war es bereits ein Uhr nachts, doch ich fühlte mich topfit, als wäre es ein Uhr mittags. Und ich hätte ein paar doppelte Espressos getrunken. Ich war wohl, um es mit einem blöden 80er-Jahre-Hit von Sandra zu sagen, eine *Creature of the night*. Betonung lag auf «Kreatur».

Fee plumpste neben mich und fragte leise: «Mama, das bilde ich mir doch nicht alles ein … oder …?»

Ich sah sie mir genau an. Sie machte nicht den Eindruck, als ob sie durchdrehen würde, wenn sie die Wahrheit hörte, höchstens, dass sie noch mehr in sich zusammenfiele. Es schien mir ein relativ günstiger Augenblick, mit der Wahrheit herauszurücken, zumal alles danach aussah, dass wir wohl noch länger so herumlaufen würden. Ich hatte keinerlei Ahnung, wo die Hexe sich herumtrieb. Daher erklärte ich Fee: «Wir sind wirklich verflucht worden, Schnuffel.»

Fee sank tatsächlich noch mehr in sich zusammen: «Also ist das alles hier kein Figment, sondern eher ein Fuckment.»

Bevor mir etwas Tröstendes einfallen wollte, zerbrach Frank zwischen seinen Fingern die Stehlampe. Das war halb so wild, hatte die uns doch seine Mutter geschenkt, die einen Geschmack besaß, der in einer besseren Welt sicherlich unter Androhung von Todesstrafe gestellt worden wäre.

Bevor aber Frank aus unserer Wohnung endgültig einen Sondermüllhaufen machte, führte ich ihn lieber zum Sofa. Sanft drückte ich ihn an seinen Hüften in die Kissen hinab. Das Sofa bog sich unter seinem Gewicht gewaltig nach unten – er mochte vielleicht 250 Kilo wiegen? –, blieb aber heile. Ich musste irgendetwas finden, das ihn auf der Couch hielt. Sollte ich den Fernseher anmachen? Andererseits könnte er darin schreckliche Sachen sehen, die ihn durchdrehen ließen: Schießereien, Raubtiere oder Volksmusik.

Daher nahm ich eine Schneekugel, die uns ebenfalls seine Mutter nach einem Köln-City-Trip geschenkt hatte. Ich zeigte ihm, was man tun musste, damit es auf den Kölner Dom herabschneite, und er war völlig fasziniert. Er nahm die Kugel so behutsam wie möglich, um sie mit seinen starken Fingern nicht kaputt zu machen. Ganz zärtlich schüttelte er sie und lachte, als der Schnee rieselte: «Hohoho.»

Es klang ein bisschen wie beim Weihnachtsmann. Wenn man dessen Stimme durch einen metallenen Verzerrer gejagt hätte.

Franks tiefes Lachen ließ meinen Körper vibrieren. Dabei merkte ich: Ich hatte kein Herz, keinen Atem, also wohl auch keine Lunge, dafür aber einen Magen. Wer hatte sich wohl diese Vampir-Anatomie ausgedacht? Vielleicht der gleiche Scherzkeks, der das männliche Geschlechtsteil konzipiert hatte?

Oder die Tatsache, dass Liebe und Zorn so nah beieinanderlagen?

Franks Lachen war kindlich. Naiv. Unschuldig. Irgendwie süß. Sofern man jemanden süß finden konnte, dessen Zähne aussahen wie unbehauene Hinkelsteine. Das letzte Mal hatte ich Frank so happy gesehen, als er im Frühjahr mit seinen beiden ehemaligen Schulkameraden zu einer einwöchigen Reise nach Ägypten aufgebrochen war.

Mein Blick fiel nun auf Max, der auf seinen vier riesigen Pfoten aus dem Wohnzimmer lief, und folgte ihm in sein Zimmer. Das bestand im Wesentlichen aus Bücherstapeln, die sich gegenseitig stützten und von denen ich immer dachte: Wenn man hier auch nur ein Buch rauszieht, gibt es eine unkontrollierbare Kettenreaktion.

Max betrachtete ein Buch mit dem Namen *Die Untoten*. Wenn da nicht Zombies auf dem Cover gewesen wären, die entfernt an Keith Richard von den Stones erinnerten, hätte ich mich mittlerweile von dem Titel angesprochen gefühlt.

Max betrachtete das Buch, als ob er es gerne als nächstes lesen wollte ... da stimmte definitiv etwas nicht. Er war kein normaler Wolf, oder besser gesagt, kein Junge, der in einen normalen Wolf verwandelt worden war. Dieser Wolf schien Verstand zu haben!

Obwohl ich ganz leise war und nicht atmete – ich musste es ja ohne Lunge nicht, wenn ich nicht wollte – hörte er mich mit seinen Wolfsohren. Er ließ erschrocken vom Buch ab, drehte sich hastig um, machte Platz und tat so, als ob nichts passiert sei. Es hätte nur noch gefehlt, dass er unauffällig «Dumdidumdidum» gesungen hätte.

«Kannst du mich verstehen?», fragte ich.

Keine Reaktion, außer einem Blick, der ebenfalls «Dumdidumdidum» aussagte.

«Wenn du mich verstehen kannst, dann wedele mit deinem Schwanz.» (Dies war im Übrigen ein Satz, den wohl keine Mutter gerne zu ihrem Sohn sagte.)

Max wedelte nicht.

«Ich weiß ganz genau, dass du mich verstehst.»

Wieder keine Reaktion.

«Hmm, wenn wir es nicht schaffen, den Fluch rückgängig zu machen», sagte ich möglichst beiläufig, «müssen wir dich kastrieren.» (Und dies war eine Drohung, die wohl auch keine Mutter gerne ausspricht.)

«Das würdest du nicht tun!», kam es von Max wie aus der Pistole geschossen.

Das überraschte mich dann doch: Er konnte mich nicht nur verstehen, er konnte auch sprechen. Nicht nur bellen!

Als er merkte, dass er sich verraten hatte, hielt er sich hastig seine beiden Vorderpfoten vor die Schnauze. Zu spät!

«Warum hast du so getan, als ob du nur kläffen kannst?», fragte ich gereizt. Wir waren als Familie in einer schlimmen Lage, und er spielte alberne Versteckspiele.

«Ich ... ich ...» Er stockte.

74

«Du …?», hakte ich nach.

«Ich will nicht, dass der Fluch rückgängig gemacht wird.»

«W… was?»

«Ich will nicht, dass …»

«Akustisch hab ich das schon verstanden», unterbrach ich ihn. «Aber ich begreife nicht, wieso?»

«Ich find es ganz schön, wie es ist.»

«Wieso das denn?» Ich konnte es einfach nicht fassen.

«Ich … ich bin jetzt etwas Besonderes, etwas Exzeptionelles», erklärte er leise.

«Du bist auch sonst etwas Besonderes.»

Er schüttelte traurig den Wolfskopf.

Das war ein Schock für mich: Mein kleiner Junge fühlte sich nicht als etwas Besonderes? Erst jetzt, als Werwolf? Wieso hatte ich das nicht mitbekommen, dass er so schlecht von sich dachte?

«Du bist doch jetzt durch die Transformation auch etwas Exzeptionelles», erklärte Max, «du bist kräftig, du bist schnell, aber vor allen Dingen: Du bist unsterblich.»

Unsterblich? Ich versuchte den Gedanken zu fassen, aber das konnte ich mir nicht vorstellen: Ich sollte ewig auf Erden wandeln? Da würde nicht nur die Rentenkasse staunen. Außerdem: Wie sollte ich so ein ewiges Leben aushalten, wenn ich es in meinem normalen Leben noch nicht mal schaffte, ein paar Tage am Stück glücklich zu sein?

Bevor ich diese Gedanken vertiefen konnte, hörte ich, wie Frank laut aufjaulte. Alarmiert rannte ich ins Wohnzimmer, Max trottete auf allen vieren hinterher. Frank starrte auf die Schneekugel, die wohl zwischen seinen Fingern zerborsten war. Er hielt nur noch den Kölner Dom in der Hand. Aber sein Unglück war nicht das größte Problem in diesem Augenblick: Fee war verschwunden! An der Stelle, wo sie auf dem Sofa gesessen hatte, lag nur noch ihr Handy.

FEE

Jannis, Jannis, Jannis … ich brauchte jemanden Normales um mich. Gut, Jannis war nicht wirklich normal. Wer mich «schiebt», kann ja nicht ganz dicht sein. Die einzigen beiden Typen, die mir in meinem Leben bisher gestanden hatten, dass sie unsterblich in mich verliebt sind, waren es jedenfalls nicht. Der eine futterte gerne seine Popel. Der andere hatte es zu mir nur aus Tarnung gesagt, in Wirklichkeit stand er auf Typen, die im *Nussknacker* die männliche Hauptrolle tanzten.

Dennoch, im Vergleich zu meiner Familie war so gut wie jeder normal. Und das nicht erst, seitdem wir uns in Monster verwandelt hatten. Fast schon typisch, dass so etwas uns Wünschmanns passieren musste. Und dann musste ich mich auch noch ausgerechnet in eine Mumie verwandeln, während meine bescheuerte Mutter, der wir den ganzen Mist zu verdanken hatten, wenigstens zum Vampir werden durfte.

Warum konnte mir nie so etwas passieren wie Harry Potter? Warum konnte nicht ein Riesenkerl mit Bart vorbeikommen und mir erklären: «Hey, die Menschen, mit denen du all die Zeit qualvoll zusammenleben musstest, sind gar nicht deine Familie? Sie sind nur Witzfiguren, die es die nächsten sieben Bände bereuen werden, was sie so alles mit dir angestellt haben.»

Ich klingelte an der Tür von Jannis' Haus. Ich wusste genau, dass er allein zu Hause war. Seine alleinerziehende Mutter war das größte Partygirl seit Lady Gaga – auch wenn ihre Mädchenzöpfe, die sie sich immer flocht, bei einer 40-Jährigen etwas würdelos aussahen. Jedenfalls ließ sie Jannis alle Freiheiten und lag damit exakt am anderen Ende des Mütter-Spektrums als meine.

Jannis öffnete die Tür. Ich fiel ihm gleich um den Hals. Das erschreckte ihn. Jungs erschrecken sich ja immer, wenn man als

Mädchen zu viel Gefühle zeigte (um ehrlich zu sein, erschreckten sich Mädchen auch, wenn Jungs es mal tun). Doch was sollte ich machen? Ich war eine vergammelte Mumie! Wenn man da nicht Gefühle zeigte, dann konnte man sich gleich in einen Sarkophag legen.

«Du ... drückst etwas fest», stammelte der überraschte Jannis, «ich ... ich hab nur einen Brustkorb.»

Ich ließ los, und er sah mich erstaunt an. Erst jetzt konnte er genau erkennen, wie ich aussah.

«Was ist denn das für ein cooles Kostüm?», fragte er verunsichert, ohne das «Kostüm» wirklich cool zu finden. Eher abstoßend.

«Das ist kein Kostüm ...», begann ich.

«Eine Garderobe aus einem Film?», fragte er.

«Nein!»

«Also doch ein Kostüm», stellte er begriffsstutzig fest und fand: «Es ist allerdings ein bisschen dreckig und riecht übertrieben streng ... du solltest mal mit dem Kostümverleiher reden ...»

«Dies ist kein verficktes Kostüm!», schrie ich.

«Was ist es denn dann?», fragte er, von meinem Ausbruch eingeschüchtert.

«Meine Familie ist verflucht worden ...»

«Ja, klar ...», lächelte er tierisch verkrampft.

«Hier, fass doch an!» Ich hielt ihm den Arm hin. «Hier, fass den verdammten Arm an!»

«Whao, du bist echt unausgeglichen», stellte er fest.

Ich hoffte inständig, dass er jetzt nicht so blöd war, eine «Hast du deine Tage?»-Bemerkung zu machen.

«Hast du deine Tage?», fragte er.

«FASS ENDLICH AN!»

«So romantisch wurde ich noch von keinem Mädchen aufgefordert», erklärte er eingeschüchtert. Dann berührte er meinen Arm und stellte fest, dass die Bandagen meine Haut waren, und begann zu zittern.

«Ich …», erklärte ich leise, «… ich brauch jetzt wirklich jemand, der mich in die Arme nimmt.»

Jannis sah nicht so aus, als ob er dieser Jemand sein wollte. Eher wie jemand, der selbst in die Arme genommen werden möchte. Aber bestimmt nicht von der hysterischen Mumie, die vor ihm stand.

«Jannis …», flehte ich ihn an, «bitte …»

«Ist … das ein Trick?»

«Nein, ich bin ein Freak!», schrie ich.

«Entweder das, oder du bist total krank, so eine Nummer hier abzuziehen. Beides ist mir ehrlich gesagt unheimlich …»

Während er das sagte, blickte er zur Tür, überlegte sich offensichtlich, ins Haus reinzulaufen und mir die Tür vor der Nase zuzuknallen. Dann sah er mich wieder an mit einer Mischung aus Angst und Abscheu. Als ob ich ein Monster wäre. Was ich äußerlich auch war. Aber innerlich?

«Ich dachte … du schiebst mich auch», fragte ich vorsichtig.

Er überlegte eine Weile, trat nervös von einem Fuß auf den anderen und erklärte schließlich: «Da hab ich mich vertippt.»

Das zerriss mir das Herz. Flüche, Bandagen, Hexen – all das wäre vielleicht noch zu ertragen gewesen, wenn er mich nur geschiebt hätte.

«Was … was wolltest du denn tippen?», fragte ich mit einem letzten Funken verzweifelter Resthoffnung.

«Ich schiele dich», sagte er schwach.

«Was soll das denn heißen?», fragte ich überdreht, «etwa, dass du mich nicht mehr sehen willst?»

«Das ist doch jetzt ganz unwichtig …», sprach er etwas Wahres aus. Wichtig war nur: Er liebte mich nicht.

Und in diesem Augenblick wünschte ich mir, die Blitze der Hexe hätten uns getötet.

«Und außerdem bin ich mit Noemi zusammen», legte Jannis nach.

Er knutschte mit mir rum und war mit einer anderen zusammen? Ausgerechnet mit Noemi? Die war ein echtes Hohltier und hatte nur zwei herausragende Eigenschaften. Und die waren beide an ihrem Oberkörper befestigt. Dass Jannis eine Frau mit Mörderbusen mir vorzog, machte das Ganze noch viel schlimmer. Jetzt wünschte ich, dass die Blitze der Hexe nicht nur mich getötet hätten, sondern auch noch ihn. Und Noemis Busen gleich mit.

Jannis wollte mir jetzt tatsächlich die Tür vor der Nase zuknallen. Ich packte ihn verzweifelt am Arm, starrte ihm in die Augen und sagte todtraurig: «Ich wünsche mir so sehr, dass du mich liebst.»

Kaum hatte ich das ausgesprochen, verwandelte sich sein Gesichtsausdruck, und er schmachtete mit einem Male: «Ich liebe dich.»

«W... w...?», fragte ich verwirrt.

«Ich liebe dich», wiederholte er voller Inbrunst.

Eben hatte ich ihm noch Angst eingejagt, und jetzt zog er mich an sich, genau so, wie ich es mir vor wenigen Sekunden noch gewünscht hatte. Dennoch war ich jetzt nicht ganz sicher, ob ich darüber glücklich sein sollte. Sein Verhalten war echt merkwürdig.

«Du riechst so gut!», erklärte er und atmete meinen Bandagen-Geruch ein, als ob es Chanel Nummer 1 bis 17 wäre.

«Willst du mich verarschen?», fragte ich und schubste ihn beiseite.

«Nein, ich liebe dich», erwiderte er völlig erstaunt und sah mich total verschossen an. Konnte man so etwas vortäuschen? Und wenn nicht, wie kam der Wandel zustande? Was zum Teufel war hier los?

«Und was ist mit Noemi?», fragte ich unsicher.

«Ich interessiere mich nicht für Busen.»

Unglaublich!

Seine wunderschönen Augen blickten mich hingebungsvoll an, ich war drauf und dran, in sie zu versinken. Ich hatte auch keine Lust mehr nachzudenken, was hier los war, und flüsterte: «Ich wünschte, du würdest mich küssen ...»

Bevor ich noch vollenden konnte: «aber leider ist mein Kopf ja mit Bandagen eingewickelt», drückte Jannis schon seinen Mund auf den meinen und versuchte, seine Zunge durch das Tuch hindurch in meinen Mund zu drücken. Deswegen konnte ich erst mal nicht viel mehr sagen als: «Hmm ...»

Als er damit fertig war, meine Bandage anzusabbern, erklärte er allen Ernstes: «Das war der schönste Kuss meines Lebens.»

Ich schubste ihn von mir weg. Hier stimmte etwas definitiv nicht. Ich dachte nach: Erst hatte ich mir gewünscht, dass er mich liebte, und er liebte mich auf einmal. Dann hatte ich mir einen Kuss von ihm gewünscht, und er hatte mich geküsst. Ich sah mich um, keinerlei Flaschengeist stand in meiner Nähe, um mir diese Wünsche zu erfüllen. Nicht, dass ich wirklich einen erwartet hätte, aber in dieser durchgeknallten Nacht schien ja so einiges möglich zu sein. Selbst so ein Dschinn.

Ich dachte weiter nach: Beide Male hatte ich Jannis tief in die Augen gesehen. Hatte ich ihm meinen Willen aufgezwungen? Hatte ich als Mumie etwa hypnotische Kräfte?

Ich entschloss mich, das auszutesten. Ich sah Jannis noch mal tief in die Augen und bat ihn: «Jannis, ich wünsche mir, dass du auf einem Bein hüpfst.»

Er antwortete: «Ich liebe es, für dich zu hüpfen», und begann, auf einem Bein herumzuspringen.

Heilige Kacke!

Das bedeutete: Ich konnte Leute hypnotisieren.

Leider bedeutete das wohl auch: Jannis' Gefühle zu mir waren nicht ehrlich gewesen.

«Ich wünsche mir, dass du die Wahrheit sagst», bat ich und blickte ihm dabei wieder in die Augen. «Hast du mich auch geliebt, bevor ich mir das von dir gewünscht hatte?»

«Nein.»

Das traf mich und machte mich todtraurig. Aber masochistisch, wie ich war, fragte ich weiter: «Warum hast du dich dann mit mir verabredet?»

«Noemi musste heute mit ihren Eltern ins Opernkonzert. Und außerdem hatte ich noch nie eine Flachbusige wie dich.»

Was für ein Arsch!

Er hüpfte weiter vor mir auf einem Bein. Ich sah erneut in seine Augen und bat: «Ich wünsche mir, dass du gegen die Hauswand hüpfst.»

«Gerne!»

Er tat es. Dabei gab es ein dumpfes Aufprallgeräusch. Das musste tierisch wehgetan haben.

Gut so!

«Mach das die nächsten zwei Stunden», ergänzte ich.

«Wie du wünschst», lächelte er und hüpfte wieder gegen die Wand.

«Und sage Noemi, dass Frauen mit großem Busen Haltungsschäden bekommen.»

«Dieser Hinweis wird sie freuen», antwortete er und tat sich wieder weh.

Es hätte mir vielleicht Genugtuung verschaffen sollen, aber all das schmerzte mich mehr als ihn. Was bringt es einem schon, wenn sich der Mensch wehtut, der einem wehgetan hat?

«Hör bitte auf zu hüpfen», erlöste ich Jannis von seinem Schicksal. Dann ging ich langsam von ihm weg. Als eine Mumie ohne Liebe.

MAX

Ich hatte Mama den konzeptionellen Vorschlag unterbreitet, dass ich nach Fee suchen würde. Irgendjemand musste ja auf unseren mutierten Papa achten. Außerdem beunruhigte mich eine mythologische Eigenschaft der Vampire, die ich Mama vorerst verschwieg. Ich wusste nicht, was mit ihr geschehen würde, wenn sie auf der Suche nach Fee bis zum Sonnenaufgang draußen blieb: Womöglich gehörte sie zu jener Sorte Vampire, die bei Sonnenlicht verbrannten und in ihre atomaren Einzelteile zerlegt wurden.

Und dann gab es noch einen Grund, warum ich auf Expedition wollte: Ich war noch nie so spät nachts auf der Straße. Und das auch noch alleine!

Dank meines animalischen Geruchssinns konnte ich die Spur von Fee ganz einfach verfolgen, ihr Leichentuch besaß ja seine ganz eigene Note, die ich sonst nur von meiner alten Mathelehrerin kannte.

Während ich aber mit der Schnauze am Boden durch die Straßen von Berlin jagte, nahm ich plötzlich einen anderen Geruch war. Eine Mixtur aus Pizza, Bier, Zigaretten und einer Überdosis Axe-Deo. Das konnte nur meine Peinigerin Jacqueline sein! Da sie sich nie ein Parfüm leisten konnte, deodorisierte sie sich immer so sehr, dass in ihrer Nähe sämtliche Kleinstlebewesen einen jämmerlichen Erstickungstod starben.

Sofort schoss ein Gedanke durch mein neurales Netz im Gehirn: Wenn ich jetzt zu Jacqueline rannte, konnte ich ihr endlich alles heimzahlen! Dass sie mich ins Klo getunkt hatte. Dass sie mich in eine Mülltonne geworfen hatte. Dass sie mich gezwungen hatte, Charleston zu tanzen (sie hatte den Tanz mal im Fernsehen gesehen und fand ihn ungeheuer lustig).

Was konnte meiner Schwester schon passieren, wenn ich sie nicht fand, sondern mir Jacqueline vorknöpfte? Fee würde schon wieder nach Hause kommen. Wo sollte sie als Mumie auch Exil finden? Außer im Ägyptischen Museum? Und wenn sie da landete, was hätte es schon gemacht? Dann hätte ich vor Fee wenigstens mal eine Zeitlang meine Ruhe.

Ich drehte mich auf den Hinterpfoten um und rannte in die Seitenstraße, aus der der Deo-Geruch kam. Dort fand ich Jacqueline, wie sie mit einer Billigpizza, ein paar Dosenbier und neben Zigarettenkippen in einem Hauseingang saß. Ihren Eltern war es anscheinend völlig egal, dass sie sich so spät nachts draußen herumtrieb.

Das war irgendwie cool.

Jacqueline schien zu frieren. Kein Wunder, waren ihre Turnschuhe doch genauso porös wie ihre Jacke. Unter der trug sie nur ein dünnes T-Shirt mit der Aufschrift *Wenn du das hier lesen kannst, bist du gleich tot, du Spanner!*.

Als Erstes wollte ich ihr einen brutalen Schreck einjagen. So baute ich mich vor ihr auf und jaulte animalisch: «WRRAUGHH!»

Ihre Antwort war: «Halt's Maul, Fifi.»

Das war nicht ganz die Reaktion, die ich antizipiert hatte.

«WRRAUGHH!», wiederholte ich und fletschte dabei bedrohlich mit den Zähnen.

«Halt's Maul, Fifi, oder ich wickele dir deinen Schwanz um den Hals. Und ich mein nicht den Schwanz, den du meinst.»

Mensch, sie sollte doch Angst vor mir haben, nicht ich vor ihr!

Jacqueline nahm einen weiteren Schluck Bier. Den leeren Dosen hinter ihr nach zu urteilen, hatte sie schon über eineinhalb Liter intus, vielleicht war sie deswegen bei meinem Anblick so relaxt. Aber es wäre ja gelacht gewesen, wenn ich ihr als Werwolf keine Angst einjagen könnte! Dazu musste ich nur parlieren. Ein Wolf, der wie ein Homo sapiens sprechen konnte, würde sogar sie zum Zittern bringen.

«Ich bin dein Unheil!», verkündete ich, zugegeben leicht melodramatisch.

Jetzt hatte ich zumindest ihre Aufmerksamkeit. Sie runzelte die gepiercten Augenbrauen wie Mister Spock, wenn ein weiblicher Alien auf der Enterprise zu ihm sagte: «Ich möchte mich mit dir paaren.»

Allerdings hatte Jacqueline immer noch keine Angst vor mir. Sie sagte nur anerkennend: «Geil, Fifi kann ja sprechen.»

«Ich kann dich auch verletzen.»

«Das bezweifele ich», entgegnete sie und machte sich eine neue Dose Bier auf.

«Ich bin ein Werwolf», versuchte ich meine Gefährlichkeit zu erläutern, die bei einem normalen Menschen eigentlich keiner näheren Erläuterung bedurft hätte. Aber bei Jacqueline schon. Dieses Mädchen konnte einem echt Angst machen.

«Das seh ich, Fifi», erwiderte sie. Eiskalt. Sie war wirklich eiskalt. Das war auch ein bisschen faszinierend.

«Du ... hast keine Angst vor einem Monster?», fragte ich. Ich konnte mir das einfach nicht vorstellen. Wenn jemand vor mir stehen würde, der mich mit seinen Zähnen zerreißen könnte, würde ich nicht in Seelenruhe weiter Dosenbier trinken. Ich würde nach Mama schreien. Oder, noch besser, nach den US-Marines.

«Es gibt Amateur-Monster. Und es gibt richtige Monster», erklärte Jacqueline zwischen zwei Schlucken. «Du bist ein Amateur.»

«Ach, und du kennst Profis?», fragte ich, in meiner neuen Monsterehre etwas gekränkt.

«Vollprofis», bestätigte sie.

«Das glaub ich nicht», entgegnete ich. Gegen was für Monster wirkte man als Werwolf denn schon wie ein Amateur?

«Dann glaub es eben nicht, Fifi», sagte sie, leerte die Dose, zerknüllte sie mit einer Hand und warf sie quer über die Straße.

Ich widerstand meinem albernen Instinkt, die Dose zu apportieren.

Nach einer Weile des Schweigens sagte Jacqueline zu mir: «Du kannst mich gerne killen.»

«Wie ... wieso ... killen?» An so etwas Radikales hatte ich gar nicht gedacht. Ich wollte ihr bloß Angst einjagen, was ja kläglich gescheitert war.

«Seh ich so aus, als ob ich jedem dahergelaufenen sprechenden Köter mein Leid klage?», fragte sie.

«Wem kannst du es denn sonst klagen?», konterte ich.

«Richtig», spottete sie bitter, «wem sonst?» Sie sah dabei richtig traurig aus. Geradezu bemitleidenswert. Unglaublich, ich bekam mit Jacqueline Mitgefühl? Ich hatte immer gedacht, eher würde ich mit Kim Jong-il welches haben.

«Warum willst du denn nicht mehr leben?», fragte ich vorsichtig.

«Wegen dem Profi-Monster.»

«Was ... was für ein Monster?»

«Das mich quält», flüsterte sie. Ausgerechnet die harte Jacqueline wirkte nun zerbrechlich.

«Wie quält es dich?», wollte ich wissen. Dabei bemühte ich mich, so sanft zu sprechen, wie es mit meinen animalischen Stimmbändern nur möglich war.

Jacqueline schwieg.

«Komm, du kannst es mir sagen, ich bin ein Werwolf. Wem sollte ich es schon weitersagen?»

«Willst du es wirklich wissen?», flüsterte sie.

«Ja ... das will ich.»

«So quält mich das Monster», sagte sie kaum noch hörbar und zog Jacke und T-Shirt hoch. Ich sah ihren nackten Rücken. Er war übersät mit Striemen. Sie sah aus wie ein Matrose der

Bounty, den Captain Bligh mit einer gestohlenen Wasserration erwischt hatte.

Ich war extrem geschockt.

«Wer …?», fragte ich mit vibrierender Stimme.

«Meine Mutter», antwortete Jacqueline und biss dabei auf ihre zitternde Unterlippe, um nicht loszuheulen.

Vor ein paar Minuten noch hatte ich dieses Mädchen zu Tode erschrecken wollen.

Jetzt wollte ich das mit ihrer Mutter tun.

Und Jacqueline tröstend in meine Pfoten nehmen.

EMMA

«Das ist nicht Fee», stellte ich fest, als Max kurz vor Sonnenaufgang ein Mädchen mit nach Hause brachte. Das Ganze war aus mehreren Gründen befremdlich: Zum einen hatte dieses Mädchen nur entfernt Ähnlichkeit mit einem Mädchen. Es sah eher aus wie etwas, was ein streunender Hund mit nach Hause bringt und einem vor die Füße legt, was in diesem Fall ja gar nicht so falsch war. Zum anderen schien das Mädchen keinerlei Angst vor uns Monstern zu haben. Es hatte zwar eine Fahne wie eine rheinland-pfälzische Weinkönigin, aber es schien weder betrunken zu sein noch unter Drogen zu stehen. Das konnte also nicht der Grund für ihr furchtloses Verhalten sein. Was mochte sie alles in ihrem jungen Leben gesehen haben, dass ihr Monster keine Angst einjagten? Doch das Allermerkwürdigste an alldem war: Mein zwölfjähriger Sohn brachte mitten in der Nacht ein Mädchen mit nach Hause?!?

«Whao, der hässliche Kerl ratzt ja tierisch», kommentierte das Mädchen den auf dem Sofa liegenden Frank, der mit dem Kölner Dom auf dem Bauch tatsächlich laut und scheppernd schnarchte. Aber immerhin hatte er keine Blähungen. Das war auch gut so, ich mochte nicht darüber nachdenken, wie es wohl sein mochte, wenn Frankensteins Monster unter Darmproblemen litt.

Ich fragte Max, wer dieses abgerissene Mädchen sei. Doch kaum hatte er sie vorgestellt, wurde er schon von Fee unterbrochen, die just in diesem Moment nach Hause kam. Völlig aufgewühlt schrie sie mich an: «Du bist an dem ganzen Scheiß schuld!»

Die Momente, in denen ich sie ungestraft Schnuffel nennen durfte, waren anscheinend wieder vorbei, und das machte mich für einen kurzen Augenblick wehmütig.

«Die Alte wäre gar nicht auf uns aufmerksam geworden», schimpfte sie weiter, «wenn du nicht einen auf Kernschmelze gemacht hättest!»

Meine Güte, damit hatte sie recht.

«Du bist das Allerletzte!»

Ich schluckte schwer. Wenn ich wirklich für unseren Zustand verantwortlich war, dann hatte sie vielleicht auch damit recht.

«Ich wünsche, dass du gegen die Wand läufst», erklärte Fee und blickte mir dabei in die Augen.

«Ähem, wie bitte, was?», fragte ich.

«Ich wünsche mir, dass du gegen die Wand läufst!», wiederholte sie und sah mich noch intensiver an.

Ich rannte selbstverständlich nicht gegen die Wand.

«Gacker wie ein Huhn!», forderte sie mich nun auf.

«Was soll der Blödsinn, Fee?»

Als Antwort trat sie ganz nah an mein Gesicht, wir standen fast Lippen an Bandagen, und forderte mich auf: «Mach Nordic Walking!»

War sie nun völlig übergeschnappt? Nicht, dass man das, wenn es so denn war, nicht verstehen könnte.

«Ach Scheiße!», fluchte sie. «Bei dir klappt das nicht.»

«Was klappt nicht?», wollte ich wissen. Aber Fee schwieg

nur zutiefst frustriert. Ich machte mir immer mehr Sorgen um sie.

In Fees Schweigen hinein lachte Jacqueline: «Geil, ihr seid ja noch durchgeknallter als meine Familie.»

Fee nahm sie jetzt erst wahr und stellte sofort fest: «Du stinkst nach Bier.»

«Hey, pass auf, Binde», drohte Jacqueline, «oder ich mach aus dir einen Sechserpack Always Ultra!»

«Immer wieder schön, auf Menschen mit Niveau zu treffen», konterte Fee.

Das zwischen den beiden Mädchen schien nicht gerade der Anfang einer wunderbaren Freundschaft zu sein.

«Gehört die anonyme Alkoholikerin etwa zu dir?», fragte Fee ihren Bruder.

«Na ja … ähem … nun …», stammelte der, bis Jacqueline für ihn antwortete: «In der Schule tunk ich immer seinen Kopf ins Klo.»

«Stimmt das?», fragte ich Max entsetzt.

Er sah beschämt zu Boden.

Oh nein, Max wurde an der Schule von diesem Mädchen gemobbt, und ich hatte keine Ahnung davon. Genauso wenig wie davon, dass er sich als nichts Besonderes empfunden hatte. Was war ich nur für eine Mutter, die das nicht mitbekam?

Es war das erste Mal in meinem Leben, dass ich mir von ganzem Herzen eine Migräne wünschte, die mich für einen Tag außer Gefecht setzt und mein Hirn ausschaltet. Aber ich bekam leider keine Migräne und musste daher weiterdenken: Sollte ich mit Max über seine Probleme reden? Oder mir erst mal die Klo-Tunkerin vorknöpfen? Und sie mal selbst ein bisschen dippen? Sie war zwar tough, aber ich war ein verdammter Vampir. Und während ich so nachdachte … blähte Frank.

Es roch wie in einer Kläranlage.

Wenn al-Qaida darin einen Sprengstoffanschlag verübt.

Und es klang auch so.

Max hielt sich die Pfoten vors Gesicht.

Fee erklärte: «Ich wollte noch nie so gerne hier ausziehen. Und glaubt mir, ich wollte schon sehr oft ausziehen.»

Und Jacqueline stellte fest: «Wenn ich jetzt ein Feuerzeug anmache, gibt's ein Unglück.»

Für mich war in diesem Augenblick ganz klar, dass jetzt nur eine Sache unbedingte Priorität hatte: «Wir müssen uns schleunigst zurückverwandeln.»

«Ach was», meinte Fee.

Jacqueline deutete auf Max: «Also, ich find, der sieht jetzt viel besser aus als vorher.»

Da erkannte ich, dass auch Werwölfe vor Verlegenheit rot werden können. Mein Gott, war Max etwa in dieses Mädchen verknallt?

Darüber durfte ich jetzt nicht nachdenken, ich musste mich konzentrieren: Wie konnten wir uns zurückverwandeln? Wer konnte uns helfen? Unser Hausarzt würde es da sicherlich schwer haben, auch wenn er sich in den letzten Jahren homöopathisch fortgebildet hatte. Wissenschaftler würden höchstwahrscheinlich Jahrzehnte brauchen, bis sie uns heilen konnten. Wenn überhaupt. Die blöde Wissenschaft hatte es ja bisher noch nicht mal geschafft, koffeinfreien Kaffee zu erfinden, der schmeckt. Oder einen ICE, der nicht ausfällt, oder einen Zugbegleiter, der akzentfrei englisch sprechen kann.

Es blieb dabei: Die Einzige, die uns retten konnte, war die Hexe selber. Doch wo konnten wir sie finden? Was hatte sie noch mal gesagt: Sie war auf dem Weg in die Heimat, um zu sterben? Aber was war ihre verdammte Heimat? Das Lebkuchenhaus? Mordor? Pjöngjang? Erlangen?

Ich konzentrierte mich noch mehr: Was wusste ich über die Frau, was gab es an Hinweisen? Sie trug zerrissene Klamotten und konnte Dinge anstellen, die Albus Dumbledore im Grab rotieren lassen würden, und zwar in Rekordgeschwindigkeit. Dafür brauchte die Hexe nicht mal einen Zauberstab, da reichte ihr schon ein Amulett wie dieses silberne, das sie hatte. Was stand da noch mal drauf?

«Baba Yaga …», murmelte ich vor mich hin und dachte: Das klingt wie etwas Ekeliges, was man auf Skihütten trinkt.

«Ist das der Name der Hexe?», fragte Max mit einem Mal aufgeregt.

«Du kennst den?»

«Baba Yaga ist eigentlich eine mythologische Figur aus osteuropäischen Sagen. Aber wenn das die Hexe ist …»

«… dann haben die Sagen einen leider viel zu wahren Ursprung», vollendete ich und fragte gleich hektisch, aber auch mit einem Hauch von Hoffnung: «Wo kommt Baba Yaga laut Sage denn her? Was ist ihre Heimat?»

«Ihr Ursprung liegt in Transsilvanien.»

«Dann müssen wir sofort dahin!», verkündete ich.

In Filmen gibt es an so einer Stelle immer eine dramatische Fanfare. Bei uns gab es nur Jacqueline, die rülpste.

Und es gab Fee, die wissen wollte: «Wo liegt überhaupt Transsilvanien?»

Eigentlich hätte ich wieder über ihre mangelnden Geographiekenntnisse schimpfen müssen, aber ich wusste selbst nicht, wo es lag.

«Transsilvanien liegt in Rumänien», erklärte Max. «Aber wie sollen wir dahin kommen? Unser Auto ist viel zu luftig.»

«Wie können ja joggen», kommentierte Fee wenig konstruktiv.

«Auch nach Rumänien wird es Flüge geben», erklärte ich.

«Klar, wir sehen ja auch aus wie auf unseren Passfotos», konterte sie.

«Und ich geh bestimmt nicht in eine Hundebox», ergänzte Max.

Es stimmte: So wie wir aussahen, würde uns niemand ins Flugzeug lassen. Auch im Zug oder Reisebus würden wir auffallen, wir brauchten ein Gefährt, in dem man uns nicht sehen würde. Wir brauchten Cheyennes Bus!

Und wir brauchten ihn schnell. Denn die Hexe hatte ja auch – bevor sie uns verzaubert hatte – gesagt, dass sie nur noch drei Tage zu leben hatte. Ob diese wenige Zeit reichte, um mit dem klapprigen Bus nach Rumänien zu kommen? Und dort auch noch die Hexe zu finden?

Kaum wurde mir richtig klar, wie wenig Zeit wir noch hatten, geschah etwas anderes, was mein Leben gewaltig komplizieren sollte: Die Sonne ging auf.

«Ähem, Mama», gab Max zu bedenken, «wir können erst in der Nacht nach Rumänien.»

«Blödsinn, wir dürfen keine Zeit verschwenden», erklärte ich.

«Aber draußen scheint die Sonne.»

«Und …?»

«Sie ist nicht gerade die hellste Vampirin, was?», stellte Jacqueline fest.

«Nein, schnelles Begreifen ist nicht ihre Stärke», bestätigte Fee. Normalerweise hätte mich ihre Frechheit aufgeregt, aber ich begriff langsam, worauf Max mit der Sonne hinauswollte, und sagte, dem Umstand durchaus angemessen: «Heilige Scheiße!!!»

Vor meinem geistigen Auge sah ich, wie ich bei Sonnenlicht brannte wie eine lebendige Fackel, die nicht lange lebendig blieb. Doch wenn wir erst in der Nacht fahren würden, würden wir es nie in drei Tagen nach Rumänien schaffen, wir würden die Hexe nie finden, bevor sie starb, und wir würden auf ewig

Monster bleiben. Was sollte ich tun? Die anderen alleine fahren lassen? Unser aller Leben in die alleinige Verantwortung von Max, Fee und Ufta-Frank legen? Dann könnten wir auch gleich alle zu Hause bleiben und Mikado spielen.

Vielleicht konnte ich mich gegen die Sonne schützen, mit Sonnencreme Schutzfaktor 40 oder so. Und mit einer Sonnenbrille. Und einer Ganzkörperumhüllung. Auf einmal fand ich das Konzept einer Burka recht attraktiv. Nur, was war, wenn die Sonnenstrahlen auch durch die Kleidung gingen?

«Vielleicht», sagte Max, «gehörst du ja zu der Spezies von Vampiren, die an der Sonne leben können, so wie die in der einen Geschichte von Stephenie Meyer.»

Na toll, jetzt hatte ich auch noch deren Breiarsch wieder vor Augen.

Ich sah zu dem schnarchenden Frank. Hatte er in dem Moment, in dem er die Meyer angegafft hatte, vielleicht an Sex mit ihr gedacht? Ging er in Gedanken etwa fremd? War so etwas die Vorstufe zum richtigen Fremdgehen? Hatte er etwa so was schon mal in echt gemacht? Manchmal in den letzten Jahren hatte ich so ein irrationales Gefühl gehabt. Da lag ich nachts wach, wenn er weg war, und konnte einfach nicht einschlafen, obwohl ich hundemüde war. Richtig schlimm war es gewesen, als er mit seinen Kumpeln in Ägypten war. Da hatte ich nachts richtige Magenkrämpfe. War da was gewesen? Oder war ich schlichtweg paranoid? Sollte ich mir nicht lieber über die Problematik mit den Sonnenstrahlen Gedanken machen? Anstatt mich verrückter zu machen, als ich es ohnehin schon war? Ja, das sollte ich!

«Du meinst also», fragte ich daher Max, «ich habe eine Chance, in der Sonne zu überleben?»

«Also, ich würde keinen Selbstversuch wagen», kommentierte Fee.

Ich sah sie an und erkannte in ihrem Bandagengesicht: Sie

sorgte sich gerade tatsächlich um mich. Es war bei all dem Wahnsinn schön zu spüren, dass ich ihr was bedeutete.

«Wenn ich vorsichtig und langsam auf den Balkon trete, was passiert dann?», fragte ich Max.

«Es gibt drei potenzielle Ausgänge», erklärte er. «Der erste ist, du verbrennst leicht und springst schnell wieder auf sicheres Terrain.»

«Das würde uns nicht sehr viel weiterhelfen», seufzte ich.

«Der zweite ist: Du bist gegen die Sonneneinstrahlung resistent.»

«Das würde uns weiterhelfen.»

«Oder drittens, du zerbröselst in einer Nanosekunde, wenn auch nur ein Sonnenstrahl auf einen noch so kleinen Körperteil trifft.»

«Das ist dann immerhin ein schneller Tod», antwortete ich tapfer, ich wollte mir vor den Kindern nicht meine Angst anmerken lassen.

«Schnell, aber qualvoll», erwiderte mein Sohn. «Vampire schreien dabei immer wie am Spieß.»

«Max?»

«Ja?»

«Ein Rat fürs Leben: Man muss nicht immer alles sagen, was man weiß.»

Ich ging langsam zum Balkon. Die Sonne blendete mich durch die Türscheibe. Dabei stand sie noch nicht mal sonderlich hoch, so gerade eben über den Häusern. Dennoch war sie für mich unangenehm grell. Das war sicherlich kein gutes Zeichen. Ich nahm die Klinke der Balkontür in die Hand.

«Bitte nicht», flehte Max, «das ist zu gefährlich.»

«Da hat der kleine Depp allerdings recht», sagte Fee ängstlich.

«Also, ich find das geil», gab Jacqueline ihren Senf dazu.

Wenn Max dieses Mädchen wirklich nett fand, sagte das einiges über seinen Frauengeschmack aus. Würde er mir später so eine Schwiegertochter anschleppen? Dann wäre es sicherlich gar nicht so schlecht, lieber gleich zu verbrennen. Und wenn er wirklich so einen Frauengeschmack hatte, was sagte das über sein Mutterverhältnis aus?

Ich drückte die Klinke runter, öffnete die Tür und spürte sofort die Hitze der Sonne. Dabei waren es höchstens zwölf Grad. Ich wagte mich vorsichtig, mit kleinen Trippelschritten, in den Teil des Balkons, der noch komplett im Schatten lag.

«Das ist geiler als Fernsehen», meinte Jacqueline, und ich fragte mich, ob sie so etwas auch bei einem Besuch in einem UN-Flüchtlingslager sagen würde.

Fee schwieg und versuchte an ihren bandagierten Fingern zu knibbeln. Max schwieg auch und wedelte mit dem Schwanz. Frank schnarchte und blähte.

Für eine kurze Sekunde war ich erleichtert, auf dem Balkon zu stehen.

Man hätte ihn das Monster von Frankenfurz nennen sollen.

Ich hörte Max leise murmeln: «Ich hasse meine gute Nase.»

Dann wieder Stille. Ich trat an den Rand des Schattens. Die Kinder hielten die Luft an. Nicht nur wegen Frankenfurz.

Ich atmete ebenfalls tief ein. Obwohl ich das ja eigentlich gar nicht musste. Ich brauchte das aber, um all meinen Mut zusammenzunehmen, und trat einen Schritt vor. Den entscheidenden Schritt. Den in die Sonne. Und ich brannte! Lichterloh!

Nicht wie eine olympische Fackel. Sondern nur an den Händen und im Gesicht. Wie ein Mallorca-Tourist, der am Abend feststellt: «Eieiei, ich hätte mal lieber doch nicht am Strand ein so langes Nickerchen machen sollen.»

Ich sprang zurück, lief in die Wohnung und schloss die Balkontür hinter mir zu.

«Du ... du hast es geschafft», fand Fee als Erste von uns ihre Sprache wieder.

«Du bist nicht oxidiert», atmete auch Max durch. Und in diesem Augenblick war auch ich happy. Zum einen hatte ich überlebt, was schon an sich großartig war. Aber es war jetzt auch klar, dass ich mit Sunblocker, Handschuhen und Sonnenbrille reisen können würde, und so verkündete ich mit einem breiten Lächeln: «Auf nach Transsilvanien!»

FEE

Na toll, jetzt reisten wir auch noch nach Transsilvanien! Hätte diese bescheuerte Hexe nicht wenigstens aus Nizza kommen können? Dann wären wir mal wenigstens zu einem schönen Ort gereist. Die letzten Jahre waren wir ja nur im Urlaub auf der Nordseeinsel Borkum gewesen, wo der traurige Höhepunkt stets die Wattwanderung mit Wilhelm, dem Wattführer, war, bei der er immer mit seinen Gästen «Ich sag Wilhelm, du sagst Watt» sang. Ansonsten war es eine Insel, auf der die angeödeten Teenager im Urlaub ziemlich oft an rituellen Selbstmord dachten.

Zwar war die Vorstellung, jetzt mit meiner Familie zu verreisen, ein Horror, aber es gab keine Alternative. Ich wollte mir ja nicht auf ewig beknackte Binden-Sprüche anhören. Außerdem war ich viel zu fertig, um über Mamas halbgaren Transsilvanien-Plan zu meckern. Teils wegen meines Zustandes, aber zum viel größeren Teil wegen Jannis. Die Hexe hatte mich zwar verwandelt, aber Jannis hatte mich zerstört. Und auch, wenn ich mir dreihundertmal sagte: Vergiss den Idioten, er hat es nicht verdient, hörte ich kein bisschen auf mich selber und litt fürchterlich.

Als wir aus der Wohnung gingen, trug Mama Jeans und Pulli, zusätzlich noch Handschuhe und eine Riesen-Sonnenbrille. Für Papa und Max war nichts Passendes zum Umziehen da gewesen, so lief Papa im Frankensteinkostüm herum und Max wie ein nackter Hund, während ich gerade noch mal so meine Lederjacke über die Bandagen hatte ziehen können, was nur eine unwesentliche Verbesserung meines Styles bedeutete.

Ich betrat hinter den anderen durch die Schiebetür Cheyennes knallgelben Hippie-Bus und wurde fast farbenblind. Die Wände waren orange, die Decke braun und der Flokati-Teppich auf dem Boden dunkelgrün, wobei ich mir ziemlich sicher war, dass er vor dreißig Jahren noch eine andere Farbe gehabt hatte.

«In diesem Bus habe ich in den 60ern mit Paul McCartney geschlafen», verriet Cheyenne mir in einem verschwörerischen Tonfall.

«Whao», sagte ich, beeindruckt.

«Und John Lennon.»

«Cool», noch etwas beeindruckter.

«Und Yoko Ono.»

«Okay …»

«Es war eine tolle Stunde mit denen», schmunzelte Cheyenne, und da konnte ich dann doch nicht anders: Trotz allem musste ich zurückgrinsen.

Die alte Dame war schon ziemlich cool. Sie hatte kaum mit der Wimper gezuckt, als sie uns Monstern begegnet war. In ihrem Leben hatte sie schon diverse unmöglich scheinende Wesen gesehen, selbst wenn sie vorher kein LSD eingeworfen hatte. Zum Beispiel in den Anden ein Huhn, das viereckige Eier legte, in Afrika einen dreibeinigen Pygmäen, am Roten Meer einen zweibeinigen Delfin und in Los Angeles einen einbeinigen Stepptänzer … Was für ein spannendes Leben Cheyenne geführt hatte!

Während Cheyenne auf den Fahrersitz kletterte, plumpste Mama auf ein abgewetztes Sofa, und Papa fläzte sich auf einen orangenen Plüschsessel. Nur mit Mühe hatten wir ihn in der Wohnung wieder wach bekommen, nicht zuletzt dank eines von Silvester übrig gebliebenen D-Böllers. Anschließend hatte Mama versucht, ihm zu erklären, wie so eine Toilette funktioniert. Mit mäßigem Erfolg. Als er fertig war, war unser Bad eine kontaminierte Zone.

Jetzt betrachtete Papa sich Cheyennes Aktzeichnungen, die an der Wand hingen. Er starrte irritiert eine dicke Frau an, gegen die die Weiber, die der olle Rubens früher gepinselt hatte, aussahen wie magersüchtige Topmodels. Noch merkwürdiger waren die Aktbilder, die Cheyenne von Männern gezeichnet hatte. Ich war mir nicht sicher, ob Minderjährige so etwas überhaupt sehen sollten.

«Boah!», kommentierte Jacqueline die Zeichnungen. «Die Typen können ja Lasso werfen ohne Lasso.»

«Danke, dieses Bild habe ich in meinem Kopf echt nicht gebraucht», sagte ich.

Dass dieses Mädchen überhaupt mitgekommen war! Mama hatte sie noch in der Wohnung gefragt, ob nicht ihre Eltern Probleme damit hätten, wenn sie einfach so weg war, aber statt einer Antwort hatte es von ihr nur einen Lachkrampf gegeben.

Ich überlegte mir gerade, ob ich sie nicht mal ein bisschen hypnotisieren sollte, zum Beispiel so, dass sie sich für ein Reh hielt, das auf der Autobahn Wildwechsel machen will. Doch bevor ich ihr in die Augen blicken konnte, rief Cheyenne vom Fahrersitz: «Auf nach Transsilvanien!»

Sie sauste los, und alle, die noch nicht saßen, fielen zu Boden.

«Ey, Alte, hast du eigentlich einen Führerschein?», fragte Jacqueline, während sie sich vom Boden aufrappelte.

«Nö, wieso?», fragte Cheyenne.

Und Jacqueline grinste: «Geil.»

Ich krabbelte zu Mama auf das Sofa, aber sie würdigte mich keines Blickes. Sie sah ein bisschen übel aus. Ich überlegte mir, ob ich sie darauf ansprechen sollte, aber entschied mich dagegen, die Hälfte aller Gespräche zwischen uns endeten ja in einem Streit, und ich hatte gerade absolut keine Lust, geschweige denn Kraft für eine Auseinandersetzung. Stattdessen holte ich aus meinem Rucksack mein Handy und sah mir – Maso, der ich war – wieder die «Ich schiebe dich auch»-SMS von Jannis an. Dass ich auf ihn so reingefallen war. Er hatte mich hypnotisiert, ohne mich hypnotisiert zu haben. Er setzte seine Kraft egoistisch ein. Und er lebte gut damit. Während ich litt. Und Noemi würde sicher auch bald leiden, wenn er ihren beiden Brüsten den Laufpass gab.

Aber Moment mal! Ich hatte doch jetzt auch Hypnosefähigkeiten wie er. Jetzt konnte ich ja diejenige sein, die die Herzen bricht. Ich musste nur genauso gewissenlos werden wie Jannis. Also zu einem echten Monster. Das sollte kein Problem sein, ich sah ja schon so aus wie eins. Super, ab jetzt würde ich nie wieder Liebeskummer haben. Nur noch für welchen sorgen! So beschloss ich lächelnd: Den ersten gutaussehenden Kerl, auf den ich traf, würde ich hypnotisieren und ihm dann genüsslich das Herz brechen. Zugegeben, das war kein netter Plan, aber er ließ mich mein blödes Selbstmitleid vergessen. Und außerdem: Welches Monster ist schon nett?

MAX

Cheyennes gelber VW-Bus sauste auf der Autobahn Richtung Sachsen von links nach rechts in spitzwinkeligen Diagonalen. Entweder auf der Überholspur, was die Porsches und Mercedes zu abrupten Bremsmanövern zwang, oder auf dem Standstreifen. Von mittleren Fahrbahnen hielt Cheyenne nichts.

Von Sachsen aus sollte die Route über Wien, Prag und Budapest nach Rumänien führen. In drei Tagen war das zu schaffen, es durfte nur nichts schiefgehen. Aber wir waren die Wünschmanns, «schiefgehen» lag in unserer genetischen Codierung.

Ich hockte neben Jacqueline auf dem Boden. Die spielte auf ihrem schicken iPhone, das sie von einem Mitschüler bekommen hatte, als Gegenleistung dafür, ihn nicht weiter mit Hilfe eines Würgegriffes daran zu erinnern, dass der menschliche Körper Sauerstoff zum Überleben benötigt. Zuerst hatte ich vermutet, sie würde auf dem iPhone irgendeinen Ego-Shooter spielen, in dem man Nazi-Walküren eliminiert oder so etwas. Aber tatsächlich spielte sie ein Spiel, in dem sie Daisy Duck helfen musste, sich für ein amouröses Date mit Donald hübsch zu machen. Besaß Jacqueline etwa heimlich den Wunsch, auch ein normales, hübsches Mädchen zu sein, so eins mit süßem Kleid und Schminke? Würde ich noch eine heile Rippe besitzen, wenn ich sie danach fragte?

Beim Spielen wirkte sie jedenfalls im Gesicht femininer als je zuvor. Was allerdings kein Problem war, denn das bedeutete ja nur, dass sie femininer wirkte als John Rambo.

Sie merkte, dass ich sie ansah. Ertappt blickte ich weg. Da legte sie das iPhone beiseite und gestand: «Einen Hund wie dich habe ich mir als kleines Mädchen immer gewünscht.»

Sie hatte sich einen Werwolf gewünscht? Schon als kleines Mädchen? Brrr!

Mit einem Male streichelte sie mein Fell.

Mein Gott, das bedeutete: Sie streichelte mich!

Noch nie zuvor hatte mich ein Mädchen gestreichelt.

Es war schön. Wunderschön. Sogar schöner als lesen. Aber Fee zerstörte natürlich mal wieder die Stimmung: «Wenn du so weitermachst, macht er gleich Freudenpipi.»

Oje, war so etwas möglich?

«Wäre bestimmt lustig zu sehen», grinste Jacqueline und kraulte mich darauf noch mehr. Es war sooo schön. Aber das mit dem potenziellen Freudenpipi machte mich richtig nervös. Sie streichelte mich immer zärtlicher, als ob sie es darauf anlegen wollte. Versteh einer die Mädchen. Besonders dieses.

Sie kraulte mich immer intensiver. Ich bekam es langsam richtig mit der Angst zu tun, und deswegen rief ich das Unsouveränste, was man nur rufen konnte, wenn einen ein Mädchen streichelt. Ich rief: «Mama!»

Doch Mama reagierte nicht. Sie starrte nur apathisch vor sich hin und sah dabei sehr bleich aus. Noch bleicher als sonst, geradezu blutleer. Und «blutleer» war in diesem Falle leider nicht nur eine Metapher. Sie war ja eine Vampirin. Sie murmelte lediglich etwas, was mich bis ins Wolfsmark erschaudern ließ: «Ich hab Hunger.»

EMMA

So unfassbar elend war mir das letzte Mal, als wir durch die Serpentinen der Pyrenäen gefahren waren und ich vorher diese Fischsuppe gegessen hatte. Nur war es diesmal eine andere Form von Übelkeit, denn ich hatte zusätzlich zu dem Würgereiz noch einen brennenden Durst und einen grausamen Hunger. Ich war natürlich nicht so blöd, nicht zu ahnen, wonach ich mich so verzehrte. Welcher Stoff meinen Durst, meinen Hunger stillen konnte. Aber ich war auch noch nicht so weit, mir dieses furchtbare Verlangen einzugestehen.

«Fahr bitte die nächste Autobahnraststätte runter», bat ich Cheyenne.

«Mach ich nicht.»

«Warum das denn nicht?», fragte ich gereizt.

«Das ist ein McDonald's.»

«Und?»

«Die töten ihre Rinder nicht sanft …»

«Es ist mir völlig scheißegal», ranzte ich sie an, «ob die Viecher da lebend auf den Grill geworfen werden oder vor dem Einschläfern noch eine Ayurveda-Massage bekommen!»

«Schon gut, schon gut», gab Cheyenne klein bei und fragte in die Runde: «Wer hat noch Hunger?»

Fee und Jacqueline meldeten sich, Max hingegen schaute mich nur besorgt an. Frank aber saß an einem von Cheyennes Zeichenblöcken und zeichnete. Ja, er zeichnete. Krude. So, dass selbst der ein oder andere Steinzeitmensch sich beim Anblick seines Werkes lachend um das Lagerfeuer gekugelt hätte, aber Frank fand damit endlich einen Weg, seinen Gefühlen und Wünschen Ausdruck zu geben:

Cheyenne fuhr mit dem Bus auf die Raststätte. Als sie parkte, fragte Max, der ganz offensichtlich nicht so gut im Verdrängen dieser Blutsaugergeschichte war wie ich, ganz leise: «Mama, bist du dir sicher?»

«Ich brauche nur ein Sparmenü», antwortete ich.

Das waren «berühmte letzte Worte». Sätze, die man sagt, bevor die Katastrophe kommt, so wie:

«Das sind nur ganz normale Flugturbulenzen ... »

«Ich schneide den roten Draht durch ... »

«Du bist aber ein süßes Hündchen ... »

Oder: «Guckt mal, ich kann mit fünf brennenden Keulen gleichzeitig jonglieren ... »

Die anderen bestanden darauf, zu McDonald's mit reinzugehen. Geschwächt versuchte ich zu argumentieren, dass wir auffallen würden und Cheyenne uns daher lieber das Essen holen sollte, aber alle wollten sich nach ein paar Stunden im Bus die Beine vertreten. Fee argumentierte: «In so einer Autobahnraststätte haben die Menschen schon die merkwürdigsten Dinge gesehen.»

Max gab auch gleich ein Beispiel dafür: «So wie diese selbstreinigenden Toiletten ohne Wasser.»

Ich war viel zu fertig, um die anderen abzuhalten. Ich setzte meine Sonnenbrille auf und zog die Handschuhe an. Cheyenne blieb als Einzige im Bus. Sie wollte lieber ihre mitgebrachte makrobiotische Kost essen, die Ähnlichkeit hatte mit dem, was Gefangene in thailändischen Gefängnissen bekommen. Um die Mauern zu mörteln.

Wir Wünschmanns gingen mit Jacqueline über den Parkplatz Richtung McDonald's. Ein bisschen freute ich mich sogar, trotz meines Elends, denn es war das erste Mal seit langem, dass wir als Familie wieder mal gemeinsam etwas essen gingen. Hätte ich mich nicht darüber gefreut, hätte es mir vielleicht zu denken gegeben, dass vor dem Imbiss circa fünfzig Motorräder standen.

Aber so wankte ich, begleitet von den anderen, in den Vorraum, wo uns die ersten Gäste anstarrten – ein paar Familienväter mit Bierbäuchen, die gerade mit ihren dicken Söhnen vom Männerklo kamen. Bei unserem Anblick klappten ihnen allen die Kinnladen herunter, und Jacqueline begrüßte sie mit: «Mund zu, oder Fäuste kommen rein.»

Das war für die Leute ein überzeugendes Argument, ihre Münder eilig zu schließen. Sie zogen ihre kleinen dicken Jungs aus dem Vorraum und eilten zu ihren noch dickeren Frauen auf den Parkplatz.

Im Restaurant waren die meisten Tische besetzt von circa fünfzig Rockern der Marke «Gewaltfreiheit wird gewaltig überschätzt». Sie saßen inmitten von Tonnen an Burger-Verpackungspapier, für dessen Herstellung sicherlich der ein oder andere Indio-Stamm seinen Regenwald hatte verlassen müssen.

Als die Rocker uns sahen, hörten sie schlagartig auf zu mampfen. Sie ließen ihre Münder offen stehen, und man konnte deren Inhalt sehen. Da wurde mir gleich noch viel übler. Schließlich ergriff ein bärtiger Riese, der aussah wie ein Grizzlybär, das Wort: «Schaut euch die Freaks an!»

Alle Rocker lachten, was Frank nicht gefiel. Donnernd grollend rief er den Kerlen zu: «Ufta Klopp?»

Ich zog ihn an der Fellweste: «Wir verkloppen niemanden, wir bestellen jetzt schnell und gehen dann.»

Bevor ich ihn jedoch zum Counter schieben konnte, erklärte der Anführer-Grizzly: «Jungs, das Riesenbaby ist ein bisschen aggressiv. Lasst ihn uns rauswerfen.»

Er stand mit zwei anderen Kerlen auf, einem gedrungenen Glatzkopf, der Ähnlichkeit hatte mit einer Bowlingkugel, und einem Typen, der mehr Tattoos besaß als ein Fußballprofi.

«Bitte, wir wollen nur ungestört was essen», bat ich leise.

«Ufta-Klopp-Klopp!», konterkarierte Frank, was ich gesagt hatte. Dass seine Sprache etwas besser wurde, konnte mich in diesem Augenblick nicht wirklich freuen.

«Ich bin ein emanzipierter Mann», drohte mir der Grizzly, «ich schlag auch Frauen. Alice Schwarzer würde voll auf mich stehen!»

Fieberhaft dachte ich nach: Vielleicht sollte ich dem Typen Geld anbieten, damit er uns in Ruhe ließ. Allerdings hatten wir nicht allzu viel dabei. Die EC-Karte würde uns auch nicht weiterhelfen, fuhren wir Wünschmanns doch grundsätzlich am Dispo-Limit. Doch dann hörte ich schlagartig auf mit Denken. Der Grizzly hielt mir seinen Finger vor die Nase. Dieser hatte einen kleinen Ratscher, den der Kerl sich vermutlich kurz zuvor an der Kante eines Burgerkartons zugezogen hatte. Es war aber auch völlig egal, wie er sich den geholt hatte. Wichtig war nur: Der Finger blutete. Leicht. Aber er blutete!

Das war das Aufregendste, das Begehrenswerteste, was ich jemals gesehen hatte. Oder gerochen. Dieses Blut, so wenig es auch war, konnte ich ganz intensiv riechen. Und es besaß einen köstlicheren Duft als jedes Essen aus einem Sternerestaurant. Ich konnte nicht anders: Ich verlor all meine Vernunft. Das Verlangen überkam mich. Ich war ihm völlig ausgeliefert. Ich packte seinen Finger. Und saugte daran.

Dies war nicht gerade ein Beitrag zur Deeskalation.

Es war wie ein Rausch. Nein, es war wie der Rausch! Als ob man gleichzeitig den phantastischsten Espresso trinkt und beim Sex einen Orgasmus bekommt (nicht, dass ich das in dieser Kombination schon mal ausprobiert hätte. Ich hätte mich sicher dabei verschluckt). Ich saugte. Und saugte. Und saugte. In meinem Rausch hörte ich – es kam mir unfassbar weit entfernt vor – den Grizzly schreien: «Alte, dich mach ich kalt!»

Von Jacqueline hörte ich: «Die Alte ist schon kalt.»

Und Fee erklärte: «Hören Sie ... wir wollen keinen Ärger ...»

Doch der Grizzly erwiderte: «Von wegen, die Irre hört ja gar nicht mehr auf, an meinem Finger zu lutschen.»

Er versuchte schon die ganze Zeit, mich abzuschütteln, aber schaffte es nicht. Meine Reißzähne steckten so fest in seinem

Finger, dass ich ihn abgebissen hätte, wenn er mich mit aller Kraft weggestoßen hätte.

«Meine Mutter hört bestimmt gleich auf damit ...», versuchte Max zu schlichten. Da rief der Grizzly: «Scheiße, das Vieh kann ja reden!»

«Das ... das war ich nicht ...», erwiderte Max hastig. «Ähem, sehen Sie dieses Mädchen da mit den Piercings ... sie ist eine Ventriloquistin ... also eine Bauchrednerin ... und ich bin nur ihre Puppe ... und ...»

«TÖTET SIE ALLE!», schrie der Grizzly nun.

Und während die Rocker aufstanden und meine Kinder es mit der Angst zu tun bekamen, saugte ich weiter berauscht an dem Finger.

Alle fünfzig Rocker stürmten auf uns Wünschmanns zu. Frank hob den Tätowierten und den Kerl, der aussah wie die Bowlingkugel, beide gleichzeitig in die Luft, als ob sie Puppen wären, und warf sie über den Tresen gegen die Fritteuse. Die Servicekräfte hinter der Theke befanden daraufhin, dass ihr Stundenlohn viel zu gering war, um zu bleiben, und flohen durch den Hinterausgang der Küche.

Ich hörte auf zu saugen. Rausch hin, Rausch her, etwas in mir wollte meine Familie schützen. Ich sah, wie sich vor Fee ein junger Rocker wütend aufbaute, eine Art Hells-Angels-Azubi. Fee hatte überraschenderweise keine Angst, sie blickte ihm nur tief in die Augen und bat: «Ich wünsche mir, dass du ein Dutzend Fischmacs isst. Und dazu Erdbeershakes trinkst.»

Das Gesicht des aggressiven Rocker-Azubis verwandelte sich mit einem Male, er strahlte nun regelrecht und antwortete: «Auf die Fischdinger hab ich volle Kanne Appetit!» Er sprang über die Theke und schnappte sich haufenweise Fischmacs und einen riesigen Erdbeershake. Zwei Dinge schossen mir durch den Kopf: 1) So eine Ernährung kann nicht gesund sein. 2) Mein Gott, Fee kann Menschen hypnotisieren! Wie die

Mumie in den alten Filmen. Das also hatte sie bei mir schon in der Wohnung versucht, aber als Monster war ich wohl dagegen immun.

Bevor ich richtig darüber nachdenken konnte, dass sie mit dieser Fähigkeit sicherlich ein gutes Abi machen könnte, nahm mich der Grizzly in den Schwitzkasten. Für eine Sekunde bekam ich Panik, als er mich würgte. Doch dann erinnerte ich mich daran, dass ich keine Lunge mehr hatte und wir noch stundenlang so in der Gegend stehen könnten, ohne dass ich ersticken würde. Außerdem erinnerte ich mich daran, dass ich einen neuen, kräftigeren Körper hatte. Ich packte den Arm des Grizzlys und bog ihn um. Er schrie auf, und ich warf ihn zu Boden. Ich war stark wie vier Männer!

Schade nur, dass gerade fünf auf mich zukamen.

Zwei packten mich links, zwei rechts, und einer schlang seinen Arm um meinen Hals, so fixierten sie mich. Der wütende Grizzly trat auf mich zu und erklärte: «Ich werde jetzt deine Beißerchen rausschlagen.»

Er holte aus, und ich hatte große Angst, dass meine Zähne den Schlag nicht aushalten würden, da schrie ein Rocker, der vor Jacqueline weglief: «AHH … das Mädchen hat mir das Ohr abgebissen … die ist der verdammte Mike Tyson!!!»

Und ein anderer Kerl schrie: «Mir hat sie in die Eier getreten!», dabei piepste er so hoch wie ein Regensburger Domspatz.

Jacqueline war dabei, sich auf den Nächsten zu stürzen, einen Typen, der Max gerade einen Tritt gegen den Wolfshintern verpasste. Selbst als Werwolf war mein Sohn nicht der Junge, der sich wehren konnte.

Frank konnte mir auch nicht zu Hilfe kommen. Er hatte zwar die Kraft von zehn Menschen, aber das half auch nichts, wenn man gegen fünfzehn kämpft. Er wurde zu Boden gedrückt wie Gulliver in Liliput und mit unwahrscheinlich vielen Schlägen bewusstlos geschlagen. Das Letzte, was ich von ihm hörte, war ein: «Uff...» Für das «ta» reichte seine Kraft nicht mehr.

Fee indessen hatte zwei Rocker hypnotisiert, eine andere Erklärung gab es nicht dafür, dass die beiden fröhlich ihre Köpfe gegeneinanderschlugen. Doch bevor sie mich oder Frank retten konnte, wurde sie von dem Tattoo-Rocker mit der neu erworbenen Piepsstimme von hinten mit einem Tablett bewusstlos geschlagen. Bei diesem Anblick vergaß ich nun völlig meine eigene Angst. Meine Tochter so zu Boden gehen zu sehen, machte mich rasend vor Sorge. Ich wollte sofort zu ihr und kämpfte wie verrückt gegen den Klammergriff der Kerle. Doch ich war von meinem Hunger, meinem Durst, meinen Krämpfen viel zu geschwächt, um mich loszureißen. Ich sah mein Kind reglos am Boden liegen. Ich konnte nicht zu ihr rennen, sie nicht in die Arme nehmen ... sie nicht retten. So hilflos hatte ich mich noch nie gefühlt.

«Lasst meine Kinder!», schrie ich verzweifelt.

«Gerne», grinste der Grizzly. «Jedenfalls, solange ich mit dir beschäftigt bin.»

Fast zeitgleich warf einer der Rocker Jacqueline einen Stuhl an den Kopf, und sie sank ebenfalls k. o. zu Boden. Max rannte besorgt zu ihr, doch der Regensburger-Domspatz-Rocker piepste nur: «Verzieh dich, Köter!»

Max versuchte, all seinen Mut zusammenzunehmen, aber der Versuch misslang ihm gehörig. Betrübt über seine eigene Feigheit, verzog er sich unter den Tisch und zog seinen Schwanz ein.

Der Grizzly fragte: «Wo waren wir stehengeblieben?», und antwortete sich gleich selber: «Ach ja, ich wollte dir 'ne professionelle Zahnreinigung verpassen.»

Seine Leute grölten, jedenfalls diejenigen unter ihnen, die nicht ohnmächtig waren, Fischmacs aßen oder mit den Köpfen gegeneinanderstießen.

Ich hatte furchtbare Angst. Nicht nur um meine Zähne. Was

würden die Rocker mit meiner Familie anstellen, wenn sie mit mir fertig waren? Sie waren ja nicht davor zurückgeschreckt, die beiden jungen Mädchen niederzuschlagen. Ich fragte mich, ob uns noch jemand in letzter Sekunde retten konnte. Hatten die McDonald's-Mitarbeiter vielleicht die Polizei gerufen? Konnte Cheyenne noch was machen? Aber was? Die Kerle mit einem Vortrag über Tierhaltung in Zeiten der Massenproduktion zu Tode langweilen?

Der Grizzly holte nun aus mit seiner Faust. Gleich würde ich feststellen, wie stabil meine neuen Zähne waren. Ich schloss die Augen und erwartete den Aufprall der Faust, doch ich spürte … nichts. Rein gar nichts. Dafür hörte ich den Grizzly sagen: «Was zum Teufel …?»

Vorsichtig öffnete ich meine Augen zu einem schmalen Schlitz. Durch den hindurch sah ich, dass die Faust vom Grizzly mitten im Schlag gestoppt wurde. Indem sie fest gepackt wurde. Von einer eleganten, feinen Männerhand, die ein geschmackvoller goldener Siegelring zierte. Wer trug heutzutage noch Siegelringe? Außer Gangster-Rappern? Oder dem Papst?

Ich war so neugierig, wem diese edel anmutende Hand wohl gehören mochte, und wagte es, meine Augen ganz zu öffnen. Ein unfassbar gutaussehender Mann, Mitte dreißig, stand vor mir in einem eleganten maßgeschneiderten Anzug. Im Gegensatz zu diesem Mann wirkten sämtliche Hollywoodschauspieler wie kleine Quasimodos. Er sah aus wie ein Engel. Aber selbstverständlich wusste ich genau, dass er kein Engel war. Denn er hatte aufregende scharlachrote Augen und die gleiche bleiche Gesichtsfarbe wie ich.

«Emma, nehme ich an?», fragte er höflich, mit einer sanften, ungemein wohlklingenden, ja geradezu erotischen Stimme.

«Nein», erwiderte der von der Situation total verwirrte Grizzly. «Ich heiße Clemens.»

«Unterbrich uns nicht, Sterblicher», forderte der Fremde,

und dass er das Wort «Sterblicher» benutzte, war ein weiterer Hinweis darauf, dass es sich bei ihm nicht um einen normalen Menschen handelte. Genauso wie die Tatsache, dass er den Grizzly mit einer einfachen Handbewegung im hohen Bogen aus dem Fenster warf. Die Scheibe klirrte, der Grizzly landete auf einem der Motorräder, dieses kippte zur Seite und stieß die anderen um wie Dominosteine. Die verbliebenen Rocker blickten sich daraufhin gegenseitig furchtsam an. Es war auch ihnen klar: Dieser hochelegante Mann hatte sehr viel mehr Kraft als sie. Sie fanden daher, dass dies ein exzellenter Augenblick war, das Schnellrestaurant zu verlassen, sich auf ihre Motorräder zu schwingen, fortzufahren und eine Karriere als Verwaltungsbeamte anzustreben.

«Verzeihe mir, werteste Emma», bat der Mann, als die Rocker – bis auf den bewusstlosen Grizzly und die von Fee hypnotisierten Kerle – wegliefen. Dabei machte er eine leichte Verbeugung. Nicht zu übertrieben, sondern genau in jenem Winkel, der von einem unfassbar guten Stil zeugte.

«Ich habe mich bei dir noch nicht angemessen vorgestellt», erklärte er mit seiner erotischen Stimme, die in meinem Magen vibrierte und bei der ich froh war, dass ich als Vampir noch einen Magen besaß, der so schön vibrieren konnte.

«Ich heiße Vlad Tepes.»

Von dem Namen hatte ich noch nie gehört.

«Vlad Tepes Dracula.»

Von dem schon eher.

Dracula. Normalerweise hätte ich diesem unglaublichen Mann kein Wort geglaubt. Aber in den letzten Stunden waren schon so viele unmögliche Dinge geschehen: Wir wurden von einer Hexe in Monster verwandelt, ich war über die Dächer Berlins gehüpft, und meine Tochter hatte eine ganze Autobahnfahrt lang kein einziges Mal eine SMS verschickt. Jetzt hatte uns also auch noch Dracula höchstpersönlich vor den Rockern gerettet. Durfte man so einem finsteren Wesen überhaupt dankbar sein?

Vor wenigen Stunden noch hätte ich mir nicht vorstellen können, dass ich mich mal mit einem solchen moralischen Dilemma auseinandersetzen würde. Und es stellte sich mir noch eine weitere Frage: Warum hatte mich Dracula überhaupt gerettet?

«Verehrteste Emma, würdest du mir die große Freude bereiten, mit mir gemeinsam zu speisen?»

Darum? Weil er mit mir essen gehen wollte?

«Es würde mir wahrlich eine unermessliche Freude bereiten», erklärte der bleiche, attraktive Mann. Und so, wie er mit seinem sinnlichen Mund lächelte und wie seine faszinierenden, scharlachroten Augen funkelten, konnte ich ihm sogar glauben, dass es ihm wirklich eine große Freude bereiten würde.

Unfassbar, der letzte Mann, der sich darauf freute, mit mir essen zu gehen, war Frank gewesen. Vor Äonen. In den letzten Jahren hingegen hatte er beim gemeinsamen Abendessen oft Schwierigkeiten gehabt, nicht vor Müdigkeit mit dem Kopf auf die Tischplatte zu knallen.

«Mama ...», winselte Max unter seinem Tisch, «du ... willst doch nicht mit Dra... Dra... Dra...», er traute sich einfach nicht, den Namen auszusprechen, «du willst doch nicht mit ihm ... ESSEN gehen?»

So wie er das Wort «Essen» aussprach, fiel mir auf: Heidewitzka! Wenn Dracula einen anderen Vampir zum Essen einlud, meinte er damit wohl kaum Spaghetti bolognese.

Dracula sah zu Max. Er wunderte sich kein bisschen, einen sprechenden Werwolf zu sehen. Mich wunderte es auch nicht, dass es ihn nicht wunderte, schließlich gehörten solche Geschöpfe wohl zur Fauna seiner Welt. Er lächelte Max zu. Freundlich. Aber unter diesem netten Lächeln lag ganz eindeutig etwas Bedrohliches. Max verzog sich noch weiter unter den Tisch.

«Magst du mich nun begleiten, Emma?», fragte Dracula erneut und blickte mich jetzt richtig fasziniert an. Es war schön, mal von einem Mann ... Vampir ... egal von wem ... so angesehen zu werden. In diesem Moment fiel mir wieder ein, was die Hexe gesagt hatte: «Du wirst dem Fürsten der Verdammten gut gefallen.»

«Hast du meine Worte vernommen, Emma?» Er lächelte mich nun innig an. Meine Güte, konnte der lächeln. Auf genau die richtige verführerisch gefährliche Art und Weise. Zusätzlich zu meiner Übelkeit, dem Blutverlangen und den Krämpfen gesellten sich – dank dieses Lächelns – nun auch noch Schmetterlinge in meinem Bauch. Das war mal eine Mixtur!

Am liebsten hätte ich mich in seine Arme geworfen, aber an so etwas durfte ich nicht mal denken. Ich war schließlich verheiratet. Hatte eine Familie. Und er war Dracula. Der Dracula! Ich konnte mir schon ausmalen, wie es war, mit ihm essen zu gehen: Wir würden ein paar Leute jagen und dann, wenn wir sie endlich in einer einsamen Gasse gestellt hätten, unsere Beißer in ihre Hälse schlagen ...

Oh mein Gott! Was für ein verführerischer Gedanke!

Das war ein verführerischer Gedanke für mich?

Oh mein Gottogottogott!

Obwohl, hatte Gott überhaupt was mit Vampiren zu tun? Oder mit Hexen? Oder, und das brachte mich zurück auf die Zweifel, die ich schon vor all dem Zauber an Gott hatte, mit der Pubertät? Wenn ja, was hatte der Allmächtige sich bei alledem gedacht? Am achten Tage sollst du scherzen?

Egal, Gott half mir gerade ganz offensichtlich nicht weiter. Ich musste mich selbst in den Griff bekommen. Reiß dich zusammen, dachte ich daher. «Reiß, Reiß, Reiß!»

«Du begehrst Reis?», fragte Dracula irritiert.

Mist, ich hatte zu laut gedacht.

«Wir speisen keinen Reis», erläuterte er.

Das hatte ich schon befürchtet.

«Wir saugen jedoch auch kein Blut.»

«Nein?», fragte ich überrascht.

«Dem Alter bin ich entwachsen», erklärte Dracula höflich. «Blutsaugen ist eine ungemein anstrengende und unappetitliche Angelegenheit. Man hetzt das Opfer, und wenn man es endlich in seinen Fängen hat, beißt man in dessen Hals ...»

Dummerweise klang das für mich ganz und gar nicht unappetitlich.

«Dann spritzt das Blut überall, und die ganze Kleidung ist von klebrigem Blut besudelt ...»

Okay, das klang nicht ganz so schön. Als Vampir hatte man anscheinend überdurchschnittlich hohe Kosten für die chemische Reinigung.

«Und damit man nicht von dem ganzen Dorf gejagt wird, muss man die Leiche entsorgen, in irgendeinem Tümpel, Fluss oder Schweinestall ...»

«Bitte nicht weiterreden», bat ich nun, «mir ist schon schlecht.»

«Dann begleite mich jetzt bitte, und du wirst dich gleich viel wohler fühlen», bot Dracula freundlich an.

Ich durfte doch nicht mit dem Fürsten der Verdammten gehen. Doch was konnte ich als Ausrede benutzen? Wohl kaum: Ich muss mir noch meine Augenbrauen zupfen.

Während ich krampfhaft überlegte, hörte ich Max winseln. Nun wusste ich, was ich zu sagen hatte: «Meine Familie ... ich kann sie jetzt nicht alleine lassen ...»

«Emma, vertraue mir», bat Dracula. Seine Stimme klang aufrichtig und verführerisch zugleich.

Ich sah zu Max. Der schüttelte unter dem Tisch heftig den Kopf in bester «Tue es nicht»-Manier. Dracula lächelte ihn wieder an. Diesmal wirkte es noch bedrohlicher. So bedrohlich, dass Max nur noch einen möglichen Ausweg für sich sah: Er stellte sich tot. Er legte sich auf den Rücken und streckte alle viere in die Luft.

Sicherlich hatte sich noch kein einziger Wolf in der Geschichte unseres Planeten auf diese Art tot gestellt, so machten das wohl nur Borkenkäfer (wobei ich auch keine Ahnung hatte, was die damit bezweckten, außer den Gegner per Lachkrampf außer Gefecht zu setzen).

Die biologischen Finessen des Totstellens waren Dracula jedoch einerlei, er akzeptierte Max' Unterwerfungsgeste und wandte sich wieder mir zu, diesmal eindringlicher: «Du solltest wirklich mit mir kommen. Es ist besser für dich.»

Wollte er mir drohen? Wenn ja, funktionierte es richtig gut. Fast wortlos hauchte ich: «W… w… wieso besser?»

«Weil du sonst wirklich Menschen jagen und töten müsstest, um dich zu nähren, und ich nehme an, dass du das nicht möchtest.»

«Da … da nimmst du richtig an», antwortete ich leise.

«Ich verspreche dir, du darfst zu den Deinen zurückkehren», bot Dracula an. Er klang wirklich glaubwürdig mit seiner schönen Stimme. Es war vielleicht nicht schlau, Dracula zu vertrauen. Aber was hatte ich für eine Wahl? Ich war kurz davor, bewusstlos zu werden. Wenn ich nicht sterben wollte, das spürte ich, musste ich Leute töten. Es hieß also: entweder verenden oder morden. Oder mit Dracula mitgehen. Das schien mir die Wahl zwischen Pest, Cholera und Dracula zu sein.

Ich blickte noch einmal auf meine Familie: Frank und Fee waren noch bewusstlos. Max hielt immer noch unter dem Tisch die Beine in die Luft, allerdings begannen diese von der Muskelanstrengung schon leicht zu zittern. Nur Jacqueline rappelte sich stöhnend auf, sie hatte, obwohl kein echtes Monster, die stärkste Konstitution von uns allen.

Ich schwor mir selber, dass ich zu meinem Mann und meinen Kindern zurückkehren würde. Dann würden wir nach Transsilvanien fahren, die Hexe auffinden und den ganzen Spuk beenden.

Schweren Herzens folgte ich Dracula aus dem McDonald's heraus und hörte plötzlich eine erstaunte Stimme «Vlad?» rufen. Es war die Stimme von Cheyenne. Sie stand auf dem Parkplatz. Ganz offensichtlich hatte sie sich den Kampf mit den Rockern unsicher aus der Ferne angesehen, sie hatte ja auch keine Möglichkeit gehabt einzugreifen. Mit den Rockern hätte sie es nicht aufnehmen können, und wenn sie die Polizei gerufen hätte, wären wir Monster gleich mit in den Knast gewandert.

«Vlad Tepes!», sagte sie nun lauter und war dabei sehr durcheinander. «Du ... du bist kein bisschen gealtert ...?»

«Du aber auch nicht, Cheyenne», erwiderte er charmant. Trotz des Komplimentes, das ihr kurzzeitig ein geschmeicheltes Lächeln abrang, blieb sie verwirrt.

«Ihr kennt euch?», fragte ich, und es schien mir, als ob sie gar nicht wusste, dass es sich bei ihm um Dracula handelte, sie nannte ihn ja nur Vlad, und sie war auch wirklich erstaunt darüber, dass er nicht gealtert war.

«Wir beide hatten eine gemeinsame Nacht», erklärte Cheyenne unsicher, «aber ... das ... das war in den Sechzigern.»

«Ihr habt eine Nacht miteinander verbracht?» Ich konnte es nicht glauben und noch weniger, dass sie dabei nicht von ihm gebissen worden war.

Cheyenne bekam leuchtende Augen, und da sie ja gerne von ihrem Liebesleben erzählte, schilderte sie: «Vlad ist sehr, sehr ausdauernd. Er hat ein so standhaftes Dingeling ...»

«Ich zieh meine Frage zurück!», unterbrach ich eilig. Ich wusste ja, wie detailfreudig sie werden konnte, wenn es um die anatomischen Eigenschaften ihrer Liebhaber ging, was nicht immer eine Freude war, besonders wenn sie von ihren älteren

Lovern redete. Außerdem wollte ich mir gar nicht vorstellen, wie Dracula im Bett war oder wie ausdauernd genau. Schließlich war Frank in dieser Hinsicht eher eine Muskete. Er hatte meist nur einen Schuss. Was aber auch etwas für sich hatte, nach einem anstrengenden Tag im Laden.

«Du», wandte sich Dracula an Cheyenne, «nennst es ... Dingeling?»

«Oder Pipimann.»

Es war das erste Mal, seitdem er aufgetaucht war, dass Dracula fassungslos dreinstarrte. Allerdings nur für den Bruchteil einer Sekunde, dann lächelte er wieder: «Verehrte Cheyenne, ich wünsche, mit Emma allein zu sein.»

Cheyenne war ganz offensichtlich von alldem überfordert. Es war ihr schon klar, dass sie es nicht mit einem Mann zu tun hatte, der lediglich eine extrem gute Anti-Aging-Creme benutzte. Doch was genau es für ein Wesen war, das ihr in den Sechzigern eine ausdauernde Liebesnacht verschafft hatte, konnte sie nicht umreißen. Oder vielleicht wollte sie es nicht. Was man auch gut verstehen konnte. Jedenfalls hakte sie nicht weiter nach und ließ uns ziehen, dabei blickte sie irritiert und auch ein bisschen ängstlich.

Dracula führte mich zu einer alten Bentley-Limousine, vor der ein menschlicher Chauffeur in einer feinen Livree stand. Der Mann sah zum Anbeißen aus. Nicht etwa, weil er hübsch war. Das war er bestimmt nicht. Um genau zu sein, er sah aus wie eine Mischung von Prince Charles und Jogi Löw. Von dem einen hatte er die Ohren, von dem anderen die Haare. Nein, der Chauffeur sah zum Anbeißen aus, weil Blut in seinen Halsschlagadern floss! Betörendes, entzückendes Blut. Ich konnte es förmlich riechen und wollte es sofort trinken.

Aber anscheinend besaß der Mann so seine Erfahrungen mit hungrigen Vampiren wie mir. Als er meinen gierigen Blick sah, holte er dezent ein kleines Kreuz Christi aus seiner Livree-

Tasche. Allein der Anblick hatte eine üble Wirkung auf mich: Meine Eingeweide begannen zu brennen. Ängstlich sprang ich zurück und traute mich nicht mehr, auf ihn zuzugehen. Ich spürte instinktiv, wenn ich mich dem Kreuz auch nur auf einen Meter nähern würde, dann würde es meine noch vorhandenen Organe zerreißen. Und wenn ich es gar anfasste, würde ich zu Grillfleisch. Vampire waren ganz offensichtlich gegen das Kreuz allergisch. Gott stand also nicht auf der Seite dieser Kreaturen. Jetzt war es gewiss: Auf meiner Seite stand er also auch nicht. (Das war mir – wie vielen anderen schwangeren Frauen zuvor – eigentlich bereits klar geworden, als ich damals im Kreißsaal die Presswehen bekam. Ich meine, als Allmächtiger hatte er doch alle Möglichkeiten, die Geburt für uns Frauen ein wenig angenehmer zu gestalten?)

Der Chauffeur steckte das Kreuz wieder ein, öffnete mir die Hintertür der Limousine, und ich setzte mich auf den ledernen Rücksitz.

Mittlerweile war ich fast zu schwach, um mich überhaupt aufrecht hinzusetzen, und sackte regelrecht auf dem Sitz zusammen. Mit bereits halb geschlossenen Augen fragte ich: «Wo fahren wir hin?» Und bevor ich ohnmächtig wurde, hörte ich als Letztes noch die Antwort des Fürsten der Verdammten: «In unsere gemeinsame Zukunft.»

FEE

Mein Schädel dröhnte tierisch. Noch schlimmer als damals, als wir bei Jennys Party dieses Saufspiel gespielt hatten mit dem Namen «Eigentlich völlig egal, was du würfelst». Hätte ich nicht schon eine Bandage gehabt, ich hätte jetzt sicherlich eine am Schädel gebraucht. Dazu kam, dass mein Nacken total verspannt war. Aber mir ging es immerhin noch besser als dem

McDonald's-Restaurant. Dem sah man an, dass sich darin eine Horde Rocker mit einem Haufen Monster geprügelt hatte. Ich blickte mich um in der Trümmerlandschaft: Papa und Jacqueline rappelten sich ebenfalls gerade auf, Max lag unter dem Tisch und sah mit seinen nach oben gestreckten Beinen aus wie ein gestrandeter Synchronschwimmer. Was machte der kleine Idiot denn da schon wieder? Egal, wenn ich auch noch darüber nachdenken sollte, würden meine Kopfschmerzen nie weggehen.

Ich sah mich weiter um: Mama war nirgends zu sehen. Meine Fresse, die hatten doch nicht etwa die Rocker mitgenommen?

Während ich mich hektisch nach ihr umsah, kam Cheyenne herein und rief: «Wir müssen hier sofort verschwinden, bevor die Bullizei kommt!»

«Ufta Efma?», fragte Papa sie.

«Das wollte ich auch gerade fragen», sagte ich.

«Über Emma können wir gleich reden, aber jetzt müssen wir zusehen, dass wir Land gewinnen.»

Cheyenne blickte uns so hektisch an, dass wir uns alle schnell vom Acker machten. Dabei hasteten wir an den beiden Rockern vorbei, die ich hypnotisiert hatte. Diesen Typen beim Headbangen zuzusehen, bereitete mir noch mehr Kopfschmerzen. Nette Mumie, die ich war, sagte ich zu ihnen: «Ich wünsche mir, dass ihr aufhört, die Köpfe aneinanderzuknallen.»

Die Rocker taten es, aber blöderweise waren sie immer noch im Kampfmodus und attackierten uns sofort. Papa packte sich die Kerle und drängelte sie in das Männerklo. Keine dreißig Sekunden später stapfte er wieder hinaus. Ohne sie.

Erst als wir hinten in dem knallgelben VW-Bus saßen und Cheyenne von der Raststätte auf die Autobahn brauste, fragte ich Papa: «Was hast du eigentlich mit den Typen gemacht?»

Da er sich ja nicht so toll ausdrücken konnte, schnappte er sich Block und Stift, kritzelte etwas und zeigte mir dann als Antwort eine Zeichnung:

117

Während Papa zeichnete, lag Max nur stumm in einer Ecke des Busses. Das Asi-Weib saß vor ihm und machte sich übelst über ihn lustig: «Das nächste Mal suchen wir dir einen Gegner zum Kämpfen, den du auch packen kannst. Vielleicht ein fünfjähriges Mädchen. Am besten ein blindes. Dem binden wir dann noch den rechten Arm auf den Rücken ...»

Max schämte sich total. Wenn er je etwas von dieser Jacqueline gewollt hätte, war klar, dass die jetzt jeden Respekt vor ihm verloren hatte und er keine Chance mehr bei ihr hatte. So wie ich bei Jannis.

«Am besten», machte das Asi-Weib weiter und hatte tierischen Spaß dabei, «ich nebele das Mädchen vorher noch ein bisschen mit Insektengift ein ...»

Jannis könnte sie gleich mit einsprühen, dachte ich mir und ärgerte mich gleich darüber, dass ich immer noch einen Gedanken an diesen Typen verschwendete, trotz all des Wahnsinns, den wir erlebten, und trotz der Abwesenheit von Mama. Das musste endlich aufhören! Ich musste den Kerl vergessen. So würdelos konnte ich doch gar nicht sein, dass ich meine Gedanken von so einem Typen beherrschen ließ!

Nach einer Weile hielt Cheyenne den Wagen auf einem kleinen Waldweg, öffnete uns die Schiebetür und sagte: «Wenn jemand von euch Gassi muss ...»

Max sauste sofort aus dem Bus in das nächste Gebüsch, und das Asi-Weib erklärte: «Ich muss auch mal so richtig schön einen abseilen.»

Ich verdrehte die Augen: «Es ist ja sooo schön, dass du uns das mitteilst ...»

«Ich weiß eben, wie ich Leuten eine Freude mache», grinste sie und verschwand ebenfalls in die Büsche. Ich aber drehte mich zu Cheyenne und fragte sie tierisch besorgt: «Wo ist jetzt Mama?»

«Du wirst mir das nicht glauben», antwortete sie zögerlich.

«Wo ist Mama?», fragte ich noch energischer.

«Du wirst mir das nicht glauben.»

«Wo ist Mama???»

«Sie ist bei einem Mann, von dem ich langsam befürchte, dass er Dracula ist ...»

«Das ... das ... glaube ich nicht», stammelte ich.

«Hab ich doch gesagt.»

Ich war verwirrt: Hatte Cheyenne recht oder sich nur einen durchgezogen?

«Es ist die Wahrheit», erklärte sie niedergeschlagen. «Wir können nur hoffen, dass deine Mama wieder zu uns zurückkehrt.»

Tierisch besorgt stapfte ich von dem Bus weg in den Wald. Wenn Mama tatsächlich mit Dracula unterwegs war – es schien ja in unserer schönen, neuen Monsterwelt nichts unmöglich zu sein –, würde sie in Gefahr sein. Oder, noch schlimmer, sie würde mit Dracula gemeinsam auf Jagd gehen, Leuten in den Hals beißen und selbst jede Menge Vampire herstellen. Dann würde Mama die Anführerin dieser Geschöpfe werden und in der Nacht mit ihnen wilde Orgien feiern ...

Oh, oh! Wenn es zwei Worte gab, die nie, aber auch wirklich nie, in demselben Satz stehen durften, dann waren das «Mama» und «Orgie».

Ich ging an lauter dicken Bäumen vorbei, von denen ich keine Ahnung hatte, was für welche sie waren – Bio hatte mich noch nie allzu sehr interessiert –, und atmete so tief ein, wie es durch die blöden Bandagen nur ging. Als ich dann um eine Ecke bog, stand vor mir ein ungefähr zwanzigjähriger Waldarbeiter in Holzfällerhemd und schrie bei meinem Anblick: «AH!»

«Scheiße, Mann!», schrie ich zurück. «Hast du mich erschreckt!»

Doch dann sah ich mir den Typen, der bei meinem Anblick komplett erstarrt war, genauer an: Er hatte genau die richtige Art von süßer Naturburschigkeit, auf die auch ein Mädchen wie ich stehen konnte. Ich erinnerte mich wieder daran, was ich mir vorgenommen hatte, sollte ich auf einen gutaussehenden Jungen treffen.

Für einen kurzen Augenblick zögerte ich noch, war mir nicht sicher, ob ich ihn wirklich hypnotisieren sollte. Doch ich spürte, ohne etwas Ablenkung würde ich durchdrehen. Wegen dem Mumiensein, wegen meiner verschwundenen Mama und weil ich immer noch an den bescheuerten Jannis dachte. Langsam, aber sicher hasste ich mich dafür richtig selber. Ich musste ihn endlich vergessen, wenn ich mal wieder so etwas wie Selbstrespekt empfinden wollte. Und vielleicht konnte mir der Holzfäller dabei helfen.

Verunsichert fragte er mich: «Wer ... oder was bist du?»

Ich blickte ihm tief in die Augen und antwortete: «Wer soll ich schon sein? Deine große Liebe.»

Kurz darauf massierte er mir genüsslich meinen verspannten Nacken.

EMMA

Geweckt wurde ich durch den wundervoll süßlichen Geruch von Blut. Alle meine Lebensgeister kamen wieder zum Vorschein, als ob man mich mit einer Kanüle an eine Koffein-Leitung gelegt hätte. Ich riss die Augen auf und sah, wie Dracula mir ein Reagenzglas voller rotem, hellem Blut unter die Nase hielt. Mir war klar, dass diese Menge nicht reichen würde, um meinen Durst zu stillen, aber ich wollte es mir unbedingt greifen. Blöderweise zog Dracula das Blut wieder weg und erklärte: «Jetzt, wo du wach bist, lass ich dir dein Essen servieren.»

«Essen?», rief ich. «Ich will kein Essen! Ich glaub wohl, es hakt!»

«Wie bitte?» Dracula sah mich beleidigt an, offensichtlich war der Fürst der Verdammten es nicht gewohnt, dass man ihn darauf hinwies, es hake bei ihm.

«Das heißt», erklärte ich sauer, «du hast nicht mehr alle Fledermäuse in der Höhle …»

«Ich weiß sehr wohl, was dies bedeutet», unterbrach er mich zischend. Bevor er aber noch weiterzischen konnte, trat ein Butler durch eine schwere Eichentür herein. Ich befand mich, so realisierte ich nun, in einem Schlosssaal. An den Wänden hingen alte Ölgemälde von üblen Schlossherren, denen ich als Mensch nicht gerne im Dunkeln begegnet wäre, als hungriger Vampir hingegen schon. Ich selber saß auf einem schweren, thronartigen Holzstuhl an einer Eichentafel, bei der man, hätte man mit dem Menschen am anderen Ende der Tafel reden wollen, ein Megaphon gebrauchen müssen. Sicherlich hätte ich mich gefragt, wie wohl die Heizkosten für solch einen großen Saal mit

121

hohen Decken waren, wäre ich nicht so heiß auf das Blut im Reagenzglas gewesen. Oder auf das im Butler. Dummerweise baumelte auch um dessen Hals ein Kreuz. So sprang ich auf und wich instinktiv vor dem Mann zurück, obwohl er noch einige Meter entfernt stand.

«All meine menschlichen Mitarbeiter tragen so ein Kreuz», lächelte Dracula. «Du fragst dich gewiss, warum ich dies zulasse.»

Nö, ich fragte mich, wie ich den Butler dennoch anbeißen konnte.

«Ich habe auch einige Vampire als Leibgarde in meinen Diensten, die, sagen wir mal, nicht ganz so beherrscht sind und vor denen sich meine menschlichen Mitarbeiter in Acht nehmen müssen. Diese Vampire sind gegen das Kreuz allergisch, ich jedoch nicht.»

Für einen kurzen Augenblick machte mich das doch neugierig.

«Das Kreuz wirkt nur bei Vampiren, die als Menschen Christen waren. Ich aber war schon immer ohne jegliche Religion.»

Und ich dumme Kuh hatte immer mal wieder daran gedacht, aus der Kirche auszutreten, aber dieses Vorhaben nicht in die Tat umgesetzt. Hätte ich es getan, hätte ich nicht nur Steuern gespart, ich hätte auch den Butler zur Mahlzeit machen können.

Der stellte seelenruhig ein Tablett mit einem Porzellanteller und eine Silberglocke darüber auf dem Tisch ab, und Dracula erklärte: «Deine Mahlzeit.»

Ich ging auf den Teller zu und hob die Glocke. Darunter lag jedoch kein rotes Fleisch, keine Blutwurst, nicht mal ein Mantateller mit Currywurst und Pommes rot-weiß. Da lag nur eine kleine rote Pille. Ich zögerte. Was sollte das für eine Pille sein? Ecstasy? LSD? Merz Spezial Dragees? Ich starrte fassungslos darauf. Erst als der Butler gemessenen Schrittes den Saal verließ, fand ich meine Sprache wieder und schimpfte: «Wo sind wir hier? Bei *Verstehen Sie Spaß?*»

«Nimm die Pille zu dir, und all dein blutrünstiges Verlangen wird erlöschen», antwortete Dracula.

«Wenn du mir jetzt nicht das Blut gibst ...», schrie ich aufgelöst, warf die Glocke durch den Raum, dass sie gegen die Wand schepperte, und wollte mir das Reagenzglas schnappen, das auf dem Tisch lag. Aber Dracula war schneller und steckte es in seine Anzugtasche.

«Sag mal, sprech ich Suaheli?», schrie ich. «Gib mir das Blut, du Knalldepp!»

Ich versuchte, in seine Jackentasche zu greifen, doch er wich elegant zur Seite, und ich fiel fast hin. Dracula war geschmeidig wie Nurejew, und im Vergleich wirkten meine Bewegungen so elegant wie die eines Nilpferdes mit Magenkoliken.

«Du kannst mir das Blut nicht entwenden und mich auch nicht mit Worten verletzen», erklärte er.

«Na, das wollen wir doch mal sehen!», schrie ich, nun endgültig nicht mehr Herrin meiner selbst, und rief alle Schimpfwörter, die mir in den Sinn kamen. Wirklich alle: «Kretin! ... Amöbe! ... Pipimann!»

«Du wirst etwas unsachlich», befand Dracula.

«Kleiner Pipimann!»

«Etwas arg unsachlich und kein bisschen den Tatsachen entsprechend», erklärte er beleidigt. Worte konnten ihn anscheinend doch verletzen. Gut so!

«Minicalifragilistischexpialigetischer Pipi...»

«EMMA!»

Er packte meine Hand, blickte mir tief in die Augen und erklärte: «Nimm die Pille. Vertraue mir.»

Seine wundervolle Stimme und vor allen Dingen sein sanfter Blick beruhigten mich etwas. Ich hörte auf zu toben, aber dennoch widerstrebte alles in mir: «Du bist Dracula.»

«Ja und?»

«Wer in der Welt vertraut schon Dracula?»

«Ich hoffe, die Frau, die für ihn bestimmt ist», antwortete er und lächelte dabei.

Ach du meine Güte, meinte er damit etwa mich?

Er sah die Frage in meinen Augen, beantwortete sie jedoch nicht. Stattdessen nahm er nur die Pille in seine feine, aber dennoch kräftige Hand und hielt sie mir hin. Verwirrt und alternativlos, wie ich war, nahm ich die Tablette. Dabei touchierten unsere Finger leicht, und ein angenehmes Kribbeln durchfuhr meinen ganzen Körper. Am liebsten hätte ich weiter seine Finger berührt, aber ich nahm, wie mir geheißen, die Pille in den Mund. Sie schmeckte nach nichts, und ich schluckte sie runter. Kaum war sie in meinem Magen angelangt, verschwand alles: die Krämpfe, das Unwohlsein, die Übelkeit und vor allen Dingen: das Verlangen nach dem kleinen Reagenzglas. Ich wollte niemanden mehr in den Hals beißen. Ich war wieder ich selbst.

Kaum war ich wieder bei Verstand, bekam ich eine Heidenangst: Ich war auf einem Schloss? Mit Dracula höchstpersönlich?!?

«Fühlst du dich nun besser?», fragte er mit seiner schönen Stimme in aufrichtiger Anteilnahme.

Ich nickte vorsichtig.

«Du begehrst sicherlich nichts mehr, als zu wissen, aus welchem Grunde ich dich hierhergeholt habe?»

Eigentlich begehrte ich nichts mehr, als zu wissen, wie ich von hier fliehen konnte. Aber das behielt ich lieber für mich.

«Zuerst einmal», hob Dracula an, «wir sind in einem meiner Schlösser, zwanzig Kilometer entfernt von jenem ungastlichen Orte, an dem ich dich eingesammelt habe.»

Gut, das bedeutete, meine Kinder und mein Mann waren

noch nicht allzu lange allein. Das hieß zwar nicht, dass sie kein Unheil anrichten würden, bei ihnen handelte es sich ja schließlich um Wünschmanns, aber ich konnte relativ schnell wieder bei ihnen sein, vorausgesetzt, Dracula würde mich lassen. Wonach es leider ganz und gar nicht aussah.

«Ich möchte mit dir nun über die Prophezeiung reden», erklärte Dracula ernst.

«Die Prophezeiung?», fragte ich.

«Die Prophezeiung der Kree.»

Das machte es nicht wirklich klarer.

«Vor 10 000 Jahren», so hob er an, «durchwanderte das Volk der Kree, eine Nebenlinie der Neandertaler, die wilden Weiten der Ländereien, die wir heute als Osteuropa bezeichnen.»

Klang nicht sehr attraktiv. Es hätte bestimmt mehr Spaß gemacht, die wilden Weiten der Ländereien zu durchschreiten, die wir heute als Mallorca bezeichnen.

«Unter den Kree war Harboor, der Weissager. Er sprach in Zungen, hatte Kontakt zu den Urgöttern der Erde und konnte weit in die Zukunft blicken.»

Dann hatte er sich bestimmt geärgert, dass er Osteuropa in Zeiten durchwandern musste, in denen das Navi noch nicht erfunden war.

«Harboor sah in die Zukunft und prophezeite seinen Stammesbrüdern: ‹Dereinst wird ein Geschöpf von unglaublichem Blutdurste über die Erde wandeln. Auf diesem Geschöpf wird ein Fluch lasten: Eine Seele wird in ihm wohnen! Jedoch wird fürderhin jeder Mensch, den er durch seinen Biss gleichfalls in einen Blutsauger wandelt, seine Seele verlieren und zu einem Wesen, das der Liebe nicht fähig ist. So wird der Blutdürstende mit Seele dazu verdammt sein, tausend Jahre auf der Erde zu wandeln, ohne je die Liebe zu finden.›»

Draculas Augen blickten schmerzvoll. Hatte der Arme etwa

wirklich so lange ohne Liebe gelebt? Dies war ein Schicksal, das niemand verdient hatte. Wirklich niemand. Nicht mal der Fürst der Verdammten. In diesem Augenblick tat er mir unendlich leid. Und ich fragte mich dabei noch nicht einmal mehr, ob es moralisch in Ordnung war, Mitleid mit einem Wesen wie ihm zu haben.

«Doch der Blutsauger», fuhr Dracula mit der Prophezeiung fort, «wird eines Tages ein ebenbürtiges Weib finden, in deren Brust ebenso eine Seele wohnt.»

Ich befürchtete, da kam ich ins Spiel.

«Und er wird dieses Geschöpf lieben.»

Dracula blickte mich entsprechend gefühlvoll an. Hatte er sich etwa wirklich in mich verliebt? In eine verheiratete, vor ihrer Verwandlung übergewichtige und frustrierte Frau? Zumindest war ich für ihn, nach tausend Jahren ohne Liebe, eine große Hoffnung. So eine Hoffnung konnte man in der Verzweiflung schon mal mit Liebe verwechseln. Das hatte ich so ähnlich bei meiner alten Freundin Taddi erlebt, die schon jahrelang Single war und sich vor lauter Verzweiflung immer in Kerle verguckte, bei denen ich dachte: «Whao, Mädchen, du ekelst dich ja auch echt vor nix!»

Dracula nahm meine Hand. Seine Berührung löste, wie schon zuvor, ein angenehmes Kribbeln aus. Lauter kleine wohlige Blitze liefen mir über den Rücken. Und mein nicht vorhandenes Herz begann heftig zu klopfen. Es war das aufregendste Gefühl, das ich seit Jahren bei einer Berührung gespürt hatte.

«... und dieses Geschöpf wird ihn lieben ...», fuhr er leise und unwiderstehlich mit der Prophezeiung fort.

Mein nicht vorhandenes Herz begann zu rasen.

«... und die beiden würden in Liebe leben bis ans Ende aller Tage ...»

Das war ganz schön lang.

Doch so, wie mich Dracula nun ansah, voller Hoffnung ...

Sehnsucht ... mit einem Hauch von Verlangen ... und Liebe ... ja, es lag wirklich Liebe in seinem Blick ... das war umwerfend ... geradezu verzaubernd.

Bis ans Ende aller Tage erschien mir in diesem Augenblick gar nicht so lange. Und mein Hirn begann, nach all den Jahren mal wieder die Koffer zu packen.

MAX

«Vielleicht können wir das kleine Mädchen vor dem Kampf noch ein paarmal im Kreis drehen ...»

Seitdem ich Gassi gegangen war (mein Gott, wie ich diesen Begriff hasste), lästerte Jacqueline auf einer kleinen Waldlichtung über mich, und ich schämte mich dabei für meine mangelnde Tapferkeit in Grund und Boden. Früher hatte ich mir immer ausgemalt, dass ich das Zeug zum Helden hätte, wenn ich nur auch den entsprechenden Körper dafür besäße. Jetzt hatte ich endlich einen starken Body und war immer noch ein jämmerlicher Deserteur. Umso mehr verletzten mich Jacquelines Sprüche.

«Und wenn wir dann das schwindelige Mädchen noch auf einen Schwebebalken stellen ...»

«Das ist genug!», rief ich aus, ich konnte ihre Demütigungen nicht mehr ertragen. Besonders, weil sie so wahr waren.

«Finde ich nicht», grinste Jacqueline. «Vielleicht solltest du lieber gegen einen Kuschelhasen kämpfen ...»

«Ich habe gesagt: Genug!»

«Und ich meine einen Hasen, den man in der Stofftierabteilung kaufen kann ...»

«Dafür bin ich geistig nicht so degeneriert wie du!», brüllte ich. Ich wollte zurückschlagen, sie irgendwie verletzen. Und so versuchte ich, sie an ihrer Achillessehne zu treffen.

«Was bin ich?», fragte sie.

«Dumm», übersetzte ich.

«Ich bin nicht dumm!», sagte sie nun ebenso wütend.

«Ach nein, dann erklär doch mal zum Beispiel, was eine ‹Hypotenuse› ist», forderte ich sie heraus.

«Das ist einfach …», erwiderte sie mit falscher Bravade.

«Dann sag es doch», provozierte ich weiter.

«Nun …», überlegte sie, «Hypotenuse … das ist so eine Art Transe.»

«So eine Antwort hab ich erwartet», lachte ich überheblich und setzte noch einen drauf: «Wenn man dich eine dumme Nuss nennt, ist das ein Affront gegen die Schalenfrucht.»

Das traf sie nun wirklich. Und das überraschte mich. So clever war der Spruch ja gar nicht gewesen. Mit zitternder Stimme erklärte Jacqueline: «So was in der Art haben meine Eltern mir auch gesagt an dem Tag, als ich eingeschult wurde.»

Tief getroffen wandte sie sich ab, zündete sich beim Weggehen eine Zigarette an und ließ mich allein im Wald stehen. Obwohl sie jetzt endlich aufgehört hatte, mich zu ärgern, ging es mir noch schlechter als zuvor. Ich hatte sie als gute Freundin verloren, bevor ich sie überhaupt als Freundin gewonnen hatte.

Oder gar als mehr.

Ich Kretin trottete in eine andere Richtung und dachte über die ganze desaströse Situation nach, in der wir uns befanden: Wir waren Monster, Mama war verschwunden, und ich war nicht nur ein Feigling, sondern ein fieser Feigling. Ich sehnte mich so sehr nach einem guten Buch. Oder auch nur nach einem mediokren. Doch da fiel mir auf: Jetzt, wo ich wusste, wie feige ich war, würde ich mich wohl kaum mehr mit Helden wie Harry Potter identifizieren, eher mit Feiglingen, die zu anderen auch noch fies waren, wie Mundungus Fletcher. Würde mir, so fragte ich mich beklommen, das Lesen von Büchern jemals wieder Freude bereiten können?

«So ist's gut», hörte ich plötzlich Fee sagen.

Ich bog um eine Ecke und sah, wie sie auf einem gefällten Holzstamm saß und sich von einem jungen Holzfäller den Nacken massieren ließ.

«FEE!», rief ich empört. «Du ... du ... kannst den armen Mann doch nicht einfach hypnotisieren ...»

«Hmm ...», antwortete sie süffisant, «doch, ich kann es, ich hab es ja schon getan.»

«Aber du darfst dir doch nicht in so einer Situation eine Nackenmassage geben lassen ...» Ich konnte es nicht fassen.

«Da hast du recht», antwortete Fee und grinste, «ich denke, eine Fußmassage ist angesagt.» Sie wandte sich an den Holzfäller und bat ihn um eine entsprechende Behandlung. Er kniete sich zu ihr nieder und begann, ihre Füße zu kneten.

«Das ist unmoralisch!», schimpfte ich.

«Sag mal, gibt es nicht ein Stöckchen, das du holen musst?», kam es enerviert zurück.

Es war nicht zu fassen. Fee wollte nicht aufhören. Ich war zwar feige und gemein. Aber sie missbrauchte ihre neu gewonnenen Superkräfte! Was geschah nur mit uns Wünschmanns? Wurden wir etwa alle zu Monstern? Jetzt, wo wir Monster waren?

FEE

«Du ... du lässt dich von der dunklen Seite verführen ...», stammelte mein bescheuerter Bruder und krallte dabei seine Pfoten tief in den Waldboden.

«Und du dich vom Melodrama», erwiderte ich.

Sich die Füße massieren zu lassen war ja wohl noch weit weg davon, einen Todesstern zu bauen und irgendeinen Planeten mit sieben Milliarden grünen Männchen zu pulverisieren.

Max krallte die Pfoten noch tiefer in den Boden und blickte

mich verächtlich an. Und wenn einen so ein blöder Werwolf angewidert anschaut, kann man einfach nichts mehr genießen. Daher seufzte ich und bat den Holzfäller: «Bitte sammele mir doch einen schönen Strauß Wildblumen.»

«Sehr, sehr gerne», rief er und verschwand in den Wald.

Die kleine Prinzessin in mir hatte sich schon immer gewünscht, mal einen Wildblumenstrauß geschenkt zu bekommen. Aber bei den Jungs, mit denen ich bisher zu tun hatte, war dies leider komplett unrealistisch gewesen. Nicht im Traum wären sie darauf gekommen, mir welche zu kaufen oder – noch besser – selbst zu pflücken. Daher hatte ich auch immer zu der kleinen Prinzessin in mir gesagt: «Das musst du dir abschminken.» Doch dank meiner neuen Hypnosekräfte taten sich ganz neue Möglichkeiten auf, für die Prinzessin und für mich.

Ich stand vom Baumstamm auf und versuchte, Max mein Verhalten zu erklären: «Diese ganze Situation ist total beschissen, da kann ich doch wenigstens versuchen, das Beste daraus zu machen.»

«Das ist nicht das Beste!»

«Hör auf, einen auf moralisch zu machen. Es ist zur Abwechslung auch mal ganz schön, wenn jemand mal nett zu mir ist.»

«Auch wenn er es gar nicht ernst meint?», konterte Max.

Natürlich hatte Max recht, das Ganze hier hatte nichts mit ehrlicher Freundlichkeit zu tun, das wusste ich auch. Dennoch hielt ich dagegen: «Jedenfalls ist es besser als nichts.»

Dabei fragte ich mich allerdings schon, ob es wirklich besser als nichts war. Es war bestimmt nicht viel besser als nichts, so viel war klar. Nur ein bisschen besser. Anderseits: War ein bisschen besser als nichts nicht auch besser als nichts?

Ich sah, wie der Holzfäller weiter hinten im Wald Blumen für mich pflückte, und mit einem Male tat er mir leid. Er musste für etwas büßen, das Jannis verbrochen hatte.

Nein, es war nicht besser als nichts. Eigentlich war es sogar noch viel schlechter. Ich fühlte mich schuldig. Total schuldig.

«Mama ist weg», lenkte Max mich von diesem Gedanken ab, «und wir wissen nicht mal, wo sie ist.»

«Cheyenne meint, sie ist bei Dracula», erklärte ich.

«Dracula ...?», fragte Max und verzog sein Wolfsgesicht zu einer erstaunten Grimasse. «Der Vampir?»

«Nein, Dracula, der Konditormeister», antwortete ich genervt.

«Der Konditormeister?» Max war noch verdutzter.

«Natürlich der Vampir», sagte ich noch gereizter.

«Weiß das Papa?»

Max schluckte das mit Dracula, ohne es zu hinterfragen. Für ihn war es, nach allem, was geschehen war, anscheinend total glaubhaft, dass Mama jetzt bei Dracula war und dass es den Obervampir tatsächlich gab. Und dass Max das glaubte, machte es für mich leider auch realistischer.

«Keine Ahnung, ob Cheyenne Papa davon erzählt hat», antwortete ich unsicher.

«Dracula ...», stammelte Max voller Sorge. Er war kurz vorm Losheulen. Das konnte ich jetzt nicht ertragen, bekam ich doch auch immer mehr Angst um Mama. Damit Max nicht flennte – und ich auch nicht –, pampte ich los: «Mama wird schon wiederkommen und mich schön anschnauzen, wie immer! Und dich wird sie in den Arm nehmen, du bist ja ihr Liebling.»

«Nein, du bist ihr Liebling», erwiderte er scharf.

Da musste ich laut lachen.

«Sie verbringt viel mehr Zeit mit dir», sagte er nun bitter.

«Mit Anbrüllen und Hyperventilieren.»

«Du hast ihre ganze Aufmerksamkeit ...»

«So eine Aufmerksamkeit brauche ich so dringend wie einen Akne-Befall ...», unterbrach ich.

Aber Max war so verletzt, dass er gar nicht zuhörte und einfach weiterredete: «... und für mich hat sie dann keine Energie mehr. Wenn ihr euch gestritten habt, fragt sie mich nur kurz ‹Wie geht es?›. Meine Antwort hört sie schon gar nicht mehr.» Er sah mich traurig an und bekräftigte: «Ganz klar, du bist ihr Liebling.»

Ich war völlig verblüfft. Es war natürlich kompletter Schwachsinn, was er da erzählte. Wer so angeschrien wird wie ich, kann kein Liebling sein. Aber Max meinte es ernst. Seine Trauer, seine Wut waren total ehrlich.

«Ich wollte», erklärte er bitter, «ich könnte sie auch so mies behandeln, dann hätte sie vielleicht auch Zeit für mich.»

Dann trottete er auf allen vieren davon.

«Wo ... wo gehst du hin?», fragte ich.

«Zum Bus. Warten. Du kannst dir ja in der Zwischenzeit von deinem hypnotisierten Opfer noch eine Fango machen lassen.»

Ich starrte Max nach, wie er mit hängendem Schwanz von der Lichtung zockelte. Ich war nun komplett durcheinander. Wenn Max recht hatte und ich Mamas Liebling war, dann war das ... dann war das ... total schräg.

In diesem Augenblick kam der Holzfäller wieder mit einem wunderschönen Wildblumenstrauß. Doch jetzt gefielen die Blumen weder mir noch der kleinen Prinzessin in mir. Daher bat ich ihn: «Bitte schenke den Strauß jemandem, den du wirklich liebst.»

«Danke», antwortete der Waldarbeiter. «Da wird sich Peter sicher freuen.»

Er verschwand in den Wald, ich blickte ihm kurz erstaunt nach, dann ging ich gedankenverloren wieder in Richtung Bus. Ich fühlte mich schlecht, den Holzfäller hypnotisiert zu haben, und ich wunderte mich darüber, dass Jannis keinerlei schlechtes Gewissen hatte, immer wieder neue Mädchen auszunutzen. Wie konnte ein Mensch das tun, ohne sich dabei so mies zu fühlen wie ich jetzt? Jannis war also noch viel übler, als ich ohnehin schon gedacht hatte. So ein gewissenloser Mensch war es nun wirklich nicht wert, dass ich auch nur eine Sekunde länger an ihn dachte. Und kaum hatte ich das endgültig begriffen, hörte ich auch tatsächlich auf, an ihn zu denken. Er war nicht mehr wichtig für mein Leben.

Die Frage war nur, mit wem würde ich denn sonst glücklich werden?

Musste es überhaupt einen Jemand geben?

Die Hexe hatte ja zu mir gesagt: «Du haben keine Idee für dein Leben.»

Und damit hatte die Alte leider recht.

Andere in meiner Klasse hatten schon einen Plan: Sie wollten Banker werden, Anwälte oder wie Jenny Landschaftsgärtnerin. Ich aber hatte bisher nur an so alberne Dinge wie Kerle gedacht.

Ein stinknormaler Beruf wie bei den anderen war für mich nicht gerade eine Traumvorstellung. Dummerweise besaß ich aber auch keine großartigen Talente. Was also war meine Idee für mein Leben?

Während ich so darüber nachgrübelte, hörte ich vom VW-Bus her, wie mein Papa wütend und voller Eifersucht rief: «DRFMULA???»

EMMA

Mein Gehirn wollte meinen Gefühlen mal wieder die Schlüssel zum Körper überreichen, um sich dann auf den Weg in die Karibik zu machen. Die Koffer waren schon so gut wie gepackt. Aber so eine Reise durfte ich nicht zulassen! Wegen meiner Ehe. Wegen meiner Familie. Und weil «Fürstin der Verdammten» nicht gerade die Antwort war, die ich geben wollte auf die Frage: «Als was sehen Sie sich in fünf Jahren?»

Daher rief ich meinem Hirn laut zu: «Lass die Koffer!»

«Wie bitte?», fragte Dracula irritiert und ließ meine Hand los.

Was sollte ich ihm darauf antworten? Ich konnte ja schlecht erzählen, dass ich drauf und dran war, etwas für ihn zu empfinden, und mir sogar wünschte, dass er wieder meine Hand nahm, weil es so schön war. Ich durfte ihn nicht ermutigen.

«Ähem ... das ist nur ein Sprichwort», sagte ich.

«Und was soll es bedeuten?», fragte Dracula dummerweise nach.

«Na ja ... dass ... dass man die Koffer lassen soll ...?», erläuterte ich schwach.

Dracula sah mich kurz an, als ob ich es jetzt wäre, die nicht alle Fledermäuse in der Höhle hatte. Dann nahm er erneut liebevoll meine Hand, und mein Gehirn holte die Bermuda-Shorts aus dem Schrank.

«Lass die Bermuda-Shorts!», rief ich.

Dracula lächelte darauf: «Was du sagst, ergibt alles keinen Sinn ... Jedoch ist es faszinierend.»

Meine Güte, er war schon in dem verliebten Zustand, in dem man alles an der geliebten Person faszinierend findet, selbst wenn die sich nur mit einem Q-tip im Ohr bohrt.

«Wir gehören zusammen», bekräftigte Dracula, «so wie es Harboor geweissagt hatte.»

Mit all meiner Willenskraft zog ich meine Hand weg und erklärte: «Das ... das ist bestimmt ein Missverständnis ... der hat sich garantiert mit seiner Prophezeiung vertan, dieser Haribo ...»

«Harboor», korrigierte mich Dracula.

«Wer auch immer ... ich mein, was weiß der schon? Der hat vor zehntausend Jahren gelebt. Damals sind die Leute mit zwanzig gestorben, und wer in dem Alter noch drei Zähne hatte, war quasi schon Doktor Best.»

«Harboor hat die Erfindung des Rades vorhergesehen, den Untergang des Römischen Reiches, die Kreuzzüge ...»

Ich schluckte. Der Kerl hatte anscheinend eine ganz gute Trefferquote besessen.

«Sperrst du dich etwa wegen deiner Familie gegen unser gemeinsames Schicksal?», fragte Dracula.

Ich antwortete nicht.

«Ist sie denn so wundervoll?», hakte er nach.

«Hmm ... ja, schon ... irgendwie», wich ich aus.

«Macht sie dich glücklich?»

«Manchmal», antwortete ich zögerlich.

«Nur manchmal?»

Ich schwieg traurig.

«Manchmal ist zu wenig für eine Frau wie dich», befand er, und ich kämpfte dagegen an, ihm nicht insgeheim recht zu geben. Er ging zum Tisch, ließ sich auf dem Holzthron nieder, auf dem ich zuvor gesessen hatte, und fragte: «Ich kann dir unermesslichen Reichtum bieten, unendliche Liebe und Leidenschaft. Ein unendliches Leben lang. Aber du entscheidest dich allen Ernstes für eine Familie, die dich nicht glücklich macht?»

So wie er es formulierte, klang ich wirklich irgendwie blöd.

Sein Angebot hingegen klang schon verlockend. Genauso verlockend wie er als Mann. Auf eine ganz andere Art und Weise, als Frank es damals gewesen war. Der war ein Mann gewesen, bei dem man sich geborgen fühlen konnte, mit dem man eine Familie gründen konnte – was ich ja auch getan hatte. Und was mich gestern an den Punkt brachte, mir die traurige Frage zu stellen: «Habe ich eigentlich alles richtig gemacht in meinem Leben? Oder auch nur die Hälfte?»

Dracula hingegen war der ultimativ faszinierende Bad Boy. Mit Dracula konnte man gewiss das wilde Leben genießen, die Leidenschaft, und man müsste sich, dank all seiner Bediensteten, auch sicher nie darüber streiten, wer den Müll rausbringt.

Aber das Beste war: Im Gegensatz zu allen anderen Bad Boys würde er mich nie verlassen. Er hatte ja schon gewusst, wie es ist, tausend Jahre Single zu sein. Und ihm mangelte es an Alternativen, besaßen doch alle anderen Vampire keine Seele so wie wir. Und Menschen kamen für ihn ja nicht in Frage. Dracula würde also gewiss niemals Stephenie Meyer auf den Hintern glotzen. Nein, er würde mir stattdessen Unsterblichkeit bieten. Reichtum. Leidenschaft. Ewige Liebe. Mit Dracula konnte ich um die Erde reisen. Fremde Länder bestaunen. Die Welt erobern! Ein abenteuerliches Leben führen, wie ich es mir schon als kleines Mädchen erträumt hatte. Es aber nie habe führen können. Wegen meiner Familie.

Es gab wirklich schlechtere Angebote.

Zum Beispiel Frankenfurz.

Oh nein, was dachte ich da?

So etwas durfte ich nicht denken. Das war Irrsinn!

Ich liebte meinen Frankenfurz. Er war ein ganz, ganz toller Frankenfurz!

«Bitte lass mich jetzt zu meiner Familie», bat ich so bestimmt, wie ich nur konnte.

Sehr zu meiner Überraschung antwortete Dracula: «Selbstverständlich. Ich hatte dir ja versprochen, dass du zu ihr zurückkehren darfst.»

«Schön», erwiderte ich und versuchte mir mein Erstaunen über diese schnelle Aufgabe nicht anmerken zu lassen. Dracula stand vom Holzthron auf, ging auf mich zu und lächelte liebevoll: «Emma, du wirst bald erkennen, dass wir füreinander bestimmt sind, und du wirst daraufhin deine Familie verlassen.»

«Das … das werde ich nicht», antwortete ich tapfer.

Dracula schwieg nun, bohrte nicht nach. Er schien zu allem Überfluss auch noch einfühlsam zu sein. Noch ein Vorzug gegenüber Frank. Und gebläht hatte er auch noch kein einziges Mal.

Anstatt weiter zu reden, gab Dracula mir einen leichten Kuss auf die Wange. Zärtlich. Mit Lippen, die sich samtweich anfühlten. Wohlig benommen wich ich ein paar Schritte zurück, stieß dabei mit dem Musikantenknochen gegen den Tisch und war unendlich dankbar für den Schmerz, der den Zauber des Kusses überlagerte.

Während der Schmerz nachließ, wurde mir klar: Damit diese Weissagung des zahnlosen Propheten niemals wahr wird, musste so einiges geschehen. Natürlich musste ich einerseits dafür sorgen, dass wir die Bettlerin wiederfinden und sie uns zurückverwandelt. Das war ja klar. Aber zusätzlich musste ich noch etwas anderes tun, um Draculas immenser Verlockung zu widerstehen: Ich musste aktiv dafür sorgen, dass ich mit meiner Familie glücklicher werde. Sehr viel glücklicher!

Als kurz darauf der Chauffeur losfuhr, war ich gleichermaßen erleichtert, nicht mehr in Draculas Nähe zu sein, wie betrübt darüber. Um mich von meinen gemischten Gefühlen abzulenken, blickte ich zurück auf das wunderschöne Anwesen, durch dessen Tor wir gerade fuhren, und fragte mich, wie Dracula sich wohl so viele Schlösser in aller Welt leisten konnte. Da ich mir selbst keine Antwort darauf geben konnte, fragte ich den Chauffeur danach. Der strich sich durch seine Jogi-Löw-Haarmütze und erklärte: «Wenn man unsterblich ist, muss man einen Geschäftssinn entwickeln, um nicht jahrhundertelang unter Brücken zu schlafen.»

Das klang logisch. Die Unsterblichkeit brachte also auch ganz handfeste Herausforderungen mit sich. Dracula schien diese mit Bravour zu meistern. Das machte ihn nicht gerade unattraktiver als Mann. Leider.

«Dem Meister», redete der Chauffeur weiter, «gehören

mehrere Konzerne. Darunter auch einer, den er nach einem Mann aus seinem Heimatdorf benannt hatte. Einem Spanner namens Gugel.»

Dieser Konzern gehörte Dracula? Das erklärte den laxen Umgang des Internetunternehmens mit den Rechten anderer.

«Dann», so kombinierte ich, «wusste Dracula von mir durch deren Satelliten?»

Der Chauffeur knibbelte sich mit einem Male nervös an seinem linken Prince-Charles-Ohr.

«Hab ich etwa nicht recht?», fragte ich.

«Es steht mir nicht zu, mich zu solchen Dingen zu äußern», erklärte er und fuhr auf die Landstraße. Irgendwas Wichtiges schien er mir verheimlichen zu wollen.

«Sie wissen schon, dass ich eine Vampirin bin?», versuchte ich ihn ein bisschen einzuschüchtern, damit er mit der Sprache herausrückte.

«Ich trage ein Kreuz bei mir», entgegnete er, und allein der Gedanke daran ließ mich erschaudern. Aber ich war viel zu neugierig, um mich so leicht abwimmeln zu lassen, und drohte lächelnd: «Sie wissen doch auch, dass Ihr Meister auf mich steht. Und ich glaube, er wäre not amused, wenn ich ihm erzähle, dass Sie mich verführen wollten.»

«Das ... will ich doch gar nicht!», protestierte er.

«Tja, dann steht wohl mein Wort gegen ihrs», grinste ich süffisant.

Charles-Jogi bekam es mit der Angst zu tun. Und ich erlebte, dass es mir durchaus Freude bereitete, jemandem Furcht einzuflößen. In diesem Moment verstand ich, warum so viele Menschen gerne Vorgesetzte waren.

«Es war so», knickte Chogi ein, «ich fuhr den Meister gerade zu seinem transsilvanischen Heimatschloss, da erschien plötzlich auf der Straße wie aus dem Nichts eine Frau ... ich machte eine Vollbremsung ...»

«Was?», unterbrach ich ihn. «Eine Frau aus dem Nichts?»

«Wenn ich es recht verstanden habe, war sie eine Hexe und berichtete von Ihrer Existenz, Madame. Mehr weiß ich leider auch nicht. Mein Herr stieg aus und sprach auf der Straße mit der Frau weiter.»

Das konnte nur Baba Yaga gewesen sein. Sie kannte Dracula also. Und hatte ihm von mir erzählt. Was bedeutete das? Hatte die Hexe mich etwa extra als Braut für Dracula erschaffen? Und wenn ja, was hatte sie damit bezweckt? Und warum hatte sie ausgerechnet mich ausgewählt? Es gab doch besseres Brautmaterial als mich, zumindest wenn ich meiner Schwiegermutter glauben durfte, die mir den wenig schmeichelhaften Spitznamen «die falsche Entscheidung» verpasst hatte.

Und noch ein Gedanke schoss mir durch den Kopf: Anscheinend war Baba Yaga nicht direkt nach Transsilvanien gereist. Ich hatte mir vorgestellt, dass sie sich da einfach magisch hinschnippte, aber vielleicht war sie dafür als Todgeweihte einfach zu schwach. Ganz vielleicht könnten wir die Hexe also sogar auf dem Weg erwischen, vorausgesetzt, sie hatte halbwegs die gleiche Reiseroute, was eher unwahrscheinlich war. Aber wie heißt es doch so schön: Die Hoffnung stirbt zuletzt. Ein Satz, der gerne auch nach Äußerungen fällt wie:

«Unsere Atomkraftwerke sind sicher.»

«Solange das Orchester spielt, kann es um das Schiff nicht schlecht stehen.»

«Wenn wir ganz stillhalten, wird das Rhinozeros an uns vorbeilaufen.»

Oder: «Beim nächsten Mann wird alles anders.»

Chogi wusste dank Gugels Satelliten, wo Cheyenne mit meiner Familie campierte. Als wir über den Waldweg holperten, der uns zu dem VW-Bus führen sollte, schob ich meine Gedanken an Baba Yaga und Dracula beiseite. Denn im Grunde war nur eines wichtig: Ich musste wieder mit meiner Familie glücklich werden. Damit mir das gelang, musste ich drei Schlüssel finden, die ich in den letzten Jahren verloren hatte: die Schlüssel zu den Herzen von Fee, Max und Frank.

Als der knallgelbe VW-Bus in Sichtweite kam, bat ich den Chauffeur anzuhalten. Ich wollte die letzten Meter zu Fuß gehen, um meine Gedanken zu sammeln. Ich stieg aus, und während ich mich vom Auto entfernte, hörte ich Chogi leise murmeln: «Ich muss ganz dringend umschulen.»

Aufgewühlt ging ich auf meine Familie zu. Kaum war ich beim Bus angekommen, lief Max freudig auf mich zu, sprang mit seinen Pfoten an mir hoch, und ich konnte gerade noch sagen: «Bitte nicht abschlabbern.»

Max rollte seine Zunge wieder ein, stellte sich neben mich, und ich kraulte ihm ausgiebig das Fell. Eine ganz neue Erfahrung in zwischenmenschlicher Nähe zu meinem Sohn. Dabei blickte ich zu Fee, die an einem Baum lehnte und von der ich meinte, unter all ihren Bandagen ein erleichtertes Lächeln zu erkennen. Mit einem Male hörte ich hinter mir ein tiefes, den Waldboden in Vibrationen versetzendes Grummeln. Ich drehte mich um und sah einen ziemlich wütenden Frank. Böse grollte er: «DRFMULA?»

«Ja ... Dracula», gestand ich und versuchte, dabei nicht verlegen auf den Boden zu starren.

«FMICK?», fragte er böse.

«Fmick?» Ich verstand es nicht.

«Ich glaube», versuchte Cheyenne zu erläutern, «wenn er ein englisches Monster wäre, würde er jetzt ‹Fmuck› fragen.»

Oh mein Gott, er dachte, ich wäre mit Dracula im Bett gewesen?

«FMUMSI?», versuchte er es anders.

«Und ich glaube», setzte Cheyenne erneut an, «das heißt bums...»

«DAS HAB ICH WOHL VERSTANDEN!», unterbrach ich sie.

Dann betrachtete ich mir Frank. Mein Gott, er war wirklich eifersüchtig. Einerseits fühlte ich mich ertappt, es hatte zwar kein «fmumsi» gegeben, dafür aber ein «Fmhändchenhalten». Andererseits war es auch irgendwie toll, dass Frank eifersüchtig war. In seiner menschlichen Gestalt war er stets zu müde gewesen, um so eine Regung zu zeigen. Sein neuer Körper schien den Vorteil zu haben, dass seine Gefühle wieder erwachten. Das hatte auch etwas Schönes.

«Nix fmumsi», antwortete ich Frank und lächelte ihn dabei an.

Max kommentierte das mit: «Das sprachliche Niveau dieser Familie degeneriert rapide.»

Frank sah mich prüfend an, ich hielt dem Blick lächelnd stand. Dann entschied er sich, mir zu glauben, verzog seine Monstervisage zu einem erleichterten Lächeln und seufzte: «Uff!»

Erleichtert atmete auch ich durch. Doch dann fragte Frank erneut: «Fmumsi?» Diesmal deutete er dabei auf sich und mich. Mein Gott, er wollte mit mir schlafen? Ein Schäferstündchen unter Monstern? Plötzlich war ich mir nicht sicher, ob ich es wirklich so schön finden sollte, dass in seinem neuen Körper die Gefühle wieder erwachten.

Bevor ich etwas erwidern konnte, erklärte Fee: «Ich finde, Eltern sollten sich in der Anwesenheit ihrer Kinder nicht über Sex unterhalten. Kinder sitzen deswegen später in teuren Therapiesitzungen, in denen sie mit anderen Gestörten ‹Alle Vöglein fliegen hoch› spielen müssen.»

«Oder sie brauchen ganz, ganz viel Alkohol», ergänzte Jacqueline. «Und wo wir schon beim Thema sind: Ob ihr ekligen Altensex habt, ist mir völlig schnurz. Ich habe tierischen Durst und Hunger!»

Das hatte ich nicht bedacht: Wir waren ja von den Rockern

angegriffen worden, bevor wir unsere Sparmenüs hatten bestellen können.

«Und ich bin müde», erklärte Fee, bei der sicherlich neben der körperlichen Erschöpfung auch die seelische mitspielte. Ich sah in den Himmel: Die Sonne ging über dem Wald unter, wir hatten jetzt noch circa zweieinhalb Tage, bis Baba Yaga starb. Andererseits musste ich meiner Familie ein bisschen Ruhe gönnen, wollte ich mich ihr wieder annähern, um die Schlüssel zu ihren Herzen zu finden. Wenn wir nicht allzu lange schliefen, so kalkulierte ich, könnten wir die Nacht irgendwo einkehren und dennoch rechtzeitig nach Transsilvanien gelangen. So verkündete ich: «Wir suchen uns etwas Essbares und dann einen Ort zum Schlafen.»

Alle schienen dankbar zu sein. Auch Frank blickte mich hoffnungsvoll an: «Fmumsi da?»

Cheyenne grinste: «Ich glaube, er fragt, ob ihr dort …»

«ICH WEISS!»

Nachdem Cheyenne uns beim nächsten McDrive reichlich Essen besorgt hatte – dies war keine Situation, in der man sich als Mutter über ausgewogene Ernährung für ihre Kinder Gedanken machte –, quartierten wir uns in einem jener «39 Euro die Nacht»-Hotels ein, die man nahe an Autobahnen findet. Diese Billighotels haben den Vorteil, dass die Rezeption abends von einem Automaten ersetzt wird und wir kein Aufsehen erregten. Als wir durch die neonbeleuchteten Gänge zu unseren Zimmern gingen, stupste mich Max mit seiner Schnauze an und fragte: «Wie hast du eigentlich deinen Blutdurst neutralisiert?»

Ich erzählte ihm von Draculas Pille. Als ich fertig war, fragte er: «Hat Dracula auch gesagt, wie lange die Wirkung des Blut-Surrogates anhält?»

Oh nein! Daran hatte ich noch gar nicht gedacht!

«Ein unsterbliches Leben lang?», fragte Max. «Einen Monat, einen Tag, zwei Stunden?»

Die Antwort wusste ich natürlich nicht. Daher sagte ich zutiefst verunsichert: «Noch ein Rat fürs Leben, mein Sohn: Kein Mensch mag Leute, die einen auf unangenehme Dinge aufmerksam machen.»

Um Franks Paarungsgelüsten zu entgehen und Zeit mit Fee zu verbringen, ordnete ich die Zimmer wie folgt ein: Frank / Max, Jacqueline / Cheyenne und Fee / meine Wenigkeit. Ich ging mit meiner Mumientochter in ein Zimmer, das mit einem selbstreinigenden Klo, zwei Gefängnisbettdecken und einem altersschwachen Röhrenfernseher ausgestattet war.

Ich freute mich jedenfalls, dass ich mit Fee alleine sein konnte, obwohl sie müde und genervt war. Denn jetzt konnte ich den ersten von drei Schlüsseln finden, die ich benötigte, um unsere Familie zu retten.

Aufmunternd sagte ich zu ihr: «Eigentlich doch ganz schön, dass wir beide mal Zeit für uns haben.»

Sie sah mich an, als ob ich gesagt hätte: «Eigentlich doch ganz schön, dass wir beide mal eine Magen-Darm-Grippe haben.»

«Ich meine … wir beide können doch endlich mal in Ruhe ausführlich miteinander quatschen.»

Man konnte förmlich hören, wie Fee genervt «Suuuper» dachte.

«Mal so ein richtiges Mutter-Tochter-Gespräch …», machte ich dennoch munter weiter. Ich konnte ja nicht erwarten, dass ich sie sofort knacken würde.

«Wenn du mit mir wieder über Aufklärung sprechen willst, spring ich aus dem Fenster», kam es zurück. Auf dieses Thema hatte ich genauso wenig Lust wie sie. Die Aufklärungsgespräche, die ich Fee in den letzten Jahren aufgezwungen hatte, zählten

sicherlich nicht zu den Sternstunden der Kommunikations-
geschichte.

«Nein», beruhigte ich sie, «ich wollte fragen, ob es irgendetwas gibt, was du dir wünschst.»

«Außer, dass ich keine Mumie mehr bin?», antwortete sie.

«Ich meinte … von mir als Mutter», erklärte ich sanft.

Sie sah mich an, prüfend, und als ich ihr zulächelte, fragte sie
mich hoffnungsvoll: «Meinst du das ernst?»

«Ja. Total ernst.»

«Na ja», begann sie zögerlich, «zuerst einmal wäre es schön,
wenn du mich weniger anschreist.»

Ich hätte am liebsten Danke gleichfalls geantwortet, erwiderte aber: «Mir macht es ja auch keinen Spaß, ständig rumzu-
brüllen. Daher werde ich damit aufhören.»

«Versprochen?», fragte sie unsicher.

«Versprochen!» Zur Bekräftigung hob ich sogar die Finger
zum Schwur.

Fee lächelte. Es freute sie, was ich versprach. Ich sah zum ersten Mal seit langem wieder ein Lächeln in ihrem Gesicht, und
das zu sehen machte mich glücklich.

«Bist du eigentlich glücklich als Buchhändlerin?», fragte sie
dann auf einmal völlig unvermittelt.

«Was?»

«Bist du eigentlich glücklich mit deinem Job?»

«Wieso … wieso fragst du das?»

«Na ja», öffnete sie sich, «ich … ich denke gerade über
mein Leben nach und was ich damit anstellen soll, ich meine,
wenn wir je wieder aus dieser Monsternummer rauskommen
sollten.»

Ich war überrascht. Sie stellte mir eine echte Mutter-Tochter-
Frage. Es schien zu klappen, ich baute einen neuen, einen besseren Draht zu ihr auf. Womöglich fand ich wieder den Schlüssel
zu ihrem Herzen.

Doch was sollte ich ihr jetzt antworten? Ich beschloss, es mit Ehrlichkeit zu versuchen: «Mit dem Buchladen bin ich nicht so ganz glücklich.»

«Hmm», antwortete sie, anscheinend war meine Antwort nicht sonderlich hilfreich gewesen.

«Was für Gedanken machst du dir denn?», fragte ich vorsichtig.

«Dies und das», erwiderte Fee.

«Geht es noch ein bisschen unpräziser?»

«Na ja, ich würde gerne etwas finden, was mich total erfüllt, aber …»

«… du weißt nicht, was das sein soll.»

Fee nickte.

«Du bist noch jung. Konzentriere dich erst mal auf die Schule, dann sieh weiter.»

Wir schwiegen etwas, dann fragte Fee mich: «Das ist alles?»

«Wie bitte?»

«Ich frag dich nach einem Ratschlag fürs Leben, und du sagst, ich soll mich auf die Schule konzentrieren? Mehr nicht?»

Da hatte sie recht, das war wohl etwas zu pragmatisch.

«Na ja, nach dem Abi», redete ich weiter, «kannst du dich ausprobieren, etwas finden, was dir Freude macht …»

Man sah in ihrem Mumiengesicht, dass ihr das auch nicht weiterhalf. Sie wollte Antworten. Jetzt. Sofort. Aber die konnte ich ihr auch nicht geben.

«Hab Geduld», lächelte ich leicht.

«War ja klar», seufzte sie enttäuscht.

«Was war klar?», fragte ich.

«Schon gut.»

«Sag schon …», hakte ich nach.

«War ja klar, dass mir nicht jemand helfen kann, der selbst nichts Gescheites gefunden hat.»

Ich hätte nicht nachhaken sollen.

Ihre Bemerkung verletzte mich. Zumal ich ja meinen Traumberuf gefunden hatte, dann aber mit ihr schwanger geworden war und den Beruf ihr zuliebe aufgegeben hatte.

«So sprichst du nicht mit mir», motzte ich.

«Ich sprech, wie ich will», hielt Fee ruhig dagegen.

«TUST DU NICHT!»

«Du wolltest mich nicht mehr anschreien», sagte sie sauer.

Da hatte sie allerdings recht.

«War ja klar, dass du dein Versprechen keine Minute halten würdest.»

«Tut mir leid», versuchte ich zu deeskalieren.

«Schon gut», erwiderte sie, sah mich aber mit jenem angewiderten Blick an, der mich immer so verletzte und mich gleichzeitig so wütend machte. Stets vermittelte sie mir das Gefühl, eine miese Mutter zu sein.

«Gibt es eigentlich nichts, was du an mir gut findest?», fragte ich daher getroffen.

Sie schwieg.

«Na, vier, fünf Dinge werden dir doch wohl einfallen.»

Keine Antwort.

«Zweieinhalb?», versuchte ich mühsam zu scherzen.

«Du kannst einen gut in Scheiß-Situationen bringen.»

Das traf mich, weil es in diesem Monster-Falle ja auch stimmte. Aber ich wollte nicht wütend reagieren und sagte in Gedanken zu mir: Sie kann dich nicht zum Ausrasten bringen.

«Und im Nerven bist du auch ziemlich gut.»

Sie kann dich nicht zum Ausrasten bringen, wiederholte ich mantramäßig.

«Und du bist sogar richtig super darin, mein ganzes Leben zu versauen, so wie du dein eigenes versaut hast!»

Okay, sie kann es doch.

«Ich hätte auch gerne eine andere Tochter!», motzte ich laut los. «Eine, die nicht sitzenbleibt, die einen nicht anschreit,

146

die was im Haushalt macht und einem nicht das Gefühl gibt, man wäre wirklich ein Monster.»

«Wenn du eine Vorzeigetochter haben willst, schnitz dir eine!», erwiderte Fee zutiefst getroffen.

Ich blickte in die schwarzen Augen hinter den Bandagen und erkannte, dass sich darin Tränen bildeten. Ich Idiotin! In so einer kritischen Lage hatte ich meiner Tochter auch noch wehgetan. Sie mir zwar auch, aber ich war doch die Erwachsene und hätte mich zusammenreißen müssen. Ich hätte mich auf der Stelle ohrfeigen können, am besten mit einer von Daniel Düsentrieb erfundenen Ohrfeigenmaschine, die ich dann auf volle Leistungsstärke gestellt hätte.

«Es … tut mir leid, Schnuffel», sagte ich leise.

Doch Fee schwieg nur traurig und verletzt. Dann machte sie den kleinen schrottigen Röhrenfernseher an und setzte dabei ihre patentierte «Ich starr jetzt so lange stumm geradeaus, bis du verschwindest»-Miene auf.

Ich stand vom Bett auf und ging aus dem Zimmer. Traurig. Selbst jetzt, wo es um die Existenz unserer Familie ging, fand ich nicht den Schlüssel zum Herzen meiner Tochter.

Ich schlich mich aus dem Zimmer und fühlte mich als totale Erziehungsversagerin, da lief mir Max vor die Füße.

«Wieso bist du nicht auf eurem Zimmer?», fragte ich verblüfft. Er war zwar ein Werwolf, dennoch machte ich mir Sorgen, wenn er um diese Zeit in so einem finsteren Hotel rumstromerte. Auf wen er da alles treffen konnte.

«Ich musste draußen Pipi», erklärte er.

«Auf dem Zimmer ist doch ein Klo?», sagte ich erstaunt.

«Und ich bin ein Wolf», erwiderte Max. «Für mich ist so eine Toilette ein kompliziertes logistisches Problem.»

Das hatte ich nicht bedacht.

«Ich hatte es auf der im Zimmer versucht», erzählte er weiter, «bin aber vom Becken abgerutscht und mit dem metallenen Klopapierhalter kollidiert.»

Er zeigte mir eine kleine blutende Schramme über seinem braunen Wolfsauge. Das Blut war für mich kein bisschen verlockend. Die Pille wirkte also weiter. Darüber war ich erleichtert, und ich war ebenfalls froh, nach dem Fee-Debakel gleich auf Max zu treffen – den Schlüssel zu seinem Herzen würde ich sicherlich einfacher finden. Schließlich hatte ich mit ihm nie Streitereien gehabt. Er war eher der leise, viel zu stille Typ.

«Und wieso bist du im Gang?», wollte er wissen.

«Ich hab mich mit Fee gestritten», gestand ich.

«War ja klar», sagte er gereizt, geradezu beleidigt, als ob ich mich mit ihm selbst verkracht hätte. Sein Verhalten war irgendwie merkwürdig.

«Wie geht es dir?», versuchte ich das Gespräch auf ihn zu lenken.

«Das interessiert dich ja sowieso nicht, dich interessiert nur Fee», pampte er mich an, was mich völlig verblüffte: «Ähem, wie kommst du denn darauf?»

«Du liebst es doch, dich mit ihr zu streiten!», motzte er.

«Klar», lachte ich, «das hab ich so gerne wie eine Wurzelkanalbehandlung.»

«Ich kann das auch», sagte er, «soll ich mal?»

«Nein danke», erwiderte ich mittlerweile völlig verwirrt. Welche Läusearmee war ihm denn über die Leber gelaufen?

«Du ... du bist ein intellektuelles Pantoffeltierchen», versuchte er mich zu beleidigen. Ziemlich ungelenk, sein Intellekt stand ihm dabei einfach im Wege. Während Fee fluchen konnte wie ein Seemann mit Tripper, klang Max irgendwie niedlich, wenn er sich so künstlich aufregte. Ich musste mich zurückhalten, nicht zu grinsen, denn wenn er das Gefühl bekam, ich würde ihn nicht ernst nehmen, würde ihn das sicherlich verletzen.

«Du … du bist ein geistiger Cro-Magnon!», versuchte er es weiter. Es fiel mir wirklich schwer, nicht zu grinsen.

«Du … du … bist eine degenerierte … eine degenerierte …», stammelte er.

«Was?», fragte ich amüsiert, da ihm nichts einfiel und er schon hektisch atmete.

«… Degeneration!»

Jetzt konnte ich nicht mehr anders, ich musste sogar kichern.

«Was gibt es da zu lachen?», schimpfte er wütend, und seine Wolfsstimme klang dabei fast bellend.

«Ich lieb dich viel zu sehr», sagte ich, «du kannst mich einfach nicht anpinkeln.»

«Doch, das kann ich wohl!», erwiderte er.

Fünf Sekunden später hatte ich ein nasses warmes Hosenbein.

Das letzte Mal hatte Max mich vor zehn Jahren auf der Wickelkommode angepullert. Damals konnte ich noch darüber lachen und Baby-Max scherzhaft drohen: «Wenn du deine erste Freundin hast, werde ich ihr davon erzählen.»

Aber jetzt war mein Sohn ein Werwolf, und das Ganze hatte einen deutlich niedrigeren Niedlichkeitsfaktor. Max sah noch kurz triumphierend hoch, dann rannte er weg. Ganz offensichtlich hatte ich auch nicht den Schlüssel zu seinem Herzen gefunden. Was hatte ich nur falsch gemacht, dass meine Kinder mich so hassten? Vielleicht war ich wirklich eine miese Mutter. Vielleicht, so dachte ich traurig, vielleicht waren sie ja sogar besser dran, wenn ich zu Dracula gehen würde.

Und ich auch.

Mitten in meine trüben Gedanken hinein hörte ich: «Efma?»

Ich drehte mich um, und da stand Frank im Türrahmen zu

seinem Zimmer. Er lächelte freundlich. Na ja, so freundlich wie Frankensteins Monster nun mal lächeln konnte. Er streichelte mit seiner Hand zärtlich meine Wange. Na ja, so zärtlich wie Frankensteins Monster nun mal streicheln konnte – es fühlte sich an wie eine leichte Ohrfeige. Dann machte er eine eckige Handbewegung, mit der er mich ins Zimmer bat. Ich zögerte etwas, aber er wiederholte höflich scheppernd meine Worte: «Nix fmumsi.»

Ich musste schmunzeln und ging mit ihm hinein. Vielleicht war es ja möglich, wenigstens den dritten Schlüssel zu finden, den zu seinem Herzen. Wir setzten uns aufs Bett, das unter Franks Gewicht so durchhing, dass wir fast auf dem Boden saßen. Nach etwas Schweigen fragte ich ihn, ob er sich eigentlich an das Leben vor unserer Verwandlung erinnern konnte.

Frank konzentrierte sich bei der Suche nach einer Antwort. Man sah fast, wie die schlechtgeölten Zahnräder in seinem Gehirn schwerfällig ineinandergriffen. Am Ende des sehr, sehr langsamen Gedankenprozesses antwortete er: «Biffmchen.»

Das war immerhin besser als nichts.

Wir schwiegen etwas, dann sammelte ich all meinen Mut und fragte: «Empfindest du noch was für mich?»

Anstatt etwas zu grunzen, griff er zu dem Zeichenblock, den er aus dem Bus mitgenommen hatte, und zeichnete. Als er mit dem Bild fertig war, zeigte er es mir.

Ich war gerührt. Das war süß. Und er war es in diesem Moment auch.

«Was», fragte ich weiter, «hättest du eigentlich gemacht, wenn Dracula und ich tatsächlich miteinander …?» Ich vollendete den Satz nicht, es war ja klar, was gemeint war.

Frank griff erneut zum Zeichenblock und kritzelte aufgeregt:

Beim Anblick dieser Zeichnung lachte ich laut los. Das tat gut. Es war das erste Mal seit der Monster-Verwandlung, dass ich lachen konnte.

«Und was hättest du mit mir getan?», wollte ich nun wissen.

Die Antwort kam prompt:

Ich lachte schon wieder. Es war toll, so zu lachen. So befrei-
end. Und es war besonders schön, dass es mein eigener Mann
war, der mich dazu brachte.

Dankbar küsste ich die Schraube an seiner Wange. Sie
schmeckte metallen-rostig. Sein graues Gesicht lief von dem
Kuss rot an. Es war wunderbar, denn das bedeutete: Den Schlüssel zu seinem Herzen musste ich nicht mehr finden, ich besaß
ihn schon. Ich hatte meine Familie also noch nicht ganz verloren.

FEE

Da der Röhrenfernseher auf dem Zimmer nur rauschte, ging ich
auf das Dach des Hotels, um mir mal mein Hirn durchpusten zu
lassen. Ich war ziemlich fertig: Es gibt nun mal schönere Dinge,
als von der eigenen Mutter zu hören, dass sie sich eine andere
Tochter wünscht. Ich war nicht ihr Liebling, wie mein durchgeknallter Bruder dachte, sondern ihre Lieblingszielscheibe.
Außerdem war ich noch keinen Schritt weitergekommen mit
der «Was will ich eigentlich von meinem Leben»-Frage, die ich
mir bis gestern Abend noch nie so richtig gestellt hatte.

Oben angekommen, riss mich etwas aus meinen trüben
Gedanken: Die alte Hexe lag am äußersten Rande des flachen
Hoteldaches und sah aus wie schon mal gegessen: verschwitzt,
bleich und zitternd. Kein Wunder, sie sollte ja auch in 48 Stunden sterben.

«Was du machen hier?», fragte sie und war dabei genauso
überrascht wie ich. Anscheinend hatte die Alte absolut keine
Ahnung, dass wir ebenfalls in diesem Hotel abgestiegen waren.

«Du verwandelst uns jetzt sofort zurück!», rief ich, ohne
groß zu überlegen.

«Ich nicht daran denken», erwiderte sie und rappelte sich
mühsam auf.

«Ich dir hauen sonst auf die Glocke», drohte ich.

«Ich haben keine Glocke», antwortete die Hexe irritiert.

«Dafür du haben gleich Beule.»

«Du reden komisch», fand sie und stand nun schwankend auf den Füßen.

Die Alte hatte recht, ich musste aufhören, zu reden wie ein sprachbehinderter Indianer.

Ich rannte schnell auf sie zu und war schon fast bei der Hexe angelangt, da fielen mir meine Hypnosekräfte wieder ein. Ich bremste ab, stellte mich vor die Alte und blickte tief in ihre grünen Augen, die leuchteten wie ein See, in den man jede Menge radioaktiven Müll versenkt hatte.

«Ich wünsche mir», sagte ich, «dass du uns alle zurückverwandelst.»

Die Alte aber lachte nur laut, meckernd, fies. Auch die Hexe war gegen meine Hypnose immun, sie funktionierte anscheinend nur bei normalen Menschen.

«Ich seien Magierin», erklärte sie überlegen.

«Nein, du seien gleich Pflegefall!», schrie ich.

«Du reden schon wieder komisch!», grinste sie so breit, dass ihre verfaulten Zähne zu sehen waren.

«ARGGHH», schrie ich wütend und hob die Faust.

«Und jetzt du schreien komisch!», grinste sie noch breiter. Sie hatte Spaß daran, mich zu verarschen. So wie es mir bestimmt gleich Spaß bereiten würde, ihren Mund auch von den restlichen Zähnen zu befreien. Ich wollte gerade zuschlagen, da zückte sie mit ihrer zittrigen Hand ihr silbernes Amulett und begann zu brabbeln: «Re invoc a terici ...»

Das Amulett begann zu leuchten, und ich bekam tierischen Schiss: Wollte die Alte mich jetzt etwa mit einem Zauber umbringen?

«NEIN!», schrie ich panisch und holte zum Schlag aus. Aber sie brabbelte einfach seelenruhig weiter: «Enver ti terici ...»

Das Amulett strahlte nun so hell, dass es mich blendete. Ich konnte nichts mehr sehen, schlug aber dennoch zu, ich wusste ja, wo sie stand … doch meine Faust traf sie nicht. Nicht etwa, weil ich schlecht gezielt hatte. Nein, die Hexe verschwand einfach. Die blöde Kuh löste sich in Luft auf! Da mein Schlag ins Leere ging, wurde ich von meinem eigenen Schwung umgerissen, verlor das Gleichgewicht und kam ins Straucheln. Mein rechter Fuß stolperte über den Rand des Daches, dann folgte der linke. Und ich fiel hinab in die Tiefe.

Mit dem Kopf voran sauste ich hinunter, der Wind zischte in meinen Ohren. Überraschenderweise hatte ich keine Angst mehr. Stattdessen war ich nur unendlich traurig: Mein Leben war noch gar nicht richtig losgegangen.

Gerne hätte ich geheult, aber es kamen keine Tränen. Am liebsten hätte ich noch mehr geheult, weil ich nicht heulen konnte.

Aber vielleicht, so schoss es mir plötzlich durch den Kopf, wollte mein Körper mir auch etwas damit sagen, so etwas wie: «Flenn nicht immer rum, blöde Kuh! Du hast schon dein ganzes Leben damit verschwendet, dich selbst zu bemitleiden, und dadurch nicht richtig losgelegt. Jetzt lass wenigstens die letzten Sekunden das Rumgeheule bleiben.»

Und mein Körper hätte, wenn das seine Botschaft war, damit total recht gehabt! Ich hatte immer nur gejammert. Stattdessen hätte ich mal den Hintern hochbekommen und mein Leben verändern sollen! Schule schmeißen, auf Reisen gehen, wie Cheyenne es getan hatte, die, nebenbei gesagt, mit ihrem Leben viel glücklicher war als Mama.

Genau, das war mal ein Plan! Es zu machen wie Cheyenne: von zu Hause abhauen, die Welt sehen und dabei herausfinden, was mich erfüllt und mich glücklich macht!

«Es gibt nichts Gutes, außer: Man tut es», hatte irgendein Autor, den wir im Deutschunterricht durchgenommen hatten, mal gesagt. Wer war das gleich noch mal gewesen? Goethe? Schiller? Völligwurscht?

Blöd nur, dass einem solch kluge Erkenntnisse erst kommen, wenn man nur noch sieben Sekunden zu leben hat. «Besser spät als nie» ist in so einer Situation auch nicht gerade ein Trost.

Darüber wollte ich jetzt auch nicht rumjammern und die restlichen Augenblicke meines Lebens keine Heulsuse sein. Ich wollte dem Tod tapfer begegnen. Doch mit einem Male packte mich etwas am Fußgelenk, mein Fall wurde abrupt gestoppt. Ich riss die Augen auf und sah, wie ich mich mit meinem Gesicht voran der Hotelwand näherte. Ich schrie: «AHH», aber das half natürlich nichts, ich knallte mit meinem Kopf gegen die Mauer. Es tat unglaublich weh.

Gleich darauf hörte ich Jacqueline von weiter oben her sagen: «Gut, dass sie kein echter Mensch mehr ist, sonst würde ihr Gesicht jetzt aussehen wie Pizza Margherita ohne Käse.»

Ich blickte hoch und erkannte, dass ich kopfüber in der Luft baumelte und Papa, der an einem offenen Fenster mit dem Rest unserer Reisegruppe stand, mich am Fußgelenk festhielt. Offensichtlich hatten sie alle meinen Streit mit der Hexe gehört, und Papa hatte mich im freien Fall gepackt und mir so das Leben gerettet!

Nachdem er mich durch das Fenster reingezogen hatte, fiel ich ihm überglücklich in die Arme. Papa lachte laut dröhnend und drückte mich so fest an sich, dass ich röchelte. So lange, bis Mama sagte: «Ich glaube, du kannst sie langsam loslassen.»

Das war ein Glaube, dem ich mich anschließen konnte.

Papa ließ tatsächlich los. Noch bevor ich meinen Brustkorb auf Quetschungen untersuchen konnte, umarmte mich Mama und weinte sogar ein paar Tränen der Erleichterung: «Mein Schnuffel ... mein armes Schnuffel ...»

Beinahe hätte ich sogar mitgeflennt, aber da fiel mir ein, was ich beim Sturz begriffen hatte: Meine Tage als Heulsuse mussten endlich vorbei sein! Ich löste die Umarmung und schob Mama etwas von mir weg, was sie irritierte. Ich sah sie mir an, und mir fiel wieder der Streit ein, den wir vorhin hatten. Es tat immer noch weh, dass sie am liebsten eine andere Tochter haben wollte. Dank des Sturzes war mein Hirn durchgelüftet, und mir wurde nun klar, wie es uns beiden besser gehen könnte, wie genau ich mein Leben endlich in die Hand nehmen sollte: Ich musste weg von ihr. Weit weg. Von allem. Die Welt entdecken. Wie Cheyenne.

«Wo ist eigentlich Baba Yaga?», unterbrach Max meine Gedanken.

«Die hat einen Verschwindibus-Zauber gemacht», antwortete ich und berichtete rasch von unserer Begegnung.

«Was machte die Hexe hier, wenn sie nicht gewusst hatte, dass wir im Hotel waren?», fragte Mama und trocknete sich dabei die Tränen mit dem Ärmel.

«Ihr schwinden sicher die magischen Kräfte», kombinierte Max. «Sie kann sich jeweils nur ein paar hundert Kilometer weit in Richtung Transsilvanien zaubern.»

«Dann müssten wir nur wissen, wo sie sich jetzt hingezaubert hat», meinte Mama, «und ihr da auflauern.»

«Leider hat Baba Schlumpf mir nicht gesagt, wo sie hinspringen wollte», erklärte ich zerknirscht.

«Wenn wir ihr Zimmer finden, entdecken wir vielleicht einen Hinweis», schlug Max vor und rannte mit der Schnauze auf dem Boden durch den Hotelgang. Dabei rief er: «Ihr Geruch wird immer intensiver!»

Während ich ihm mit den anderen, so schnell es ging, hinterherrannte, war ich froh, kein Werwolf zu sein. Die Hexe stank ja schon für eine normale Nase schlimmer als eine Jungenumkleidekabine.

Plötzlich jubelte Max: «Hier, dieses Zimmer ist es!»

Wir rannten hinein, und ich stellte enttäuscht fest: «Keine Klamotten, rein gar nichts.»

«Hexen reisen anscheinend leicht», ergänzte Mama.

«Da liegt ein Prospekt», sagte Jacqueline und zeigte auf einen Flyer, der auf dem Bett lag. Mama schnappte sich ihn: «Der ist von ‹Madame Tussauds›. In Wien? Gibt es da auch ein Wachsfigurenkabinett?»

«So wie bei uns in Berlin», erklärte Max, «das ist mittlerweile ein Franchiseunternehmen.»

«Was für ein Scheißunternehmen?», fragte Jacqueline.

«Franchise, das ist …»

«… jetzt so was von egal», unterbrach ich und fragte: «Warum sollte die Hexe ausgerechnet da hinwollen? Macht die in ihren letzten Stunden einen auf Pauschaltourist?»

«Wenn man der jüdischen Kabbala glauben darf», war Max wieder in Kombinationsmodus, «gibt es auf dieser Welt Orte, an denen die Magie besonders stark wirkt und magische Kraftlinien sich zu Knotenpunkten kreuzen …»

«Und das sind dann auch Verkehrsknotenpunkte für Wesen, die magisch reisen?», unterbrach Mama.

«Klingt total behämmert», fand Jacqueline, und ich war da ausnahmsweise mal ihrer Meinung.

«Die Kabbalisten, die einst den Golem erschaffen hatten, glaubten an diese Knotenpunkte», bekräftigte Max.

«Der Golem ist eine erfundene Figur aus der Sagenwelt», widersprach Mama.

«Das haben wir von Dracula und Baba Yaga auch gedacht.»

«Touché», nickte Mama.

«Madame Tussauds Wachsfigurenkabinett ist also so ein magischer Knotenpunkt?», fragte ich zweifelnd.

«Wie wohl auch dieses Hotel», antwortete Max.

«Aber wir können nicht magisch reisen», gab Mama zu

bedenken. «Wir haben nur den VW-Bus. Bis wir in Wien sind, brauchen wir ein paar Stunden. Bis dahin ist Baba Yaga schon wieder über alle Karpaten-Berge.»

«Das glaub ich nicht», erwiderte ich hoffnungsvoll. «Die Alte war total fertig, die hatte wirklich ihre letzte Kraft zusammengerafft, um sich wegzuzaubern. Vielleicht ist sie so alle, dass sie sich in Wien ausruhen muss und wir sie einholen können.»

Mama überlegte kurz, dann sagte sie entschlossen: «Wir fahren sofort los! Und dort bringen wir die Hexe dazu, uns zurückzuverwandeln und uns wieder nach Berlin zu zaubern.»

Oder ganz woandershin, schoss es mir durch den Kopf. Und plötzlich war mir alles glasklar: Wenn wir die Hexe erwischen sollten, dann würde ich sie nicht nur dazu zwingen, mich zurückzuverwandeln. Dann würde ich sie auch dazu bringen, mich weit weg zu zaubern, an einen Ort, an dem ich mein Glück finden konnte.

EMMA

Wir fuhren die Nacht durch auf der Autobahn nach Wien, ich saß neben Cheyenne auf dem Beifahrersitz, und jedes Mal, wenn sie auch nur ansatzweise den Fuß vom Vollgas nahm, zwang ich sie, ihn wieder durchzudrücken. Hinten im VW-Bus schnarchte Frank auf dem Boden, Jacqueline spielte mit ihrem iPhone und würdigte Max keines Blickes. Fee hingegen wirkte aufgekratzt, wie ausgewechselt. War es das Adrenalin, das ihr beim Sturz durch die Adern geschossen war, oder verlieh die Aussicht, dass sie mit etwas Glück bald keine Mumie mehr sein würde, ihr solchen Auftrieb? Fragen mochte ich sie nicht, ich spürte, dass sie mir unseren Streit noch nicht richtig verziehen hatte, und ich schämte mich, dass ich sie so hart angegangen war.

Ich sah von Fee wieder zu Cheyenne: Die hatte nie Kinder

gehabt, mit denen sie sich hatte herumstreiten müssen. Dafür hatte sie aber auch nie das Glück empfunden, das man mit ihnen haben kann.

«Hast du es eigentlich nie bereut, keine Kinder bekommen zu haben?», fragte ich sie.

Cheyenne stutzte kurz, dann antwortete sie: «Na ja, ich hab mal gelesen, dass Menschen mit Kindern länger leben.»

«Wirklich?», fragte ich.

«Ja, aber sie werden auch schneller alt.»

Ich musste lachen, und sie lachte mit. Dennoch spürte ich genau, dass sie damit nur ihre eigene Wehmut überspielen wollte.

«Wolltest du nie welche?», fragte ich nach.

«Nur mit einem einzigen Mann. Aber es hat sich nicht ergeben», erzählte sie, darum bemüht, so neutral wie möglich zu klingen.

«Doch nicht etwa mit Dracula?», fragte ich erschrocken.

Cheyenne schüttelte vehement den Kopf, aber sie verriet auch nicht, wer der Mann sonst gewesen sein sollte, wenn nicht der Fürst der Verdammten. Wir schwiegen eine Weile, und dann erklärte sie: «Ich wünschte, ich wäre du.»

Das verblüffte mich: «Weil ich so eine Familie habe?»

Cheyenne lachte laut los: «Wegen der …? Du darfst eine alte Frau mit Inkontinenzproblemen nicht so zum Lachen bringen!»

«Weswegen denn dann?», fragte ich verwirrt.

«Du bist ein Vampir. Du hast ein unsterbliches Leben …» Sie wirkte nun sehr melancholisch. Kein Wunder, war sie doch so alt, dass sie nicht mehr allzu viel an Leben vor sich hatte. Würde ich mich im Alter vielleicht selbst verfluchen, dass ich Draculas Angebot der ewigen Jugend ausgeschlagen hatte? Wenn ich mit Blasenschwäche, Rheuma und Warzen auf dem Stuhl bei meinem Krankenkassensachbearbeiter saß und mich mit ihm über die Finanzierung meiner dritten Zähne stritt?

159

«Und du kannst Sex mit Dracula haben.» Ihre Augen leuchteten bei der Erinnerung an ihren eigenen, den sie einst mit ihm gehabt hatte.

«Ist er wirklich so gut?», fragte ich und bereute im nächsten Augenblick, dass ich so neugierig war. Solche Fragen sollte man nicht stellen, wenn man die Schlüssel zum Herzen seiner Familie suchte.

«Bevor ich Vlad kannte», antwortete Cheyenne, «hatte ich noch nicht mal von dem Begriff ‹multiple› gehört.»

Auch ich kannte das Wort nur aus Frauenzeitschriften. Ich konnte nicht anders: Für eine Sekunde stellte ich mir vor, wie ich mit Dracula schlafen würde. Wenn eine simple Handbewegung von ihm mich schon so elektrisieren konnte, was würde dann erst passieren, wenn wir beieinanderlagen? In meinen Gedanken erschien eine Filmmontage aus Vulkanausbrüchen, Silvesterfeuerwerken und Zitteraalen.

«Und sein Dingeling ist enorm», redete Cheyenne weiter, «wie eine Unterwasserkreatur.»

«Unterwasserkreatur?»

«Eine aus einem Jules-Verne-Roman.»

«Brr», war meine erste Reaktion auf diese Metapher.

«Nein, nicht ‹brr›», grinste sie, «sondern jippie!»

«Jippie?», fragte ich.

«Oder yappadappaduh.»

«Dann lieber jippie.»

«Das hat Dracula auch gesagt.»

Damit ich den nackten Dracula und seine Unterwasserkreatur aus meinem gedanklichen Bett vertreiben konnte, blickte ich über meine Schulter zu Frank. Der schnarchte vor sich hin und war leider kein verführerischer Anblick. In seiner jetzigen Gestalt waren seine Berührungen grob, und auch in seinem ursprünglichen Format hatte er mich mit seinen Händen nie so berührt wie der Fürst der Verdammten.

Mein Gott, ich besaß einzig und allein den Schlüssel zu Franks Herz, und ein Teil von mir wollte den auch noch wegschleudern wegen Dracula? Das durfte nicht sein! Ich musste mich zusammenreißen. Dann würde ich gewiss stolz sein, wenn ich als altes klappriges Weib dem Sachbearbeiter der Krankenkasse erklärte, dass ich auf Unsterblichkeit und alles «multiple» verzichtet hatte für meine Ehe. Und es würde mir gewiss auch nichts ausmachen, wenn der Sachbearbeiter mir dann den Vogel zeigen würde.

Ja klar, gewiss. So gewiss, wie ich die Schlüssel zu den Herzen meiner Kinder finden würde. Und so gewiss, wie wir die Hexe besiegen würden ... und so gewiss sich die Sonne um die Erde drehte.

Ich seufzte.

Cheyenne seufzte mit mir.

Und so fuhren wir im Seufzduett nach Wien hinein.

«Madame Tussauds» befand sich auf dem Pratergelände gleich in der Nähe des Riesenrades, dessen Gondeln in der Morgenluft hin- und herschwangen. Im Gegensatz zum Riesenrad hatte das Wachsfigurenkabinett noch geschlossen. Vor dem Gebäude patrouillierte lediglich ein massiger Wachmann. Er trug schwarze Uniform, Glatze, Ziegenbart und einen Schlagstock, kurzum, er war ein Kerl der Sorte «Es gibt kein Problem auf der Welt, das man nicht mit Gewalt lösen könnte».

Als wir auf ihn zugingen, rief er auch gleich aggressiv: «Ey, was wollt ihr Freaks hier? Verzieht euch!»

«Wir sind die Freaks?», fragte Fee. «Wer von uns trägt denn einen Ziegenbart?»

Der Wachmann griff darauf instinktiv zu seinem Schlagstock, doch bevor er uns gefährlich werden konnte, blickte ihm Fee schon tief in die Augen: «Ich wünsche mir, dass du uns in das Wachsfigurenkabinett hineinlässt.»

Voller Freude griff der Mann zu seinem Schlüssel, sagte «Aber klaro!» und öffnete die schwere Eingangstür. Solche Hypnosekräfte, so dachte ich mir dabei, mussten im alltäglichen Leben wirklich ungeheuer praktisch sein: Bei der Kundenbetreuung, in der Polizeikontrolle, vor allen Dingen aber in der Kindererziehung.

«Und jetzt wünsche ich mir», bat Fee nun den Wachmann, «dass du den Rest deines Lebens der Rettung von Robbenbabys widmest.»

Der Mann nickte eifrig, eilte davon, und ich stellte mir vor, wie er in Zukunft in der Arktis Robbenkeuler keulte.

Wir gingen hinein. Dort stand das übliche Sortiment an Wachsfiguren: Madonna, Michael Jackson, George Bush, der Dümmere ... Aber auch berühmte Österreicher: Sigmund Freud, Niki Lauda, Arnold Schwarzenegger im Terminator-Kostüm und Adolf Hitler.

Wir kamen an Brad Pitt und Angelina Jolie vorbei. Ich betrachtete mir diese toughe Frau: Wie schaffte die Jolie das alles bloß? Die hatte gefühlte siebzehn Kinder, noch mehr Häuser, drehte Filme im Dutzend und fand dennoch laut Regenbogenpresse die Zeit, auf dem Weltwirtschaftsgipfel in Davos ihren Mann mit Bill Clinton im Bett zu betrügen. Selbst wenn ich ihre Nannys und Assistenten hätte, wäre ich spätestens nach einer Woche eines solchen Lebens völlig erledigt gewesen und vermutlich auf Bill Clinton eingeschlafen.

«Keine Spur von unserer Zahnlosfee», stellte Fee fest.

«Vielleicht hast du dich geirrt mit den magischen Knotenpunkten, Max», mutmaßte ich.

«Nein, ich bin mir ziemlich sicher, dass Baba Yaga hier ist», erwiderte er, und seine Stimme zitterte dabei.

«Wie kommst du darauf?», wollte ich wissen.

«Nun, Michael Jackson bewegt sich.»

Ich drehte mich um, und tatsächlich: Die Wachsfigur Michael Jackson stapfte auf uns zu.

«Okay … das könnte ein Argument sein», schluckte ich.

Aber nicht nur Michael Jackson machte sich auf den Weg, sondern auch Sigmund Freud, Arnold Schwarzenegger, Angelina Jolie und Mozart. Oder halt, es handelte sich doch nicht um Mozart, es war Falco in Mozartklamotten.

Die Wachsfiguren bewegten sich bei ihrem unheimlichen Gang ähnlich eckig wie Michael Jackson in seinem «Thriller»-Video, wirkten dabei nur etwas schlechter choreographiert. Sie waren nicht sonderlich schnell, aber sie versperrten uns den Weg zum Ausgang, und sie sahen nicht so aus, als ob sie uns hier je wieder rauslassen wollten.

«Au Mann», stöhnte Fee, «war ja klar, dass wir auch noch Zombies begegnen.»

«Zombies gegen Monster», sagte Jacqueline und versuchte, sich dabei keine Furcht anmerken zu lassen, «das wäre ein cooler Filmtitel.»

Die Wachsfiguren wollten uns attackieren, und ihr hirnloser Gesichtsausdruck machte mir Angst: Sicher würden diese Geschöpfe keine Bedenken haben, uns zu töten, weil sie ja gar nicht denken konnten.

Gott sei Dank hatten wir Frank dabei. Entschlossen ging er auf Sigmund Freud zu, rief «Ufta» und schlug ihm mit einem Schlag den Wachskopf ab. Der Kopf flog durch das halbe Kabinett, und Max jubelte laut: «Analysiere das, Sigmund!»

Doch leider ging Sigmund ohne Kopf mit ausgestreckten Armen einfach weiter.

«Schmeipfe», fluchte Frank.

«Totale Schmeipfe», bestätigte Fee, auf die Terminator Schwarzenegger zuwankte. Jede der Wachsfiguren nahm sich einen von uns vor. Ich selber wurde von Angelina Jolie angegangen. Bevor ich überhaupt reagieren konnte, schlug die Jolie mir mit der Faust ins Gesicht, und ich taumelte nach hinten. Der Schlag war so brutal, mein normaler Körper wäre jetzt sicherlich schon krankenhausreif gewesen. Mein Kopf dröhnte, und Angelina setzte zu weiteren Prügeln an. Panisch blickte ich mich um, sah eine Figur von Prince Charles in Gala-Uniform, die nicht zum Leben erwacht war, rannte zu ihr und klaute ihr den Säbel. Angelina wankte im Zombiestil hinter mir her. Ich aber nahm den Säbel, lief auf sie zu und schrie: «Nimm dies, du Over-Achieverin!»

Dann rammte ich ihr das Ding in den Bauch. Doch meine Hoffnung, sie unschädlich zu machen, währte nur kurz: Die Klinge ging durch das Wachs hindurch wie … nun ja, eben wie durch Wachs. Nicht nur, dass der Stich die Jolie nicht stoppte, er machte ihr auch rein gar nichts aus.

«Oh nein», stammelte ich.

«Dem ‹Oh nein› kann ich mich nur anschließen», schnaufte Cheyenne, die von Falco-Amadeus in Richtung Wand gedrängt wurde. In wenigen Sekunden würde dieser Amadeus sie rocken.

«Ich weiß schon, warum ich Museen scheiße finde», motzte Jacqueline, die es mit Michael Jackson zu tun bekam. Er wollte sie niederschlagen, aber das Mädchen wich blitzschnell aus, bewies tollen Kampfgeist und trat dem King of Pop voll zwischen die Beine. Aber der Tritt zeigte keinerlei Wirkung, es kam nicht mal Michael Jacksons berühmtes, kieksendes «Ihi!».

«Ich hasse Typen ohne Eier», erklärte Jacqueline, dann sah sie zu Max, der als Einziger von den Zombie-Wachsfiguren in Frieden gelassen wurde, entweder weil sie nur auf Menschen losgingen oder weil von ihm keine Bedrohung ausging: Er hockte völlig verängstigt in der Mitte des Treibens.

«Und wo wir schon bei Typen ohne Eier sind», rief Jacqueline ihm zu, «etwas Hilfe wäre super, Klugscheißer!»

Aber anstatt ihr zu helfen, rannte Max hinaus. Panisch. Ängstlich. Winselnd.

Als Mutter ist man zwar nicht gerade sonderlich stolz, wenn der eigene Sohn ein feiger Hund bzw. Werwolf ist, dafür aber schwer erleichtert: Wenigstens er würde überleben. Vermutlich würde er ohne uns in ein Tierheim kommen, aber das war ein besseres Schicksal als der Tod bei Madame Tussauds. Ich selbst konnte Jacqueline auch nicht helfen, kam doch Angelina Jolie immer näher, indem sie ihren makellosen Wachskörper Zentimeter für Zentimeter durch die Klinge auf mich zuschob. Frank versuchte indessen, Sigmund Freud zu fangen, der wie ein kopfloses Huhn umherlief, Cheyenne wurde von Falco brutal gewürgt und Fee von dem Terminator-Schwarzenegger zu Boden geworfen. Sie rappelte sich hastig wieder auf, aber er stieß sie wieder um, sodass sie sich nicht mehr traute hochzukommen und rücklings von ihm wegrobbte. Ängstlich rief sie dabei: «Wäre toll, wenn jemand eine Idee hätte, sonst heißt es für mich gleich ‹Hasta la vista, Baby›.»

Aber mir kam keine Idee. Es war ganz klar: «Zombies gegen Monster» war eine sehr einseitige Angelegenheit. Diese magischen Biester waren einfach unbesiegbar. Wir hatten absolut keine Chance, hier lebend rauszukommen.

MAX

Draußen angekommen, machte ich erst mal am nächsten Laternenpfahl Pipi. Dabei grämte ich mich fast zu Tode: Ich war kein Held, ich war ein Wesen ohne jegliche Courage, Jacquelines Liebe einfach nicht würdig.

Auweia, was prozessierten da nur meine Gedanken? Ich wollte von Jacqueline geliebt werden? Von einem Mädchen, das mich verachtete und mich in Toiletten getunkt hatte? Ich wollte gar nicht wissen, wie ein Psychiater wie Sigmund Freud dies analysiert hätte.

Das war aber auch einerlei: Ich würde nie eine Chance bei ihr haben, selbst für den unwahrscheinlichen Fall, dass sie das Gemetzel überleben würde, Jacqueline hielt mich zu Recht für einen feigen Klugscheißer.

Moment mal! Bei diesem Begriff kam mir ein Gedanke: Mut war zwar nicht meine Expertise, aber in Sachen Intelligenz hatte ich einiges zu bieten. Und wer sagt denn, dass ein Held nur mit physischer Gewalt zuschlagen kann, es gibt doch auch noch die Kraft des Geistes!

Ich überlegte fieberhaft: Wie konnte man den Zombies beikommen, was konnte den Grundbaustein ihres Lebens vernichten: das Wachs? Binnen Sekunden kam ich zu einer ganz simplen Konklusion.

Ich eilte zum VW-Bus, nahm Jacquelines Billigdeodorant in meine Schnauze und rannte so schnell, wie es nur ging, in das Wachsfigurenkabinett. Bei dem Anblick des dortigen Pandämoniums oder, besser gesagt, Panzombions durchfuhr wieder der Terror meine Glieder. Für einen Moment war ich wie paralysiert. Doch dann sah ich in Jacquelines Gesicht. Sie hatte Angst. Todesangst. Meine große Liebe – ja, es gab gar kein Leugnen mehr, ich war in Jacqueline verliebt – wurde gerade von Michael Jackson umgebracht. Das durfte ich nicht zulassen. Meine Sorge um sie war größer als meine Angst. Ich rannte zu ihr, ließ die Dose vor ihr fallen und rief: «Hier!»

Jacqueline ächzte: «Deo? Bist du total bescheuert? Willst du mir etwa damit sagen, dass ich beim Kämpfen müffele …?»

«Nimm dein Feuerzeug!», rief ich.

In diesem Augenblick verstand sie es. Wenn es darum ging, jemandem Gewalt anzutun, konnte ihr Hirn extrem schnell die Fakten verarbeiten.

Um Zeit für sie zu gewinnen, biss ich in das Wachsbein von

Jackson. Es war zwar so, als ob man eine Adventskerze anknabberte, aber es half: Die Figur ließ von Jacqueline ab und versuchte, mich abzuschütteln. Jacqueline nahm hastig die Dose, kramte das Feuerzeug aus ihrer Jackentasche und stellte sich vor die Wachsfigur. Dann sprühte sie Deo in die Luft, zündete direkt in den Sprühstrahl hinein das Feuerzeug, und eine heftige Stichflamme entstand. Mit dieser flambierte sie Jacksons Gesicht. Es zerlief völlig. Die Wachsfigur wich zurück, fing komplett Feuer, taumelte als lebende Fackel durch den Saal und brach schließlich zusammen.

«Geil!», rief Jacqueline aus und knöpfte sich mit dem improvisierten Flammenwerfer die anderen Figuren vor: Eine nach der anderen steckte sie in Brand, bis wir alle gerettet waren und es im ganzen Raum nach verbranntem Wachs und Deo roch. Schließlich stand sie schnaufend inmitten der geschmolzenen Figuren und sagte zu mir: «Du bist anscheinend doch nicht so feige!»

Das aus ihrem Munde zu hören euphorisierte mich. Vielleicht hatte ich auf meine ganz eigene Art doch das Zeug zum Helden.

«Und blöd bist du auch nicht», ergänzte Jacqueline lächelnd.

Es war so großartig, dass sie das sagte. Noch großartiger war, wie sie mich anlächelte. Es wäre wirklich wunderbar, so dachte ich, wenn wir beide trotz unseres großen Altersunterschieds von über zweieinhalb Jahren und der Tatsache, dass ich momentan ein Werwolf war, irgendwann ein Paar würden. Denn dies wollte ich jetzt definitiv!

EMMA

Max und Jacqueline hatten uns gerettet, sie waren ein ziemlich gutes Team. Und so, wie Jacqueline meinen Sohn ansah, konnten die beiden vielleicht noch mehr werden als ein Team. Sie war sichtlich beeindruckt von seinem Handeln.

Jetzt mussten wir nur noch die Hexe finden. Doch bevor wir uns auf die Suche machen konnten, stöhnte Fee mit einem Male: «Au Fuck!»

«Au Fuck, was?», fragte ich.

«Au Fuck, Adolf Hitler!»

Wir drehten uns um und sahen, wie Adolf Hitlers Wachsfigur auf uns zuwankte.

«Au Fuck!», fluchte ich.

«Meine Rede!»

Es war also noch nicht vorbei. Und es war nicht nur noch nicht vorbei, es ging erst richtig los! Denn hinter Adolf setzten sich alle restlichen Figuren aus dem Museum in Bewegung: Von Prince Charles bis zu Spiderman, von den Rolling Stones bis zu Franz Beckenbauer, von Muhammad Ali bis zum Dalai Lama, es war ein regelrechter Volkssturm der Wachszombies.

«Schmeipf Fmitler!», schimpfte Frank.

Er wollte los und Hitler den Kopf abhauen. Sosehr ich dies auch verstehen konnte, hielt ich ihn am Arm zurück, gegen hundert Wachsfiguren-Zombies hatte auch er keine Chance.

«Wie viel ist noch in dem Deo?», fragte ich Jacqueline.

«Ich hab fast alles verballert.»

«Das hab ich befürchtet.»

Ich hätte zwar gerne Hitler mit dem restlichen Deo flambiert, aber mir schien eine andere Idee viel besser zu sein: «Wer ist auch noch für fliehen?»

Das Abstimmungsergebnis war eindeutig.

Ich bat Frank, Cheyenne, die langsam wieder das Bewusstsein erlangte, zu tragen, und wir alle rannten in Richtung Ausgang. Die Zombies folgten uns, und wir hörten hinter uns mit einem Male Baba Yaga schreien: «Ihr mir nicht entkommen!»

Als wir aus dem Kabinett stürmten, erschreckten wir zuerst

die wenigen vormittäglichen Prater-Touristen, und sie flohen panisch in alle Himmelsrichtungen, als auch noch die Wachszombies hinter uns herwankten.

«Wir müssen irgendwohin, wo die Biester uns nicht erwischen können», rief ich.

«Hast du es vielleicht einen Hauch konkreter?», keuchte Max.

Ich blickte mich um, sah das Riesenrad und erklärte: «In die Riesenradgondel! Wenn wir erst mal in der Luft sind, kommen sie nicht hinterher.»

Wir rannten zum Riesenrad. Dort angekommen, bat ich Fee, den dicken Riesenradbetreiber, der gerade fliehen wollte, zu hypnotisieren. Sie sah ihm in die Augen und wünschte sich, wie von mir vorgeschlagen, dass er unsere Gondel so schnell wie möglich hochfahren lassen sollte. Dann sprangen wir in die Kabine hinein, fuhren kurz darauf rasant in die Höhe und waren vorerst in Sicherheit vor der Horde.

Von oben konnte man erkennen, wie Baba Yaga ebenfalls aus dem Kabinett herauskam und ihren verzauberten Geschöpfen folgte. Wie Fee uns schon im Hotel geschildert hatte, wirkte die Hexe ziemlich krank und geschwächt. Sie hatte ja auch nur noch eineinhalb Tage zu leben. Aber leider war sie nicht geschwächt genug, um aufzugeben. Sie hob ihr leuchtendes Amulett, brabbelte etwas, und die Wachsfiguren brachen darauf die Verfolgung ab. Stattdessen wankten sie aufeinander zu.

«Was soll denn das werden?», fragte Fee unsicher, während sie ihre bandagierte Nase ans Fenster der Gondel drückte. «Machen die jetzt einen Squaredance?»

Die Figur von Adolf Hitler berührte die vom Dalai Lama, und bei der Berührung verschmolzen die beiden zu einem Wachsklumpen. Dann berührte Franz Beckenbauer diesen Klumpen und schmolz ebenfalls mit ihm zusammen. So folgte eine Figur der nächsten, bis eine riesige meterhohe Wachskugel vor Baba

Yaga lag. Unter ihren Beschwörungen wuchs die Kugel immer mehr in die Höhe, und dann, als sie in etwa so groß war wie das Riesenrad, begann das Wachs, sich zu einem neuen Geschöpf zu formen, zu einem echsenähnlichen Monster, zu …

«Gofpzmilla», schluckte Frank.

Das Echsenmonster ging langsam auf das Riesenrad zu. Wie war die Hexe nur auf Godzilla gekommen? Der passte doch eher nach Tokio, nicht nach Wien. Andererseits, ein Palatschinken-Monster wäre wohl nicht so furchteinflößend gewesen.

«Die Alte geht mir langsam auf den Geist», stöhnte Fee.

«Nie ist Ghidorah da, wenn man ihn mal braucht», sagte Max völlig verängstigt.

«Wer soll das denn sein?», fragte Jacqueline.

«Ein dreiköpfiges Monster, das Godzilla einheizt.»

«Was für einen Scheiß du alles kennst», sagte sie beeindruckt, «Godzillas Feinde, diese Kabbel-Kram mit den magischen Knotenpunkten …»

«Kabbala», korrigierte Max.

«Fällt das jetzt nicht in die Kategorie ‹völlig egal›?», fragte Fee.

«Da hat sie allerdings recht», meinte Cheyenne, die zwar noch in Franks Armen lag, aber wieder bei vollem Bewusstsein war, «dieses Monster sieht aus, als ob es gleich aus dem Riesenrad für sich einen Hula-Hopp-Reifen bastelt.»

«Also, mir gefielen die Zombies besser», stellte Max fest und verpieselte sich unter eine Sitzbank. Dass er wieder Angst hatte, irritierte Jacqueline etwas.

Godzilla kam nicht direkt auf uns zu, sondern zeigte erst mal, was er so draufhatte, indem er laut dröhnend einen breiten Hitzestrahl aus seinem Mund abfeuerte und eine Losbude einäscherte.

«Au Mann», stöhnte Fee verängstigt auf, «ich möchte nicht wissen, was der gegessen hat, wenn er so fies aufstößt.»

Unsere Gondel war schon fast an der Spitze des Riesenrades, und man konnte Godzilla direkt in die gelben Echsenaugen sehen, jedes fast so groß wie unsere Gondel. Gleich würde unser letztes Stündlein geschlagen haben. Ich blickte runter zu Baba Yaga, die komplett irre lachte. Frank folgte meinem Blick, sah die Hexe und sagte leise: «Barpfgeige.»

Ich nickte, dann beugte ich mich unter die Bank zu Max und fragte: «Hast du noch eine so gute Idee wie eben mit dem Deo? Falls ja, wäre dies ein echt günstiger Zeitpunkt, sie zu erzählen.»

Aber Max war nur starr vor Furcht, konnte keinen klaren Gedanken mehr fassen. Ich wandte mich an Fee: «Hypnotisier ihm die Angst weg.»

«Das wirkt nicht bei Monstern. Es klappte weder bei Baba Yaga noch bei dir», erwiderte sie.

In diesem Augenblick vernichtete Godzilla das Kassenhäuschen des Riesenrades mit seinem ohrenbetäubenden Feuerstrahl.

«Versuch's einfach!», schrie ich panisch.

Fee beugte sich hastig ebenfalls runter zu dem wimmernden Max und bat: «Ich wünsche mir, dass du deine Angst verlierst und einen Plan austüftelst, wie wir Godzilla besiegen.»

Tatsächlich hörte Max auf zu winseln, Fees Hypnose wirkte doch, also lagen ihre Fehlschläge bei Baba Yaga und mir nicht daran, dass Monster dagegen immun waren, sondern sie hatten eine andere Ursache. Aber darüber nachzudenken, welche das wohl sein mochte, dafür hatten wir natürlich keine Zeit.

Max kam unter dem Sitz hervor, überlegte kurz und sagte dann: «Papa muss die Gondelscheibe zerstören!»

«Warum das denn?», fragte Fee. «Damit wir den schlechten Atem von Godzilla besser riechen können?»

«Macht einfach!»

Frank sah mich unsicher an, ich hatte zwar keine Ahnung, was Max vorhatte, aber ich bat meinen Mann: «Tu, was er sagt.»

Frank setzte Cheyenne auf dem Boden ab, ging los, nahm seine mächtigen Fäuste und zertrümmerte mit einem Hieb die Scheiben. Das Glas klirrte, die Scherben fielen dreißig Meter in die Tiefe, und Godzilla war für einen Augenblick verwirrt.

«Jetzt hebst du Mama hoch …», erklärte Max seinem Vater.

«Was?», fragte ich erstaunt.

«… und wirfst sie aus dem Fenster.»

«WAS?», fragte ich noch lauter.

«Also, ich möchte Mama auch manchmal aus dem Fenster werfen», meinte Fee verunsichert, «aber mehr so metaphorisch.»

«Charmant», sagte ich süßsäuerlich zu ihr.

«Mamas Körper ist nach dem von Papa der stabilste», erklärte Max. «Sie kann einen Sturz ertragen, wenn sie weich fällt.»

«Und worauf soll ich weich fallen?» Ich verstand rein gar nichts mehr.

«Auf die Hexe! Wenn sie k. o. geht, wird der Zauber vergehen, Godzilla gestoppt, und wir sind gerettet.»

«Scheiße, das ist gar nicht so blöd, Fifi!», meinte Jacqueline.

In diesem Augenblick tippte Godzilla mit seiner mächtigen Echsenpfote schon mal leicht gegen das Riesenrad, und es begann, bedrohlich zu schwanken. Dabei knarzte und quietschte es höllisch.

«SCHNELL!», rief Max.

Ich zögerte, dreißig Meter runterzufliegen war sicherlich kein Spaß. Aber ich erinnerte mich an meinen Sturz vom Dach in Berlin, ich würde eine Chance haben zu überleben, vorausgesetzt, ich landete tatsächlich auf Baba Yaga.

Godzilla tippte noch mal, diesmal heftiger, und das Riesenrad schwankte noch mehr und knarzte noch lauter.

«Ich weiß nicht, worauf ihr noch wartet!», drängelte Fee.

«Kriegst du das hin, die Hexe zu treffen?», fragte ich Frank, und er nickte langsam.

«Gut, dann los!», forderte ich ihn auf.

Frank hob mich hoch und trug mich zum zerstörten Fenster, durch das der heiße Gestank strömte, den Godzillas Feuerstrahlen verbreitet hatten.

Baba Yaga stand mittlerweile circa zehn Meter neben den riesigen Füßen des Ungetüms, das jetzt das erste Mal mit seinen beiden Pfoten zustoßen wollte. Es war klar: Das Riesenrad würde dies nicht aushalten.

Frank gab mir noch einen Kuss auf die Wange, der angesichts des nahenden eventuellen Todes sicherlich romantisch gewesen wäre, doch seine Lippen waren hart wie zwei Stoßstangen.

Dann warf er mich mit voller Wucht aus der Gondel. Ich sauste durch die Luft wie ein Artist, der aus einer Zirkuskanone geschossen wurde. Direkt vorbei an Godzillas Echsenkopf. Das Monster drehte sich irritiert um und ließ einen seiner ohrenbetäubenden Feuerstrahlen los. Der verpasste mich nur haarscharf und verbrutzelte einen «Hau den Lukas»-Stand.

Mein Flug aber zielte genau auf Baba Yaga. Als die mich entdeckte, war es schon zu spät, um zur Seite zu springen.

«Mist von Bock!», rief sie aus.

Ich rief noch: «Das heißt Bockmist, du Legasthenikerin ...», dann knallte ich auf sie drauf. Es war unfassbar schmerzhaft, für die Hexe wohl noch mehr als für mich. Sie ging k. o., und schon im nächsten Augenblick regneten neben uns leblose Wachsfiguren nieder. Der Zauber war tatsächlich aufgehoben, und Godzilla löste sich, wie Max vorhergesagt hatte, in seine ursprünglichen Bestandteile auf. Ein schlaues Kerlchen hatte ich da in die Welt gesetzt.

Aber auch dieser Figurenregen war noch gefährlich, schlug doch Helmut Kohl knapp neben mir ein. Erst als der Niederschlag endlich vorbei war, atmete ich auf. Nicht nur hatten wir die Gefahr gemeistert und Baba Yaga tatsächlich gefangen, wir hatten das Ganze auch gemeinsam als Wünschmanns geschafft, mit echtem Teamwork: Fee hatte Max hypnotisiert, der hatte die Idee mit dem Wurf gehabt, Frank hatte mich aus der Gondel katapultiert und ich die Hexe niedergeschlagen. Dieser Sieg war ein Sieg der ganzen Monster-Familie!

Als Baba Yaga auf dem Kopfsteinpflaster vor dem Riesenrad aufwachte, standen wir Monster alle um sie herum. Außer Frank, der drückte sie mit seinen gewaltigen Händen an den Schultern fest auf den Boden, sodass sie nicht fliehen konnte. Gegen uns Monsterfamilie hatte niemand eine Chance!

Hektisch blickte sich die Hexe nach etwas um, und ich fragte triumphierend: «Suchst du das hier?»

Dabei wedelte ich mit ihrem Amulett, das sie – so meine Vermutung – für ihre Zaubersprüche brauchte. Baba Yagas Augen funkelten böse. Anscheinend lag ich mit meiner Vermutung richtig.

«Du mir das geben!», rief sie wütend.

«So seh ich aus.»

Die Hexe versuchte, sich von Frank loszureißen, aber ohne das magische Amulett hatte sie keine Chance gegen seine Kraft. Süffisant kommentierte ich das mit: «Ja, die Monster, die man rief, wird man so leicht nicht mehr los.»

Mit einem Male wurde ihr Gesichtsausdruck weicher, fast freundlich, und sie säuselte: «Ich nicht sein dein Feind. Ich sein dein Freund.»

«Klar, du hast meine Familie verhext und wolltest uns töten, das macht man so unter Freunden.»

«Wir haben gemeinsamen Feind», redete sie unbeirrt weiter.

«Aha», erwiderte ich, «und wer soll das sein?»

«Dracula!»

Ich stutzte für einen Augenblick. Bisher hatte ich Dracula als zarteste Versuchung, seit es Männer gibt, gesehen, aber bestimmt nicht als Feind. Er hatte mich doch sogar mit der roten Pille davor bewahrt, Amok zu saugen.

«Er mich haben aus gemeinsame Heimat Transsilvanien verbannt.»

«Wie funktioniert das denn?», fragte Max, der einigen Sicherheitsabstand zu ihr hielt. «Du bist doch eine mächtige Hexe.»

«Aber auch mächtige Hexe nicht kämpfen können gegen seine vampirische Leibgarde», erklärte sie bedrückt und fuhr dann fort: «Ich dich haben für Dracula erschaffen. Vampirin mit Seele war größter Wunsch von ihm. Als Gegenleistung er mich lassen in Heimat sterben.»

«Aber jetzt wirst du uns wieder zurückverwandeln, sonst zerstör ich dein Amulett!», erwiderte ich.

Die Hexe bekam es darauf richtig mit der Angst zu tun. Ohne Amulett keine Magie, ohne Magie keine Heimreise, ohne Heimreise ein Sterben in den Straßen von Wien. Das war vielleicht besser als ein Sterben in den Straßen von Bagdad, Kabul oder Wuppertal, aber nicht das, was sie begehrte.

«Lass Baba Yaga los», bat ich Frank.

Er tat dies, die Hexe rappelte sich auf und forderte: «Du mir für Verwandlung geben müssen Amulett.»

Ich wollte es ihr gerade überreichen, da rief Max: «Tu es nicht. Du kannst ihr nicht vertrauen!»

Dies ließ mich zögern, und das wiederum ließ Baba grinsen: «Wenn du mir nicht vertrauen, dann ihr bleiben Monster.»

Upps, Dilemma.

«Schwöre, dass du uns zurückverwandelst», forderte ich sie auf.

«Ich es schwören beim Leben meines Kindes», erklärte sie und klang dabei sehr aufrichtig.

Sie hatte ein Kind? Das war eine Überraschung. Ich mochte mir gar nicht ausmalen, was für ein Kind bei einer solchen Mutter herauskommen sollte. Jedenfalls keines, bei dem die Lehrer gerne zum Elternsprechtag gingen. Aber eins war auch klar: Keine Mutter auf der ganzen Welt, egal ob Hexe oder nicht, würde beim Leben ihres Kindes schwören und dies nicht ernst meinen.

«Also gut», sagte ich.

«Du fällen weise Entscheidung», fand Baba. Dabei lächelte sie richtig friedlich. Es ging anscheinend wirklich keine Gefahr mehr von ihr aus, selbst Max traute sich näher heran. Ich wollte ihr gerade das Amulett geben, da schnappte Fee es sich mit einem Male.

«Was soll das denn werden?», fragte ich.

«Ich hab noch eine Bitte.»

Sie ging zu Baba Yaga, flüsterte ihr etwas ins Ohr, und die alte Hexe sagte ganz lieb zu ihr: «Du bekommen neues Leben, das du dir wünschst.»

«Was für ein neues Leben?», fragte ich Fee irritiert.

«Eins, das für uns beide besser ist», lächelte sie, «eins, in dem wir beide uns nicht mehr streiten.»

Sollte das etwa bedeuten, dass sich meine Tochter mehr Harmonie zwischen uns wünschte? Wenn es dazu der Magie von Baba Yaga bedurfte, nun, warum nicht? Es war doch eigentlich egal, wie ich den Schlüssel zu Fees Herzen fand, Hauptsache, ich fand ihn.

Fee gab Baba Yaga das Amulett, und die begann zu brabbeln: «Envir nici, bar nici …»

Blitze erschienen am Himmel wie bei unserer Verwandlung in Berlin.

«Bar mort, bar nici mort …»

Die Augen der Hexe begannen mit jedem Satz, den sie sagte, immer intensiver smaragdgrün zu leuchten, während die Blitze sich am Himmel zu einer Feuerkugel zusammenfanden. Diesmal hatte ich ein ganz anderes Gefühl als in Berlin, statt Panik war ich voller Hoffnung: Gleich würde der Albtraum ein Ende haben, wir Wünschmanns würden wieder Menschen werden.

«Bargaci, veni, vidi …»

Cheyenne sagte ängstlich: «Und gerade wenn man denkt, man hat im Leben schon alles gesehen …»

«… gibt es immer noch etwas, bei dem man sich die Hose nass macht», ergänzte Jacqueline. Cheyenne packte instinktiv das Mädchen und rannte mit ihr davon, um sich hinter den Trümmern des Riesenrad-Kassenhäuschens in Sicherheit zu bringen.

Max hingegen sah hoffnungsvoll in den Himmel, er wollte anscheinend kein Werwolf mehr sein. Frank erwartete ebenfalls frohen Mutes die Blitze. Am glücklichsten aber sah Fee aus. Sie freute sich wirklich darauf, dass wir beide bald ein harmonisches Leben führen würden. Mindestens genauso sehr, wie ich mich danach sehnte.

«VICI!», schrie die Hexe, und aus ihren Augen schossen die smaragdgrünen Strahlen in Richtung Himmel auf die Feuerkugel.

Wir standen nebeneinander.

Ohne uns zu umarmen.

Oder auch nur zu berühren.

Wir warteten alle nur auf die Verwandlung.

Jeder von uns sehnsüchtig und ganz für sich alleine.

Dann entluden sich die Blitze auf uns Wünschmanns.

Als ich wieder aufwachte, war es unendlich heiß. Ich brannte am ganzen Körper. Lag das an dem Blitzeinschlag? Beim ersten Male war es nicht so gewesen, da hatte ich mich doch ganz anders gefühlt.

Ich öffnete die Augen und sah nach oben: Die Luft flirrte, unerbittlich brannte eine sengende Sonne herab. Ich merkte, dass ich im Sand lag, und neben mir lag der Rest der Wünschmanns. Unverwandelt. Max war immer noch ein Werwolf, Frank ein Ungetüm und Fee eine Mumie. Von Jacqueline und Cheyenne war nichts zu sehen. Ich rappelte mich auf, doch es fiel mir extrem schwer. Die Hitze der Sonne war unerträglich, versengte mich förmlich. Offenbar war ich noch immer ein Vampir. Panisch sah ich mich um, und durch die flirrende Luft erkannte ich in weiter Ferne ... Pyramiden.

Fee, die sich nun ebenfalls aufrappelte, sagte: «Ich glaub, die Alte hat uns verarscht.»

«Aber so was von», stammelte ich und hätte am liebsten losgeheult, weil der Schwur der Hexe nichts wert gewesen war.

Frank ließ ungläubig den ägyptischen Sand durch seine Finger rieseln. Er sah die Körner an wie eine Kuh einen Protonenbeschleuniger.

«Mir fehlen die Worte», stammelte Max.

«Mir sogar die Buchstaben», meinte Fee.

«Du meinst Bchstbn?»

«Ungfhr», antwortete Fee.

«Mir fhln die au.»

Ich blickte in die niedergeschlagenen Gesichter meiner Kinder. Ich sah zu Frank, der immer noch – ohne zu begreifen, was passiert war – den Sand durch seine Finger rieseln ließ, und mir wurde klar: Ich musste stark sein. Wer, wenn nicht ich? Ich hatte uns in diese Lage gebracht, ich hatte mich von der Hexe austricksen lassen, jetzt war es auch an mir, uns zu retten. Ich musste die kämpferische Mutter und Ehefrau werden, die ich im

Alltag nie gewesen war. Ich vergaß den brennenden Schmerz, den mir die sengende Wüstensonne verursachte. Ich wusste ja, sie konnte mich nur verletzen, nicht vernichten. Voller Inbrunst verkündete ich: «Habt keine Angst, ich werde euch aus dieser Wüste führen!»

«Und wie willst du das machen, Moses?», fragte Fee.

Auch Max schaute mich zweifelnd an, während Frank weiter Sand rieseln ließ. Ich hatte gehofft gehabt, dass sie auf meine Ankündigung etwas enthusiastischer reagierten. Andererseits, wie konnte ich erwarten, dass sie plötzlich Vertrauen in mich als starke Mutter und Ehefrau hatten. Und dann auch noch in so einer ausweglosen Situation?

«Ich werde uns retten», sagte ich, diesmal mit einer festen Stimme, deren Kraft mich selbst überraschte. Frank hörte daraufhin auf, mit dem Sand zu spielen. Alle sahen mich unsicher an, aber auch mit leichter Hoffnung.

«Wenn ihr mir vertraut», legte ich nach, «können wir alles erreichen. Wir sind Monster mit gewaltigen Kräften!»

Die Hoffnung wuchs.

«Also, was sagt ihr: Wollen wir aufgeben oder kämpfen?»

«Ufta!», antwortete Frank entschlossen.

«Alles besser als rumheulen», erklärte Fee.

«Oder sich in die Hose machen, die man gar nicht anhat», ergänzte Max tapfer.

Und so machten wir Wünschmanns uns auf den Weg durch die Wüste.

DRACULA

Das altehrwürdige Ägypten, dorthin also hatte es meine verehrteste Emma nun verschlagen, wie ich an den Aufnahmen erkennen konnte, die mir die Satelliten meines Konzerns auf die

Leinwand meines transsilvanischen Schlosses projizierten. Die hinterhältige Baba Yaga hatte nicht riskieren wollen, dass unser Handel nichtig gemacht wird: freies Geleit nach Transsilvanien, damit sie bei ihrem scheußlichen Kinde sterben könne, im Gegenzug eine Vampirin mit Seele.

Ich drückte auf die Sprechanlage und rief Renfield, meinen Diener, oder wie es in diesem Jahrhundert hieß, meinen persönlichen Assistenten. Renfields Name lautete selbstverständlich nicht wirklich Renfield. Aber ich nannte alle meine Diener so, denn sie kamen und gingen im Laufe der Jahrhunderte so schnell, da wäre es reine Zeitverschwendung gewesen, sich ihre richtigen Namen zu merken. Renfield war ein junger ehrgeiziger Mann in schwarzem Anzug und weißem Hemd, den ich noch nicht mit einem Biss zu einem Geschöpf der Verdammten verwandelt hatte. In meinen Konzernen arbeiteten in Spitzenpositionen – wie in allen Firmen dieses Erdballes – viele Nicht-Vampire ohne Seele.

Oh, wie ich die Menschen verachtete.

Eine Welt ohne sie musste wunderbar sein!

Geradezu ein Paradies!

«Ihr Lazarus-Bad ist vorbereitet», erklärte Renfield devot.

Dieses tägliche Bad war zwar überlebenswichtig für mich, aber ich winkte nur ab. Ich würde es gleich nehmen. Stattdessen sah ich auf den Bildschirm und starrte auf Emmas Familie. Ich hatte unterschätzt, wie stark die Blutsbande waren, hatte erwartet, dass Emma aufgrund meines nicht unbeträchtlichen Charmes sofort mit fliegenden Fahnen zu mir kommen würde. Aber sie hatte es nicht getan. Dies bedeutete: Wollte ich Emma erobern, musste ich handeln.

«Renfield», sagte ich zu meinem Diener, «wir müssen die Familie von Emma Wünschmann liquidieren.»

«Soll ich unsere Leute von der CIA schicken?», fragte er.

«Nein, mir ist an einer kompetenten Lösung gelegen.»

«Die tschetschenischen Milizen?»

«Nein, die sind nicht grausam genug.»

«Doch nicht die Leibgarde?», fragte er erschrocken. Selbst Menschen ohne Seele hatten immense Furcht vor meiner Vampir-Garde.

«Nein, auch diese nicht», erklärte ich. «Rede mit unserem Freund, dem Pharao Imhotep. Sage ihm, dass in seinem Heimatland Wesen angekommen sind. Und dass eines davon die Gestalt der Mumie seiner verstorbenen großen Liebe Anck-Su Namun angenommen hat, um auf diese Weise über deren Tod zu spotten.»

Renfield begann, am ganzen Körper zu erschaudern. Er wusste, zu welch schrecklicher Rache Imhotep in der Lage war.

«Er soll nur», gab ich meinen letzten Befehl, «das Vampirweib verschonen. Alle anderen möge er gerne in seinem bewährten Stile zu Tode quälen.»

EMMA

Heiß, heiß, heiß! Und was sich so darauf reimt. Ich hatte zwar die Welt sehen wollen, aber nicht zwingend die ägyptische Wüste bei gefühlten 273 Grad Celsius. Meine Haut brannte, und ich verstand mit einem Mal, warum Vampire ein Faible für Särge mit Heimaterde besaßen. Ich hätte jetzt auch sehr gerne in so einem gelegen, in Dunkelheit und kühler Feuchte.

Max sprang neben mir her, allerdings nicht vor Freude. Er hüpfte auf dem heißen Wüstensand herum wie eine Katze auf dem heißen Blechdach. Frank hatte es besonders schwer voranzukommen, da er mit seinem Gewicht bei jedem Schritt tief in dem Sand versank. Laut fluchte er vor sich hin: «Scheipf Schmand!»

Die Einzige, die halbwegs klarkam, war Fee – als ägyptische Mumie war sie für diese Temperaturen besser ausgestattet als wir, besaß also fast eine Art Heimspiel. Dennoch war selbstverständlich auch ihre Stimmung weit davon entfernt, sensationell zu sein, und ich überlegte mir, wie ich meine Wünschmanns – trotz der eigenen Qual – aufmuntern konnte. Dabei fiel mir ein, was mein Klassenlehrer in der achten Klasse getan hatte, wenn auf dem Wandertag die dickeren Kinder nach sieben Kilometern kurz vor dem Kollaps waren: Er hatte laut mit ihnen gesungen. Doch was sollte ich jetzt, in dieser Situation, mit meiner Familie für ein Lied anstimmen? Wohl kaum *Vamos a la Playa* oder *It never rains in California* oder gar *Deine Spuren im Sand*. Letzteres hätte bei Frank dann sicher nach *Schweine Spuren im Schmand* geklungen.

Plötzlich fiel mir in der Affenhitze tatsächlich ein Lied ein, und so verkündete ich, obwohl die Idee wahrlich etwas durchgeknallt war: «Wir singen!»

«Was?», fragte Max.

«Ufta?», fragte Frank.

«Dein Hirn ist wohl endgültig geschmolzen», fand Fee.

«Wir singen das alte Ärzte-Lied *Gehn wie ein Ägypter*», erklärte ich.

Das war so albern, da mussten die Kinder dann doch lachen, und Frank, der zwar nicht begriff, worüber sie genau lachten, freute sich, dass die Kinder besserer Laune waren, und ließ sich davon anstecken. So gingen wir eine Weile besser gelaunt durch die Wüste in Richtung der Pyramiden, und die Kinder sangen mit mir: «Ich war in Gizeh, dort wo die drei spitzen Pyramiden stehen. Ich sah die Sphinx und glaubt mir, ich fand sie wunderschön. Aber eins fand ich ziemlich schwer: gehn wie ein Ägypter …»

Frank machte dazu den rhythmischen Ufta-Beat. Das verlieh uns neuen Schwung, und wir sangen weitere Lieder, wobei

Frank besonderen Gefallen an *Anton aus Tirol* fand. Was wiederum Fee zu der Bemerkung veranlasste: «Papa ist höchstwahrscheinlich das einzige nicht alkoholisierte Wesen auf der Welt, das diesen Song liebt.»

Doch nach vier Liedern verloren wir in der Gluthitze verständlicherweise wieder den Schwung. Ich versuchte weiterhin, meine Familie bei Laune zu halten, und war die Einzige, die noch halbwegs verständlich *Life is Life* schmetterte, während die Kinder nur noch schwer genervt nuschelten und zwischen Franks rhythmischen «Uftas» immer größere Pausen entstanden.

Mitten im Lied erblickte ich auf einmal eine Oase mit schattigen Palmen, einem Teich und vielen Früchten und Blumen. Zuerst wollte ich gar nicht glauben, was ich da sah. Es war wie ein Wunder. Die Rettung war plötzlich nahe. Hätte ich noch ein Herz gehabt, es wäre vor Freude gehüpft.

«Wir müssen nicht mehr singen», rief ich den anderen zu, die die Oase noch nicht erspäht hatten.

«Uff», seufzten die Kinder erleichtert.

«Ta», ergänzte Frank, der offensichtlich kein «Uff» einfach so nackt verhallen lassen konnte.

Ich deutete stumm lächelnd auf die Oase. Max und Frank jubelten laut bei ihrem Anblick und rannten sofort los. Max vergaß dabei seine empfindlichen Pfoten, und Frank war der tiefe Sand egal, sie wollten beide einfach nur so schnell wie möglich zum heißersehnten Wasser. Und ich wollte in den heißersehnten Schatten. Doch just, als ich losrannte, packte mich Fee, hielt mich zurück und stammelte irritiert: «Da … da ist doch gar nichts?»

«Doch! Eine Oase!», lachte ich.

«Nein, da ist nur Sand», erwiderte Fee und meinte dies ganz ernst. Sie sah wirklich keine Oase. Warum konnte sie die nicht erblicken, hatte sie als alte Mumie eine Alterssehschwäche? Das war mir in diesem Augenblick allerdings egal, ich hatte keine Lust, mir darüber Gedanken zu machen, ob sie jetzt Kontaktlinsen brauchte und ob man die in einer ägyptischen Apotheke ohne Rezept bekäme, ich musste nur endlich raus aus der höllischen Sonne. So riss ich mich von Fee los und rannte meinerseits auf die Oase zu. Schneller. Immer schneller. Doch da stoppten urplötzlich Frank und Max vor mir ihren Lauf. Ich schloss zu ihnen auf, wollte gerade «Was ist los?» fragen, da erkannte ich es auch schon selbst: Die Oase begann zu flirren, und als ich ihr noch ein paar Schritte näher trat, verschwand sie vollends. Sie war eine verdammte Fata Morgana gewesen!

Ich sah in die enttäuschten Gesichter der beiden anderen, und hätte ich einen Spiegel dabeigehabt und hätte ich mich als Vampir überhaupt darin betrachten können, hätte ich gewiss ein mindestens ebenso deprimiertes Gesicht gesehen.

Doch dann besann ich mich darauf, dass ich eine neue, eine starke, eine Hoffnung spendende Mutter und Ehefrau sein wollte. Ich setzte mein strahlendstes Lächeln auf, machte mich wieder auf den Treck durch die Wüste und sang noch lauter *Life is Life*: «When we all give the power, we all give the best ...»

Die anderen folgten mir weit weniger enthusiastisch; kein Wunder, es gibt bessere Dinge für die Moral als eine enttäuschte Hoffnung wie diese.

Anfangs fielen wir noch auf weitere Fata Morganas herein: auf die einer Karawane, auf die eines Robinson-Clubs und auf die einer Eisdiele. Nach einer Weile gewöhnten wir uns daran, dass die Luftspiegelungen uns Streiche spielten, und ignorierten Swimmingpools, Wellnessoasen und Eisbär-Rudel. Die anderen sangen nicht mehr mit, und ich selbst war schon so am Ende, dass mir nur noch Songs wie *This is the end, my friend* einfielen.

«Ich dehydriere», jammerte Max, dessen Fell ganz verschwitzt war und dem mittlerweile die Kraft fehlte zu springen, obwohl seine Pfoten schon ziemlich verbrannt waren.

«Wir gehen hierbei drauf», stellte Fee mit gebrochener Stimme fest, sie hatte zwar von uns allen noch am meisten Kraft, aber selbst eine Mumie konnte das hier auf Dauer nicht überleben. Meine eigene Haut fühlte sich an wie Pergamentpapier, meine Augen brannten trotz Sonnenbrille, und ich konnte kaum noch einen klaren Gedanken fassen. Dennoch versuchte ich einen auf Barack Obama und Bob, der Baumeister zu machen und rief: «Wir schaffen das!»

«Gibt es irgendeine Grundlage für diese These», fragte Max mit traurigen Hundeaugen. Bei diesem Anblick wurde mir klar, dass bloße Durchhalteparolen nicht mehr reichen würden. Verzweifelt sah ich mich um, wir waren den Pyramiden kaum näher gekommen, und sie taten uns auch nicht den Gefallen, sich in unsere Richtung zu bewegen. Dafür entdeckte ich etwas, das meine fast schon erloschenen Lebensgeister wiederbelebte. Diesmal war es keine Fata Morgana am Horizont, sondern etwas ganz Konkretes, wenige Meter vor uns im Boden.

«Schaut!», rief ich aus.

«Fußspuren!», jubelte Fee.

«Wir müssen die nur verfolgen, dann sind wir in Sicherheit!», freute ich mich.

Doch noch bevor Fee und ich uns erleichtert umarmen konnten, war es diesmal Max, der etwas einzuwenden hatte: «Das sind die Spuren von zwei Frauen, einem sehr großen Mann und von Pfoten. Was sagt uns das wohl?»

«Oh nein», rief Fee verzweifelt.

«Wir sind im Kreis gegangen», stellte ich fest und sackte regelrecht zu Boden.

«Das habt ihr richtig realisiert», bestätigte Max traurig. «Dann mach ich jetzt mal weiter mit dem Dehydrieren.»

«Ich mach mit», ergänzte Fee.

Ich aber saß im Sand und konnte nicht mehr. Aber ich durfte doch nicht meine Familie in der Wüste verenden lassen. So rappelte ich mich wieder auf und sagte: «Also dann ...»

«Wenn du jetzt», unterbrach mich Fee, «weitersingst, verbuddele ich dich hier und jetzt auf der Stelle.»

«Und ich leiste ihr mit meinen vier Pfoten Hilfe», ergänzte Max.

«Es ist auch nicht schön, wenn ihr euch mal einig seid», antwortete ich schwach.

Dann wandte ich mich hilfesuchend zu Frank, und der malte mir im Sand auf, was er davon hielt, wenn ich noch weiter singe:

Kleinlaut schlug ich vor: «Wir können ja gemeinsam zur Abwechslung eine Geschichte erzählen ...»

«Wir wollen nicht singen», sagte Fee leise, aber bestimmt, «keine Geschichte erzählen, Spiele spielen oder Rhönrad fahren ...»

«… sondern einfach nur vor uns hin dehydrieren», ergänzte Max.

Es war wirklich nicht schön, wenn sie sich mal einig waren.

Kleinlaut schlug ich also vor: «Wir können auch schweigen.»

Der Vorschlag traf auf große Zustimmung.

Wir gingen weiter und wurden langsamer, fertiger, kaputter. Ich bekam einen Schwächeanfall nach dem anderen, und beim vierten Absacker in den Sand wurde mir klar: Ich würde diesen Marsch keine weitere halbe Stunde überleben.

Ein paar Schritte weiter sah ich wieder eine Fata Morgana, diesmal war es eine Karawane mit Touristen auf Fototour. Ich ignorierte diese Luftspiegelung, bis ich von der Karawane aus hörte: «Do you need help?»

«Reicht es nicht», schrie ich verzweifelt, «dass ihr Fata Morganas nervt, müsst ihr einen auch noch blöd von der Seite anquatschen?»

«Mama, Luftspiegelungen erzeugen keine Akustik», rief Max, und auch Fee schaltete sofort: «Yes, we need help!»

Ich brauchte etwas, um zu begreifen, aber als ich sah, dass die Karawane auf uns zuritt, begann ich zu realisieren, was geschehen war. Ich war viel zu schwach, um zu jubeln, blieb aber stehen und nutzte mein letztes bisschen Kraft für ein Lächeln: Meine Familie würde gerettet! Durch Glück und Zufall. Aber auch, weil ich sie immer weiter angetrieben hatte, die Mutter und Ehefrau war, die ich in so einer Situation sein musste. So mischte sich in meine grenzenlose Erleichterung auch eine gehörige Portion Stolz.

Die Karawane bestand aus Touristen, die allesamt so aussahen, als hießen sie Klaus und Bärbel und würden aus Böblingen stammen. Wenn man ihre sonnenverbrannten nackten Waden so sah, konnte man schon verstehen, warum einige Muslime

Touristen am liebsten verbieten wollten, spärlich bekleidet herumzulaufen. (Wahrscheinlich war das religiöse Argument nur ein Vorwand, um nicht ehrlich sagen zu müssen: Eure Schlabberwaden wollen wir hier nicht sehen.) Dennoch waren all die Kläuse und die Bärbels der schönste Anblick, den ich mir in diesem Moment vorstellen konnte. Ein noch tollerer Anblick aber war die Touristenführerin, eine arabische Schönheit, die aus 1001 Nacht hätte entstiegen sein können. Normalerweise würde einem eine solche Frau Minderwertigkeitskomplexe bereiten, aber hier erschien sie mir wie eine Heilige. Jedenfalls tat sie dies, bis Frank sie verzaubert ansah und fragte: «Schmuleika?»

Er klang fast so, als ob er sie irgendwoher kannte, und daher fragte ich mich in Gedanken irritiert: «Schmuleika, wieso Schmuleika?»

Die Karawane zog weiter in Richtung Zivilisation mit uns im Gepäck. Ich erlebte die Reise anfangs wie in Trance. Ich saß unter der Hitze leidend hinter einem dicken Touristen namens Klaus auf einem Kamel. Körperhygiene stand nicht ganz oben auf Klaus' Prioritätenliste. Um genau zu sein: Mit seinem Geruch konnte man bestimmt Wildschweine in die Flucht schlagen. Wenigstens dünstete er keinen Knoblauch aus.

Die schwäbischen Touristen fanden uns unheimlich, einige hatten uns anfangs gar nicht erst mitnehmen wollen, dies aber nicht so direkt sagen wollen, und Ausflüchte benutzt wie: «Hanoi, wenn wir die ins Krankenhaus bringe, komme mer zu schbäd zum Buffet.»

Aber Schmuleika, die sicherlich tatsächlich Suleika hieß, hatte in deutlichen Worten klargemacht, dass sie niemanden einfach in der Wüste liegen lassen würde. Bei ihrer Ansprache hatte sie die Autorität einer arabischen Königin besessen. Folglich hatte keiner der Touristen gewagt, ihr zu widersprechen.

Max wurde auf ein eigenes Kamel geschnallt. Er schwieg, und da die Touristen nicht wussten, dass er sprechen konnte, bereitete er ihnen auch weniger Angst als wir anderen Wünschmanns. («Hanoi, unser Schäferhund würde des Vieh locker kaltmache.»)

Um das Kamel für Max frei zu machen, hatte man eine Bärbel zu einem Klaus gesetzt, was den nicht gerade begeisterte. («Hanoi, mir henn für zwei Solo-Kamele blecht. Mit dem Veranstalter schwätze mir noch!»)

Fee setzte sich zu Suleika, und für Frank mussten ständig die Kamele wechseln, da diese unter seinem Gewicht nach ein paar hundert Metern fast zusammenbrachen. Letzteres kommentierte eine Bärbel pikiert mit: «Man müsste Animal International anrufen.»

«Schatz, des heißt Amnesty International», berichtigte sie Klaus spitzfindig.

«Des mein i aber ned, Klaus», kam es kiebig von Bärbel zurück.

«Dann sag halt, was du meinscht.»

«Animal International.»

«Animal International gibt es aber ned, nur Amnesty International.»

«Klaus, du könntescht zu Klugscheißer International», erwiderte Bärbel sauer.

«Und du zu Ungebildet International», war Klaus nun ebenfalls wütend.

«Und du zu Eingebildet International.»

«Und du zu Cellulite International.»

«Und du zu Leck mich doch am Arsch International!»

Es war irgendwie beruhigend, Leuten zuzuhören, deren Ehe sogar noch schlechter war als die eigene. Und wo wir schon beim Thema waren: Ich bemerkte beim rhythmischen Auf und Ab des Kamelrittes, dass Frank immer wieder Suleika anstarrte. Das taten die meisten Kläuse auch – kein Wunder bei den Bärbels. Und die Bärbels wiederum machte das sauer, sie sahen ihre Kläuse an, als ob sie gleich mal mit einem Böblinger Scheidungsanwalt, der vermutlich einen Namen wie Scheffele trug, telefonieren würden, um herauszufinden, wie man einen möglichst blutigen Rosenkrieg führen konnte. Eine zischte sogar: «Wenn du noch einmal zu der Schlambe gucksch, brezel i dir eine.»

Frank aber kannte Suleika von irgendwoher, so viel war sicher. Auch wenn sie ihn in seiner jetzigen Gestalt nicht erkannt hatte. Vermutlich vom letzten Ägypten-Urlaub mit seinen Freunden. Die Frage, die durch meinen erhitzten Kopf schoss, war folgende: Hatten die beiden etwas miteinander gehabt, oder war sie nur seine Touristenführerin gewesen? Als er damals in Ägypten war, hatte ich ja zu Hause in Berlin diese schlaflosen Nächte mit Magenkrämpfen gehabt, in denen ich irgendwie zu spüren meinte, er würde fremdgehen.

Aber nein, so etwas Absurdes konnte nicht sein! Nicht etwa, weil Frank so etwas nicht tun würde – da war ich mir nicht ganz so sicher –, sondern weil Suleika so eine anmutige Schönheit war und Frank … nun, er war nun mal Frank. Jedenfalls war er es damals in seinem Ägyptenurlaub noch gewesen.

Ich beschloss, mir also keine Sorgen zu machen, hielt mich krampfhaft an Stinke-Klaus fest und betete, dass wir bald aus der Wüste kommen würden und ich nicht mit dem Klaus-Geruch in der Nase verenden würde. Das Kamel, auf das Max geschnallt worden war, schloss zu unserem auf, sodass wir nebeneinanderritten. Wir schwiegen eine Weile, bis Max traurig sagte: «Ich habe Angst, dass wir für immer so bleiben.»

Mein mütterlicher Reflex war zu sagen: «Du musst keine Angst haben.»

«Diese Aussage ist nach Analyse der Faktenlage von Absurdität gekennzeichnet», kam es zurück.

Ganz klar, routinierte Mütter-Antworten würden nicht helfen. Wenn ich den Schlüssel zu Max' Herzen finden wollte, musste ich ihm helfen, die Angst zu überwinden.

«Ich habe auch ganz große Angst ... », begann ich.

«Das beruhigt mich auch nicht gerade», kam es zurück.

«Ich will doch nur damit sagen, dass es ganz normal ist, Angst zu haben ... »

«In den Büchern überwinden die Helden immer ihre Angst wie ich bei den Zombies, aber sie fallen bei der nächsten Gelegenheit nicht wieder zurück in diesen Zustand.»

«Das liegt daran, weil die Buchhelden nach dem Ende der Geschichte nichts Neues erleben», erwiderte ich. «Du aber lebst weiter. Du wirst immer wieder neue Ängste haben, wie jeder Mensch. Aber du wirst sie jedes Mal überwinden!»

«Wie kommst du denn zu dieser These?»

«Du wirst deine Ängste überwinden, weil du jetzt weißt, dass du sie überwinden kannst.»

Max sah mich unsicher an: «Meinst du wirklich?»

«Wer einmal die Zombies besiegt, besiegt sie immer.»

«Und Zombies ist in diesem Fall also eine Metapher für Ängste?», fragte er.

«Exakt», lächelte ich. «Und die Mädchen finden einen Jungen toll, der sich seinen Zombies stellt», ergänzte ich.

Da wurde Max rot.

«Ich bin nicht das einzige weibliche Wesen, dass dich großartig findet», sagte ich.

«Meinst du Jacqueline ... ?», fragte er.

Ich nickte.

«Glaubst du, sie und ich ... ?», fragte er weiter.

Ich nickte noch mal.

«Whao», sagte er.

Und ich nickte wieder.

Max strahlte jetzt voller Zuversicht. Anscheinend hatte ich jetzt auch den Schlüssel zu seinem Herzen gefunden.

Wir waren nicht mehr weit von den Pyramiden entfernt, als Suleika, die neben Englisch auch noch perfekt Deutsch beherrschte, erklärte: «Gleich seid ihr in Sicherheit.»

Für einen Augenblick sah alles wieder ein kleines bisschen besser für uns Wünschmanns aus. Aber nur für einen kurzen Augenblick. Denn da verdunkelte sich der Himmel. Ein Sandsturm zog auf. Und der war kein gewöhnlicher Sandsturm.

Es war kein heller, sondern dunkler, schwarzer Sand, der wie ein Orkan durch die Luft wirbelte und den Himmel schwärzte. Der Lärm der Sturmböen war ohrenbetäubend. Der schwarze Sand peitschte uns ins Gesicht und ätzte beim Einatmen in den Eingeweiden. Aber das alles war noch nicht das Furchtbarste. Bei weitem nicht.

Der Sturm bildete am Himmel ein dunkles, furcherregendes Gesicht aus schwarzem, wirbelndem Sand. Dieses Gesicht besaß tiefe schwarze Höhlen, dort, wo eigentlich Mund, Nase und Augen saßen. Und es schrie mit furchtbarer, dröhnender unnatürlicher Stimme: **«Ich bin Imhotep!»**

Sämtliche Kläuse und Bärbels bekamen es mit der Angst zu tun, und einer der Kläuse murmelte: «Des isch jetzt ein Fall für Ich scheiß mir in die Hose International.»

Dies war mal eine Organisation, der ich gerne beigetreten wäre.

Das Gesicht im Sandsturm schrie weiter: **«Imhotep ist der Herr Ägyptens!»**

«Sein Name klingt wie Impotent», meinte Fee leise.

«Du machst dich über Imhotep lustig!», schrie Imhotep.

«Ich befürchte, er hat dich gehört», stammelte Max zu Fee.

«Das befürchte ich auch», schluckte sie.

«Imhoteps Rache wird fürchterlich sein!», schrie das furcherregende Gesicht im Himmel. Dann verwandelte sich ein Teil des Sturms in eine riesengroße schwarze Hand. Diese sauste blitzschnell auf die Karawane hernieder, packte Fee und umschloss sie mit einer Faust. Ich konnte sehen, wie sie schrie, aber der Orkanwind war viel zu laut, um es zu hören. Für einen Augenblick hatte ich Angst, die Faust würde Fee zerquetschen. Doch die schwarze Hand riss Fee fest umschlossen empor in die Lüfte! Dort warf sie meine Tochter in den schwarzen Schlund, der Imhoteps Mund bildete. Dieser schloss sich. Fee verschwand in den dunklen Wolken. Und ward fortan nicht mehr gesehen.

Das Gesicht löste sich nun ebenfalls in der riesigen schwarzen Sandwolke auf, und der Sturm wehte in Orkangeschwindigkeit davon.

Nicht mal eine halbe Minute später war es wieder völlig windstill. Die Sonne schien heller als zuvor. Der Albtraum war vorbei. Und ein noch viel schlimmerer Albtraum begann: Meine Tochter war verschwunden.

Verzweifelt schrie ich: «FEEEEE!!!»

Doch das Einzige, was ich als Antwort bekam, war eine Bärbel, die erklärte: «Nächschdes Jahr bleibe mer lieber in Böblingen.»

CHEYENNE

Die Wünschmanns waren nach dem Zauber vom Prater wie vom Erdboden verschwunden, die Hexe ebenfalls, und ich sah auch zu, dass ich mit Jacqueline Land gewann. Ich hatte keinerlei Lust, dass die Bullizei meine Personalien aufnahm, denn wenn meine Daten durch einen Fahndungscomputer gejagt werden, würden sie schnell feststellen, dass auf mich noch ein paar offene Haftbefehle liefen. Zum Beispiel dafür, dass ich mich in Gorleben mit Handschellen an den Bundesumweltminister gekettet hatte und uns beide anschließend mit weiteren Handschellen auch noch an die Eisenbahnschienen, um den Atommülltransport zu stoppen. Ich hatte die ganze Zeit auf dem Minister gelegen, und für ihn waren dies, laut eigener Aussage, die längsten vier Stunden seines Lebens gewesen. Tja, er hätte halt nicht so viel Bier vorher trinken dürfen.

Ich hielt mit meinem VW-Bus, den ich Charly nannte (nach Charles de Gaulle, der sich im Mai 68 bei mir in diesem Bus versteckt hatte), in einem Randbezirk von Wien. Gemeinsam mit Jacqueline, die von den Ereignissen noch ziemlich mitgenommen war, setzte ich mich hinten auf den Boden von Charly und steckte uns erst mal eine Wasserpfeife an. Diese hatte mir einst Yassir Arafat geschenkt, nachdem ich ihm den Tipp gegeben hatte, er solle sich bei seiner Glatze lieber immer ein schickes Palästinensertuch um den Kopf wickeln, wenn er irgendwo auftrat.

«Ist da Stoff drin?», fragte Jacqueline und deutete auf die Wasserpfeife.

«Nein, Kohlrabi.»

Jacqueline schüttelte sich.

«Natürlich ist da Marihuana drin», grinste ich.

«Machst du dich als Erwachsene nicht strafbar, mir das zu geben?», fragte sie misstrauisch.

«Seh ich so aus, als ob mich das interessiert?»

«Nein, tust du nicht», musste Jacqueline nun auch grinsen.

«Wir haben uns so ein Pfeifchen verdient», erklärte ich und zog an der Pfeife, dann reichte ich sie an Jacqueline weiter. Die nahm ebenfalls einen Zug und fragte anschließend besorgt: «Glaubst du, die Hexe hat die Wünschmanns gekillt?»

«Nein, dann hätten wir Überreste von ihnen gesehen», antwortete ich fest überzeugt.

Jacqueline zog noch mal an der Pfeife, dann erklärte sie leise: «Ich mag die Wünschmanns.»

«Du hast einen merkwürdigen Geschmack.»

«Besonders mag ich Max.»

«Sag ich doch, merkwürdiger Geschmack.»

«Glaubst du, dass ich den Kleinen noch mal wiedersehe?», fragte Jacqueline mit einer Mischung aus Hoffnung und Angst.

Ich war da selbst unsicher, wir hatten ja keine Ahnung, wo die Hexe die Wünschmanns hingezaubert hatte. Vielleicht hatte sie die Familie in Ameisen verwandelt, und wir hatten sie deswegen nicht gesehen. Wer weiß? Doch wenn ich eines in meinem langen Leben gelernt hatte, dann war es, dass eine gute Lüge oft besser ist als eine schlechte Wahrheit. So antwortete ich: «Klar wirst du den wiedersehen!»

Dabei sah ich das Mädchen mit einem möglichst entspannten Lächeln an, das durch die Wirkung der Wasserpfeife unterstützt wurde. Jacqueline lächelte darauf ebenfalls entspannter, auch bei ihr begann der Stoff zu wirken. Nachdem wir eine Weile geschwiegen hatten, seufzte sie nach einem besonders tiefen Zug: «Ich wünschte, ich hätte so eine Oma wie dich.»

«Oma?», antwortete ich, gespielt pikiert.

«Tante», korrigierte sie sich.

«Klingt schon viel besser.»

Sie zog noch mal, legte sich dann tiefenentspannt in die Plüschkissen und grinste: «Mutter wäre auch okay.»

Das tat mir tief in meinem Herzen weh. Egal, was ich Emma erzählt hatte, ich bereute zwei Sachen in meinem Leben: in der Nacht von Jim Morrisons Tod nicht bei ihm gewesen zu sein. Und dass wir beide keine Kinder bekommen hatten. Er hatte es so gewollt, aber ich hatte ihm geantwortet: «Wir haben doch unser ganzes Leben noch vor uns.»

Und jetzt besuchte ich jedes Jahr den Friedhof Père Lachaise in Paris und malte, wie die Fans von The Doors, Graffiti auf seinen Grabstein. Stets schrieb ich die gleichen Worte: Ich werde dich für immer lieben.

Mir stiegen Tränen in die Augen.

Reue ist wirklich das Schrecklichste am Alter.

Dagegen ist Blasenschwäche ein regelrechtes Fest.

Ich sah zu Jacqueline, die sich in die Kissen einkuschelte: Sie hatte ihr ganzes Leben noch vor sich. Hoffentlich eins ohne Reue.

«Heulst du etwa?», fragte sie.

«Nein», log ich, «mir ist nur der Wasserdampf in die Augen gestiegen.»

Ich rieb mir die Tränen weg und erklärte: «Es wäre mir eine Ehre, deine Mutter zu sein.»

«Willst du mich verarschen?», fragte Jacqueline verunsichert.

Ich schüttelte den Kopf.

«Du bist der erste Mensch, der meine Mutter sein möchte», erklärte sie leise und wirkte auf einmal ganz zerbrechlich.

Es war das Traurigste, was ich je gehört hatte.

Und ich hatte schon sehr viele traurige Sachen in meinem Leben gehört.

Ich nahm ihre Hand, streichelte sie sanft und grinste: «Aber wehe, du nennst mich Mutti.»

Da mussten wir beide anfangen, bekifft loszugackern.

EMMA

Fee.

Sie war weg.

Gewirbelt ins Nichts. Vermutlich tot.

Nein, so etwas durfte ich nicht denken!

Wer so etwas denkt, gibt auf! Und ich darf nicht aufgeben! Auf gar keinen Fall!

Es war ja auch gar nicht wahrscheinlich, dass Fee tot war. Imhotep hatte versprochen, dass seine Rache fürchterlich sein würde. Und ein schneller Tod ist ja keine fürchterliche Rache. Jedenfalls nicht in den Augen von solchen Monstern. Für eine zünftige fürchterliche Rache benötigt man Zeit.

Nicht, dass diese Erkenntnis sonderlich beruhigend war. Ganz im Gegenteil.

«Was weißt du über Imhotep?», fragte ich Suleika. Der dicke Stinke-Klaus, dem es verständlicherweise komplett die Sprache verschlagen hatte, und ich ritten auf unserem Kamel neben dem ihren.

«Ich ... ich dachte, er wäre nur eine Sage», antwortete sie und drehte dabei den Kopf zu mir.

«Ist er ganz offensichtlich nicht!», erwiderte ich etwas zu scharf, was meiner Angst um Fee geschuldet war. «Wo soll Imhotep sich denn laut Sage befinden?»

«In der Pyramide des Pharaos Seti.»

«Ist die weit von hier?»

Bevor Suleika darauf antworten konnte, motzte eine Böblinger Bärbel: «Hanoi, ich muss endlich dusche, ich hab schon Sand in der Arschritze.»

Suleika blickte mich entschlossen an und erklärte: «Wir bringen die Touristen schnell ins Resort, die gehen später alle in den Zirkus, der gerade sein Lager nahe dem Resort aufgeschlagen hat. Dann habe ich Zeit, euch zu der Pyramide zu führen.»

Diese Frau war nicht nur anmutig, sie war auch mutig. Sie wollte uns Monstern helfen. Die meisten Menschen an ihrer Stelle hätten zugesehen, dass sie uns möglichst schnell wieder loswürden, wenn es sein musste, auch mit einem überfüllten Flüchtlingsboot durch die Ägäis. Aber nicht sie.

Ich zögerte, auf ihren Vorschlag einzugehen, wollte ich doch direkt zu Fee. Suleika erkannte dies und argumentierte: «Wir haben dort auch eine Krankenstation, da kann ich auch kurz noch eure Wunden versorgen.»

Ich sah auf Max' verwundete Füße, blickte darauf in die Sonne und stellte fest, dass sie bald untergehen und ich erst in der Dunkelheit zu neuen Kräften kommen würde, die ich bräuchte, um eine Chance gegen Imhotep zu haben. Wenn man so einen Sandsturmtypen überhaupt ohne einen überdimensionalen Staubsauger besiegen konnte. Ich stimmte also Suleikas Vorschlag zu, und wir ritten weiter in Richtung Resort. Frank schloss auf einem ächzenden Kamel neben mir auf und fragte mit herzzerreißendem Blick: «Ffmee ...?»

«Wir werden sie wiederfinden!», verkündete ich tapfer. Und meine Tapferkeit übertrug sich auf ihn, denn er nickte entschlossen.

Suleika betrachtete ihn indessen intensiv und erklärte schließlich zögerlich: «Ich ... ich kenn dich ... irgendwie ...»

«Ipff pims, Pffrank!», antwortete er.

«Was?», fragte sie.

Das hätte ich auch beinahe gefragt. Er erinnerte sich tatsächlich wieder an seinen eigenen Namen?

«Pffrank!», wiederholte er, vergeblich damit ringend, seinen Namen besser auszusprechen.

Suleika blickte jetzt tief in seine Augen, und dort erkannte sie etwas wieder, vermutlich seine Seele, und rief überrascht: «Frank Wünschmann?»

Frank nickte heftig. Ganz offensichtlich erinnerte er sich jetzt auch noch an seinen Nachnamen. Und obwohl ich mich wohl darüber hätte freuen müssen, gefiel es mir nicht, dass er sich wegen Suleika daran erinnerte. Auch wenn meine Angst um Fee eigentlich alle anderen Gefühle überlagerte, verspürte ich doch so etwas wie einen Funken Eifersucht.

«Wie ... wie bist du so geworden?», fragte Suleika ihn, und er brabbelte: «Fmexe, Fmauber, Fmlitze ...»

Suleika verstand nur Fmahnhof.

So erklärte ich ihr, was uns widerfahren war, und das lenkte mich auch etwas von meiner Sorge um Fee ab. Als ich geendet hatte, war Suleika sehr erstaunt. Aber anstatt zu fragen: «Wie ist so was Phantastisches möglich?», «Seid ihr für normale Menschen gefährlich?» oder auch nur «Ist der Werwolf eigentlich stubenrein?», interessierte sie sich nur für eins: «Dann ... dann bist du Franks Frau?»

Ich nickte.

Und sie antwortete: «Du musst eine sehr, sehr glückliche Frau sein.»

Ich blickte nicht sehr glücklich zurück.

«Frank ist ein mutiger, edler Mann», erklärte sie.

Sprachen wir vom gleichen Frank?

«Er hat meinen Bruder Mohamed vor dem Gefängnis bewahrt.»

Dann berichtete Suleika, wie ihr kleiner minderjähriger Bruder, der im «Pyramid Urlaubsresort» als Page arbeitete, des Diebstahls bezichtigt wurde, ohne Beweise verhaftet wurde und nur wieder freigekommen war, weil Frank, anstatt Urlaub zu machen, Tag und Nacht seine ganzen juristischen Fähigkeiten für ihn eingesetzt hatte und sich auch nicht von der brutalen ägyptischen Polizei hatte einschüchtern lassen.

«Er hat gekämpft wie ein Löwe!», erklärte Suleika bewundernd.

Frank hatte immer den Armen helfen wollen, und ausgerechnet im Urlaub hatte er seinen Lebenstraum für eine kurze Zeit gelebt. Dafür hatte er sogar die Bewunderung einer Frau wie Suleika bekommen. Aber warum hatte er mir nicht davon erzählt? Etwa weil ich ihn im Alltag nicht so bewunderte? Oder gar, weil er von Suleika mehr erhalten hatte als bloße Bewunderung?

Wir erreichten das Resort, das in den 80er Jahren errichtet und seitdem wohl nicht mehr renoviert worden war. Kaum fünfzig Meter daneben hatte ein kleiner Wanderzirkus seine Zelte aufgeschlagen. Für die Touristen sicherlich mal eine Abwechslung zum normalen Animationsprogramm mit drittklassigen Aufführungen vom *König der Löwen*.

Die Böblinger verschwanden auf ihren Zimmern, und ich hörte noch einen der Kläuse sagen: «Hanoi, desch nächste Mal fahre mer lieber gleich nach Hanoi.»

Wir betraten das Krankenzimmer des Resorts. Suleika versorgte dort unsere Wunden. Sie verband Max' Füße und verabreichte mir Salbe für meine verbrannte Haut. Dabei blickte sie des Öfteren verstohlen zu Frank. Sie sah – trotz seines monströsen Äußeren – in ihm tatsächlich immer noch etwas, was ich schon seit Jahren nicht mehr in ihm gesehen hatte: einen bewundernswerten Mann. Einen strahlenden Helden.

Wenn er bei so einem Blick einer so wunderschönen, mutigen, jungen Frau damals schwach geworden wäre … ich hätte es verstehen können. Nicht verzeihen. Aber verstehen.

Am liebsten hätte ich die beiden sofort zur Rede gestellt, gefragt, ob sie etwas miteinander gehabt hatten. Aber ich hatte viel zu viel Angst vor der Antwort. Und ich brauchte all meine seelische Kraft, um Fees Leben zu retten.

FEE

Ich wurde noch nie aufgefuttert. Und ich kann sagen, es war noch ekelhafter, als es sich anhört. Mindestens ebenso eklig wie der ganze Sand, den man dabei in Mund, Augen und Nase bekam. Ich flog in dem schwarzen Wirbelsturm durch den Himmel und drehte mich dabei in einer Tour um meine eigene Achse. Mal kopfüber. Mal seitwärts. Und die ganze Zeit flog ich dabei auf und ab. Mein letzter Gedanke, bevor ich k. o. ging, war: «Gut, dass ich nicht gefrühstückt habe.»

Als ich wieder aufwachte, lag ich auf einem kalten Steinboden in einem großen Raum, dessen steinerne Wände mit jeder Menge ägyptischer Hieroglyphen verziert waren. Vor den Wänden standen Statuen mit menschlichen Körpern und tierischen Köpfen von Schakalen, Falken, Katzen, Ratten, sogar von einer Kuh. Die Körper waren nackt, trugen aber Gott sei Dank einen Lendenschurz. Ich musste nicht gerade ein Ägyptologe sein, um zu begreifen, dass ich mich in einer Pyramide befand und dass dies wohl die Bude von dem guten alten Imhotep war.

Jetzt reiste ich also wie Cheyenne um die Welt, wie ich es mir seit meinem Sturz vom Hoteldach eigentlich gewünscht hatte, aber mit einem Male fand ich das als Lebensentwurf nicht mehr ganz so attraktiv.

«Du wirst jetzt Imhoteps Rache spüren!», hörte ich auch schon hinter mir eine Stimme. Sie war nicht mehr so dröhnend wie im Sandsturm und klang viel menschlicher. Trotzdem drehte ich mich voller Angst um und sah einen muskulösen, großen Ägypter mit Halbglatze und wahnsinnigen Muskeln, für deren Aufbau ein normaler Mensch ziemlich viele Trainingsstunden und noch mehr krebserregende Substanzen brauchte.

Er war so schon ziemlich alt, bestimmt Mitte dreißig. Er war nackt wie die Statuen, war aber ebenfalls so nett, einen Lendenschurz zu tragen. Am liebsten hätte ich ihn gefragt, ob es da untenrum nicht tierisch zieht. Aber es war sicherlich keine gute Idee, das anzusprechen, wenn ich jemals wieder lebend aus dieser Pyramide herauswollte.

«Ich bin Imhotep!», verkündete er.

Ich konnte nicht anders, ich musste grinsen.

«Was gibt es da zu spotten?», wollte er wissen.

Ich wollte ihm jetzt nicht antworten: «Das klingt wirklich wie ‹Impotent›».

«Ich bin Imhotep!», sagte er erneut.

Am liebsten hätte ich erwidert: «Viagra soll da Wunder helfen.»

Wütend trat er nun auf mich zu: «Ich wandele seit 3000 Jahren auf Erden!»

«Kein Wunder, dass du in so einem hohen Alter Imhotep bist», sagte ich nun doch grinsend.

«Du machst dich über mich lustig!», grollte er.

Das konnte ich schlecht leugnen. Ich hätte sicherlich viel mehr Schiss haben müssen vor einem dreitausend Jahre alten Lendenschurzträger, der sich in einen Sandsturm verwandeln konnte, aber es fiel mir schwer zu glauben, dass er mir was tun würde, vielleicht weil er mich die ganze Zeit trotz aller Wut so fasziniert anstarrte.

«Du siehst genauso aus wie sie», meinte er nun, halb wehmütig, halb wütend.

«Wer auch immer ‹sie› ist, sie sieht dann nicht sonderlich hübsch aus», erwiderte ich.

«Spotte nicht über sie!», schrie Imhotep, und sein Gesicht verwandelte sich wieder zu einer riesigen Fratze aus schwarzem Sand.

«Okay, okay, was immer du sagst …», wiegelte ich ab. Diese Sandnummer war ziemlich einschüchternd, und jetzt glaubte ich mit einem Male doch, dass er mir etwas antun würde.

Sein Gesicht wurde wieder normal, und er fragte vor Zorn bebend: «Warum beschmutzt du ihr Antlitz?»

«Ich weiß noch nicht mal, um wen es geht.»

«Lüge nicht!», schrie er, packte mich am Kinn und sah mich mit Mordlust in den Augen an. Der Typ war so ausgeglichen wie die meisten Lehrer nach zehn Jahren Schuldienst.

«Ich lüge doch gar nicht», erklärte ich panisch.

«Du willst behaupten, dass du noch nie von meiner großen Liebe Anck-Su Namun gehört hast?»

«Ehrlich, großes Mumienehrenwort!», antwortete ich.

Immo prüfte eine gefühlte halbe Ewigkeit meinen Blick und ließ mich verunsichert los. Dann legte er eine Schweigeminute ein. Schließlich begann er zu erzählen, mit trauriger, wehmütiger Stimme. Obwohl seine Augen in meine Richtung blickten, schienen sie nicht mich zu sehen, sondern die vergangenen Ereignisse: «Anck-Su Namun war die Frau des Pharaos Seti, und ich war sein Hofzauberer. Doch Anck-Su Namun liebte mich, und ich liebte sie. Unsere Liebe war größer als die von Isis und Osiris.»

Ich kannte die beiden zwar nicht, aber so, wie er es sagte, musste das eine verdammt große Liebe gewesen sein.

«Wir wollten vom Hofe des Pharaos fliehen in der Nacht, in der Seti mit Anck-Su Namun einen Nachfolger zeugen wollte. Anck hatte ein so reines Herz und ein solches Feuer, dass sie danach eine Revolution anzetteln wollte, um den Pharao zu stürzen und den Menschen ein friedliches, gerechtes Leben zu ermöglichen. Sie hatte dafür schon Verbündete und Gerechte im Untergrund zusammengetrommelt.»

Das klang nach einer wirklich mutigen Frau. Eine, die wusste, was sie vom Leben wollte, und bereit war, dafür alles zu geben. Warum nur wurden wir im Unterricht mit Hohltieren, Logarithmen und dem Bau von Burganlagen im Mittelalter belästigt, anstatt zu erfahren, welche großartigen Frauen es auf der Welt gegeben hatte? Dann hätte ich mal echte Inspirationen bekommen und in der Schule zur Abwechslung wirklich etwas fürs Leben gelernt.

«Doch in jener Nacht», fuhr Imhotep mit seiner Geschichte fort, «wurden wir von Ancks Zofe verraten. Die Wachen packten uns noch in ihrem Gemach. Der Pharao fällte auf der Stelle sein grausamstes Urteil. Er ließ uns in diese Grabkammer verschleppen, bei lebendigem Leibe mumifizieren und in jenen Sarkophagen lebendig begraben.»

Er deutete auf zwei Sarkophage. Einer war offen und leer. Der andere geschlossen. Vermutlich lag darin noch diese Anck. Das war spooky.

Ich musste schlucken, und mir rutschte raus: «Dieser Pharao hatte keinen schönen Stil …»

Imhotep lachte bitter auf: «So kann man es auch sagen.»

Sein Lachen über meine Bemerkung war voller Schmerz. Der Held in einer so großen, dramatischen Liebesgeschichte zu sein, machte anscheinend keinen Spaß.

«Kurz bevor Setis Wachen die Sarkophage schlossen, belegte ich uns mit einem Zauber, der dafür sorgen sollte, dass wir leben, bis uns jemand befreit. Dreitausend Jahre lagen wir hier, bis vor Jahrzehnten Grabräuber die Grabstätte öffneten …»

Weiter redete er nicht. Tränen schossen ihm in die Augen, und ich brauchte keine großartige Phantasie, um mir auszumalen, dass der Zauber nur bei ihm gewirkt hatte. Und dass er sich für Ancks Tod schuldig fühlte.

«Ich habe die Grabräuber auf der Stelle getötet.» Er zeigte auf einen Haufen Knochen in einer Ecke der Grabkammer, und mir lief ein Schauer über den Rücken. «Und seitdem», fuhr er fort, «wache ich an Ancks Sarkophag.»

Er streichelte über den Deckel des Sarkophages, voller Trauer und Liebe. Geistig gesund war das alles wirklich nicht.

Als er meinen skeptischen Blick bemerkte, riss er sich zusammen, packte mich erneut am Kinn und dröhnte: «Du beschmutzt ihr Antlitz. Und dafür wirst du sterben!»

Er sah mir nun tief in die Augen und säuselte mit tiefer Stimme: «Ich wünsche mir, dass du dich selbst hinrichtest!»

Ganz klar, Impotent wollte mich hypnotisieren. Aber ich hielt seinem Blick stand, starrte zurück und säuselte meinerseits: «Und ich wünsche mir, dass du breakdanct!»

«Ich hab keine Ahnung, was das bedeutet», erwiderte er,

unbeeindruckt von meiner Hypnose, aber schwer beeindruckt davon, dass ich gegen seine immun war.

«Das bedeutet, dass wir uns gegenseitig nicht hypnotisieren können», erklärte ich.

Er ließ von mir ab und fragte: «Du ... du hast die gleichen Kräfte wie ich?»

«Na ja, ich kann mich nicht in einen Sandsturm verwandeln.»

Imhotep sah mich nun neugierig an, sein Zorn verwandelte sich ganz eindeutig in großes Interesse: «Hast du es denn schon mal versucht?»

«Nein», erwiderte ich unsicher.

Mit einem Male lächelte er richtig freundlich und schlug vor: «Dann solltest du es mal tun!»

Ich sah zu ihm, blickte dann zu dem Sarg von Anck-Su Namun, und mit einem Male spürte ich instinktiv: Ich könnte noch viel, viel mehr sein als einfach nur eine Weltenbummlerin wie Cheyenne.

MAX

Meine Schwester war entführt, meine Pfoten hatten Verbrennungen infinitiven Grades, und dennoch konnte ich nur an eins denken: an Jacqueline. Ich vermisste sie so sehr. Ein Gefühl, von dem ich einst, beim In-die-Toilette-getunkt-Werden, nie gedacht hätte, dass ich es mal empfinden würde.

Ich wollte unbedingt wissen, wie es Jacqueline ging, ob sie noch in Wien war. Aber vor allen Dingen wollte ich bei ihr sein, und ich litt exorbitant, weil ich es nicht war. Wenn das Liebe war, wer brauchte dann so etwas, was an Absurdität kaum zu überbieten war? Was hatte sich die Evolution nur dabei gedacht? Alles nur für die Fortpflanzung? Es wäre sicherlich für alle Beteiligten nervenschonender, wenn die Fortpflanzung auf Basis von Zellteilung vonstattenginge.

Ich wollte unbedingt Jacquelines Stimme hören, deren rauer Unterton etwas von einem Seebär hatte, allerdings nicht von so einem friedlichen wie dem somnambulen aus den Petzi-Büchern. (Mein Lieblingsbuch der Reihe war *Petzi trifft Mutter Barsch*, bis Fee mir, als ich vier war, den Tipp gegeben hatte, das «B» zu streichen. Und da ich damals schon Lesen und Schreiben beherrschte, konnte ich die freundliche Barschmutter nie mehr mit der gleichen Unschuld ansehen.)

«Hast du ein Telefon?», fragte ich Suleika, die mir gerade die Pfoten einbalsamierte.

«Ja, aber hast du auch Finger, mit deren Hilfe du es bedienen kannst?»

«Ein exzellenter Einwand», seufzte ich.

«Ich kann aber gerne für dich die Zahlen tippen», lächelte sie.

Es hatte große Vorteile, hochintelligent zu sein, so konnte ich die Nummer von Jacquelines gestohlenem iPhone aus dem Kopf reproduzieren, obwohl ich sie nur einmal in ihren System-einstellungen gesehen hatte, als ich ihr half, das Gerät optimal zu konfigurieren. Ich diktierte Suleika die Nummer. Sie tippte. Und mein Herz klopfte bis zum Wolfshals.

Während sich die Verbindung aufbaute, schoss mir der Ge-danke durch den Kopf, Jacqueline einfach meine Liebe zu geste-hen. Das ist es doch, was ein wahrer Held tut. Er hat vor nichts Angst! Oder besser gesagt, er überwältigt seine Angst für die Liebe. Und meine Liebe war größer als jede Liebe, die ein Junge oder Wolf, inklusive der albernen Werwölfe in Romanen, je empfunden hatte.

Suleika ging mit mir in einen kleinen Nebenraum des Kran-kenzimmers, damit ich ungestört reden konnte, und legte das Telefon mit eingestellter Lautsprecherfunktion auf den Boden, da ich es ja auch schlecht an mein Ohr halten konnte. Dann verließ sie den Raum, die Telefonverbindung baute sich auf, und es tutete. Ich konnte es nicht erwarten, dass Jacqueline ranging. Und ich hatte eine solche Angst davor, dass sie nicht rangehen würde.

Es tutete weiter. Bis dato hatte ich gar nicht gewusst, dass die Intervalle zwischen zwei Tuts so lang waren. Schließlich aber hörte ich ihre kichernde Stimme: «Jacqueline hier …»

Dass sie kicherte, hätte mich in diesem Augenblick vielleicht irritieren sollen, aber ich war viel zu aufgeregt.

«Ich bin's!», rief ich, «Max!»

«Du lebst!», jubelte sie.

«Ja, und was machst du? Wie geht es dir?»

«Ich rauch Hasch mit Cheyenne!», kicherte sie noch mehr. Vielleicht hätte mich das auch irritieren sollen. Oder ich hätte ihr in diesem Moment erklären sollen, dass ich in Ägypten war, dass auch der Rest der Wünschmanns noch existierte, aber ich spürte, ich musste ihr meine Liebe gestehen. Ich hatte unfassbare Angst davor, aber was hatte Mama noch mal gesagt: Ich konnte jede Angst überwinden!

In diesem Bewusstsein begab ich mich in den Rausch des Heroen und rief: «Ich liebe dich!»

Jacqueline hörte schlagartig auf zu gackern.

«Was?», fragte sie.

«Ich liebe dich!», bekräftigte ich noch mal. Meinen Heldenmut konnte auch ihr ‹Was?› nicht ankratzen.

«Was?», fragte sie noch mal.

Irgendwie war das ein «Was?» zu viel.

«Ich liebe dich!», wiederholte ich, diesmal mit einem leicht zittrigen Timbre, das dementsprechend nicht mehr ganz so heroisch klang.

«Was will er?», hörte ich am anderen Ende der interkontinentalen Telefonverbindung Cheyenne im Hintergrund sagen.

Jacqueline erklärte verwirrt: «Der Kleine liebt mich.»

Da begann Cheyenne, laut loszugackern. Das wäre ja noch zu verkraften gewesen. Gerade mal so.

«Hör auf», rief ihr Jacqueline zu.

Aber Cheyenne hörte nicht auf. Da musste Jacqueline nun mitgackern. Und dieses Gelächter war nicht mehr zu verkraften. Es zerriss mir das Herz.

Ich haute heftig mit meiner Pfote auf «Telefonat beenden». Mehrmals, bis das Telefonat tatsächlich vorbei war und Jacquelines Gelächter erlosch.

Allerdings hörte ich es in meinem Kopf immer weiter.

Laut.

Schallend.

Zornerfüllt blickte ich auf Mama; anstatt mir zu erklären, dass ich es immer schaffen würde, meine Angst zu überwinden, hätte sie mir etwas anderes sagen sollen: dass Angst auch einen biologischen Sinn hat: nämlich den, einen davor zu bewahren, verletzt zu werden.

EMMA

Die Sterne am Himmel und der Mond beschienen die Pyramide des Pharaos Seti, nicht zu vergessen die Scheinwerfer der ägyptischen Fremdenverkehrsbehörde, die die Pyramiden selbst in einer Nacht wie dieser anstrahlten, in der sich außer ein paar Monstern und einer Suleika niemand hier herumtrieb. Wir ritten durch die jetzt angenehm kühle Wüste. Frank saß auf einem besonders starken Kamel mit dem Namen Hulk, und Max lief auf seinen bandagierten Pfoten schlecht gelaunt neben uns her. Aber wer hatte schon angesichts der Lage gute Stimmung oder konnte gar den atemberaubenden Anblick der leuchtenden Pyramide genießen?

Wir hatten während des ganzen Ritts geschwiegen, doch plötzlich fragte Suleika: «Was habt ihr eigentlich vor, wenn in dieser Pyramide tatsächlich Imhotep haust?»

Ihre Stimme verriet bei der Frage keinerlei Angst, was diese junge Frau eigentlich für mich hätte noch beeindruckender machen sollen. Aber tatsächlich gefiel sie mir von Minute zu Minute weniger, konnte ich doch immer mehr verstehen, wenn Frank mit so einer tollen Frau «Ufta» gemacht hätte.

«Wir werden in die Pyramide reingehen», antwortete ich auf ihre Frage, «und dem Depp in seinen Imho treten.»

«Das ist ja mal ein komplexer Plan», ätzte Max.

Dabei sah er mich mit einer Mischung aus Schmerz und Wut an, als ob ich ihm irgendetwas Schlimmes angetan hätte. Anscheinend hatte Max sich ausgerechnet die heutige Nacht ausgesucht, um in die Pubertät zu kommen. Na, wunderbar!

«Und über unsere Rücktransformation reden wir schon gar nicht mehr», nölte er.

Das stimmte leider. Es war jetzt schon achtundvierzig Stunden her, dass Baba Yaga uns in Halloween-Attraktionen verwandelt hatte, und es würden uns nur noch vierundzwanzig bleiben, um Fee zu retten und irgendwie nach Transsilvanien zu gelangen. Einem Land, das nicht nur weit weg war, sondern von dem mir auch gerade siedend heiß einfiel, dass es den Legenden nach auch die Heimat von einem Mann war, der mein nicht vorhandenes Herz höherschlagen ließ.

«Dracula», seufzte ich ganz leise.

«Was?», fragte Suleika irritiert.

«Grr?», fragte Frank eifersüchtig.

«Nichts, nichts», wiegelte ich ab.

Ein schlechtes Gewissen überkam mich, aber ich war auch sauer auf Frank: Welches Recht hatte er, eifersüchtig zu sein? Wenn jemand eifersüchtig sein durfte, dann war das ja wohl ich wegen seiner Kuhleika. Und selbst diese Eifersucht war jetzt völlig fehl am Platze angesichts des bunten Straußes an gigantischen Problemen, die es zu lösen galt. Mein Gott, was hatte Imhotep in dieser Zeit schon alles mit Fee anstellen können?

«Wie sollen wir ohne ein Teleportationsgerät nach Transsilvanien gelangen?», fragte Max, bevor ich mir in meinem Kopf lauter schreckliche Dinge ausmalen konnte.

«Eins nach dem anderen», erwiderte ich.

«Deine Pläne werden wirklich immer komplexer», ätzte er.

Ja, er war ganz definitiv in der Pubertät angekommen. Yippeihyeah!

«Wir sind da», erklärte Suleika, als wir vor der Pyramide standen.

«Dies wär uns so nicht aufgefallen», erwiderte Max.

Suleika irritierte seine schroffe Art, und Frank grollte ihn an, weil er so frech zu ihr gewesen war. Mich wiederum machte dies sauer, weil ich das Gefühl hatte, Frank wollte nur seine olle Gnuleika verteidigen. So pampte ich: «Groll das Kind nicht so an!»

Max, ganz frischgebackener Pubertist, schimpfte aber nicht mit seinem Vater, sondern mit mir: «Mama, ich kann mich selbst verteidigen!»

«Das könnte gegen Imhotep auch durchaus notwendig werden», erwiderte ich ernst und brachte damit das Gespräch endgültig auf das Wesentliche zurück: auf die Rettung meiner Tochter.

«Glaubt ihr, ihr könnt wirklich gegen Imhotep bestehen?», fragte Suleika, während wir von unseren Kamelen abstiegen.

«Wir haben schon Zombies und Godzilla überlebt. So leicht wird er uns nicht überraschen können.»

«Außer mit Fröschen», sagte Max.

«Wieso Frösche?», fragte ich erstaunt.

Da fiel mir schon ein Frosch auf den Kopf.

Von meinem Kopf fiel er zu Boden und hüpfte quakend in den Wüstensand davon.

«Deshalb», erklärte Max.

«Das war aber doch nur einer …», erwiderte ich verdattert.

Doch da kamen schon die nächsten quakenden Viecher geflogen. Ich blickte in den Himmel: Es regnete Frösche! Und dieser Regen, der die Tiere mindestens genauso überraschte wie uns, tat ganz schön weh.

«Hierher!», rief Suleika und floh vor den fallenden Fröschen unter das Vordach eines geschlossenen kleinen Souvenirgeschäfts. Wir folgten rasch. Die Kamele ebenfalls. Und so kuschelten sich schließlich unter dem Vordach drei Monster, drei Kamele und eine Gnuleika eng aneinander. Dabei schauten wir uns dieses Frosch-Schauspiel an, bei dessen Anblick Klimaforscher sicherlich ihre sämtlichen Modelle in Frage gestellt hätten.

«Imhotep kann anscheinend biblische Plagen erzeugen», erklärte Max und wedelte dabei vor Furcht mit dem Schwanz (ein Anblick, an den ich mich selbst in dieser Situation nicht gewöhnen konnte).

Da ich ungefähr so bibelfest wie die meisten Deutschen war, also gar nicht, fragte ich Max: «Was gehört denn noch so alles zu den biblischen Plagen?»

In diesem Augenblick sauste ein riesiger Schwarm Stechmücken auf uns zu.

«Ich hab nicht gefragt!», schrie ich. «Ich hab nicht gefragt!»

Frank riss mit seinen gewaltigen Pranken die geschlossene Tür der Souvenirbude aus den Angeln, wir rannten in das Geschäft, vorbei an Pyramiden und Sphinxen aus Plastik, sahen die Tür zu einem Lagerraum, rannten hindurch und schlossen schnell die Tür hinter uns. Die Stechmücken sausten wütend summend dagegen, kamen aber nicht mal durch das Schlüsselloch herein, da an der Tür ein Fliegengitter befestigt war.

Wir hatten also Zuflucht gefunden, wenn auch eine ziemlich enge. Die Kamele waren uns nämlich gefolgt und standen uns in dem kleinen Lagerraum fast auf den Füßen. Um uns herum war alles vollgepackt mit Souvenir-Nippes, darunter überraschenderweise auch Teller von der Hochzeit von Charles und Diana (ob Kläuse und Bärbels sich diese Restposten kauften, um sich daran zu erinnern, dass es noch schlimmere Ehen gab als die eigene?).

Nach einer Weile hörten wir, wie der Stechmückenschwarm sich wieder entfernte. Frank seufzte erleichtert «Ufta», Max ergänzte: «Das wollte ich auch gerade sagen», und selbst die Kamele atmeten tief durch.

Ich blickte durch das geschlossene Fenster des Lagerraumes und sah, wie draußen die Frösche nur noch leicht nieselten. Dafür zog erneut ein Sandsturm auf, eine dunkle schwarze Riesenwolke wie am Nachmittag. Ganz klar, Imhotep war wieder im Anflug!

Und obwohl mir seine Plagen eine furchtbare Angst einflößten, öffnete ich die Tür des Lagerraumes, rannte durch das Geschäft wieder ins Freie und rief zornig: «Wenn du nicht sofort meine Tochter freilässt, dann steck ich dir deine Frösche dahin, wo die Sonne nicht mehr scheint.»

Max, der mir vorsichtig gefolgt war, kommentierte das ängstlich zitternd mit: «Jetzt haben deine Pläne wirklich ein Höchstmaß der Komplexität erreicht.»

Der Sandsturm bildete sich wieder zu einem Gesicht. Begleitet von einem lauten Grollen. Gleich würden wir die Antwort auf meine Drohung hören, und diese würde gewiss nicht freundlich ausfallen.

«Vielleicht wäre eine diplomatischere Rangehensweise besser gewesen», sagte Max, und ich sah, wie Frank und Suleika, die mittlerweile ebenfalls draußen standen, nickten. Und ich meinte bei meinem Blick über die Schulter zu sehen, wie die Kamele hinten im Lagerraum ebenfalls zustimmend nickten.

«Sind Stechwunden das Schlimmste, was an biblischen Plagen passieren kann?», fragte ich Max nun verunsichert.

«Na ja, es gibt noch Geschwüre.»

«Wie schön.»

«Und Viehpest.»

«Vielleicht hätte ich wirklich diplomatischer sein sollen.»

Jetzt war ich mir sogar ziemlich sicher, die Kamele hinten im Lagerraum nicken zu sehen.

«Ich befürchte nur, es ist zu spät für Diplomatie», erklärte Max.

Zwar hatten sich die Mücken verzogen, auch die Frösche hatten aufgehört zu nieseln, doch das schwarze Sandgesicht im Himmel hatte sich komplett geformt und verdunkelte den Sternenhimmel. Es sah anders aus als zuvor, es schien so etwas wie Haare aus schwarzem Sand zu besitzen – als ob Imhotep sich schnell noch mal ein Toupet angeschafft hatte.

Das Loch, das den Mund bildete, setzte zum Sprechen an. Und die Worte, die wir hörten, waren noch viel überraschender als die regnenden Frösche. Denn das Gesicht fragte: «Hey, wie geht's euch?»

Die Stimme klang zwar wild grollend, aber dennoch zarter als die vom Nachmittag. Sie war gewiss nicht die gleiche. Sie klang entfernt wie … wie die von …

«Fee … bist du das?», fragte ich völlig erstaunt.

«Ja! Ist es nicht super, was ich alles kann?», antwortete das Gesicht im Himmel, das meine Tochter war.

«Es wäre noch viel superer, wenn du uns erklären würdest, was das alles zu bedeuten hat. Was hat er dir angetan?»

«Er hat mir gar nichts angetan.»

Was ich da im Himmel über mir sah, hatte mit «gar nichts» wenig zu tun.

«Immo war total gut zu mir», erklärte Fee.

«Du … du nennst ihn ‹Immo›?»

«‹Impotent› findet er nicht so lustig.»

«Nachvollziehbar», kommentierte Max.

«Was hat er mit dir angestellt?», wiederholte ich zutiefst besorgt meine Frage.

«Er hat mir gezeigt, was ich alles sein kann!», jubelte sie.

«Ein Sandsturm …?», fragte ich.

«Und noch viel mehr!»

«Ein Sandsturm, der Frösche regnen lassen kann und Stechmücken herbeiruft?»

Man wünscht sich durchaus andere Fähigkeiten für seine Tochter.

«Ja!», freute sich Fee. «Ich kann auch die anderen biblischen Plagen!»

«Lass mal!», rief Max hastig in den Himmel.

«Keine Sorge», grinste sie, «das mit dem Töten der Erstgeborenen würde ich auch nie machen.»

«Schön zu hören», erwiderte ich zaghaft und war nicht gerade angetan davon, dass sich meine Tochter überhaupt mit so einem Thema beschäftigte. Vorsichtig fragte ich: «Kannst du dich auch wieder zurückverwandeln? Das wäre mal eine richtig gute Fähigkeit.»

«Selbstverständlich kann sie das», antwortete statt ihrer eine tiefe Männerstimme.

Neben mir stand mit einem Male ein muskulöser Glatzkopf in Lendenschurz, und ich musste unwillkürlich denken: In so einem Aufzug würde ich mir eine Blasenentzündung holen.

«Ich bin Imhotep!», verkündete der Lendenschurzmann ziemlich theatralisch.

Fee musste im Himmel kichern.

«Wird es dir nie langweilig, über meinen Namen zu lachen?», rief er nach oben, kein Stückchen böse, eher freundlich amüsiert.

«Bisher nicht», verzog sich Fees Sandsturmgesicht im

Nachthimmel zu einem Lächeln, und der Glatzkopf lächelte liebevoll zurück in den Himmel.

Was zum Henker ging hier vor?

«Hast du meine Tochter hypnotisiert?», fragte ich Meister Proper wütend.

Statt einer Antwort lächelte er.

«Rede, oder ich zieh deinen Lendenschurz so zusammen, dass du hupst!»

«Ganz die Tochter», lachte Imhotep dröhnend.

«Von wegen!», rief Fee von oben. Selbst als Sandsturmmonster mochte sie nicht mit mir verglichen werden.

«Verwandle dich endlich zurück!», rief ich ihr zu. Ich konnte so nicht weiter mit ihr sprechen.

«Wie heißt das?», rief sie.

«Mach, oder es setzt was!»

«Bitte wäre die richtige Antwort gewesen», grinste Fee.

Ihr Sandsturmgesicht löste sich auf, der Sand rieselte zu Boden. Als das letzte Sandkorn auf den Haufen gerieselt war, verwandelte dieser sich vor meinen Augen in Fee. Besser gesagt, in die Mumienversion meiner Tochter.

«Ist sie nicht wunderschön?», betrachtete Imhotep sie ganz verliebt.

Es ist ja schon schlimm, wenn ältere Jungs die Tochter so angaffen. Noch schlimmer ist es, wenn es ältere Männer tun. Aber dieser Typ hier war 3000 Jahre alt und verlieh so dem Begriff «dreckiger alter Mann» eine ganz neue Dimension.

«Hast du sie hypnotisiert?», fragte ich den Lendenschurz noch mal.

«Nein, man kann Menschen mit starkem Willen nicht hypnotisieren», erklärte er.

Das also war das Geheimnis. Es bedeutete, Fee hatte Baba Yaga nicht wegen deren starkem Willen hypnotisieren können und mich auch nicht. Und meine Tochter besaß anscheinend ebenfalls einen unbeugsamen Willen. Darauf hätte man eigentlich stolz sein können, wenn ihr Wille sich nicht immer in den Dienst ihrer Bockigkeit stellen würde.

«Ich habe also keinen starken Geist», kombinierte Max traurig, warum Fee ihn im Riesenrad hatte hypnotisieren können.

In diesem Augenblick tat er mir leid, und so versuchte ich, ihn aufzumuntern: «Du wirst auch noch einen starken Willen bekommen ...»

«Ach, hör doch auf mit deinen rhetorischen Lügen», blaffte Max mich an. «Wegen deinem Gerede ist mein Leben noch viel, viel desaströser als je zuvor!»

Wegen meinem Gerede? Was hatte ich denn gesagt? Und wann? Ich hatte nicht den blassesten Schimmer, worum es ging, warum sein Leben schlechter war als noch vor einer Stunde. Für einen kurzen Moment überlegte ich, ob ich nachfragen sollte. Doch ich besann mich darauf, dass ich erst mal Fee auf Gleis bringen musste. Ich packte sie am Arm und erklärte: «Du kommst jetzt mit uns!»

«Wo willst du mit ihr hin?», fragte Imhotep, dem mein zupackendes Verhalten ganz offensichtlich missfiel.

«Nach Transsilvanien.»

«Und wie willst du da hingelangen, törichte Frau?», fragte er spöttisch.

«Weißt du was?», schimpfte ich. «Das Letzte, was mir noch gefehlt hat, ist ein 3000 Jahre alter Klugscheißer im Lendenschurz!»

Das Lachen verließ schlagartig sein Gesicht.

«Los jetzt!», befahl ich Fee und zog heftig an ihr. Aber sie wollte sich einfach nicht von der Stelle bewegen.

«Ich bleibe bei Immo», erwiderte sie seelenruhig.

«Was?»

«Ich bleibe bei Immo.»

216

«Ich versteh immer nur ‹Ich bleibe bei Immo›!», sagte ich fassungslos.

«Dann verstehst du richtig.»

«Aber dich versteh ich nicht!»

«Was gibt es denn da nicht zu verstehen?», fragte Fee.

«Alles!»

«Wieso sollte ich mich zurückverwandeln?»

«Ich dachte, du hasst diesen Mumienkörper.»

«Da hab ich doch noch nicht gewusst, was ich alles damit anstellen kann. Ich kann Menschen hypnotisieren. Ich kann mich in Stürme verwandeln, ich kann sogar biblische Plagen hervorrufen ...»

«Und nicht zu vergessen», ergänzte der Lendenschurzträger, «du beherrschst den fürchterlichen Fluch der Mumie.»

«Eine Waffe der letzten Wahl», nickte Fee. «Der ist nämlich lebensgefährlich.»

«Ich will gar nicht wissen, welchen Fluch du beherrschst», schnitt ich ihr das Wort ab. «Du darfst nicht so bleiben.»

«Wieso nicht? Ich will nicht mehr zurück in die Schule. Denk doch nur, was ich alles bewirken kann mit meinen Kräften. Revolutionen auslösen. Diktatoren abservieren. Den Menschen helfen. Den Armen. Den Unterdrückten.»

Ich staunte. Wegen ihrer Idee. Aber auch, weil sie dabei so strahlte. Das sonst so lethargische Mädchen hatte endlich mal einen Plan. Einen, für den sie sogar auf ihren eigenen Teenagerkörper verzichten und auf ewig Mumie bleiben wollte.

Das hätte faszinierend sein können, denn es war mutig, idealistisch und selbstlos. Und es hätte mich wohl auch bei jedem anderen beeindruckt. Wäre dieser andere nicht zufällig meine Tochter. Aber ich konnte doch nicht zulassen, dass sie ihr Leben als Mensch wegwarf und für immer Mumie blieb.

«Was schaust du so?», fragte sie. «Du wolltest doch immer, dass ich mir über die Zukunft Gedanken mache. Und jetzt hab ich etwas gefunden. Etwas, womit ich wirklich einen Unterschied in der Welt machen kann.»

«Ist sie nicht wunderbar?», strahlte Imhotep. «Wie meine Anck. Sie will die Menschen retten.»

Der Typ begann, mir so richtig auf den Geist zu gehen.

«Fee, du kannst doch nicht Mumie bleiben …», versuchte ich ihr ins Gewissen zu reden.

«Und wie ich kann.»

«Vielleicht», mischte sich Max zugunsten seiner Schwester ein und ließ dabei seiner Phantasie freien Lauf, «ist Fee ja so eine Art Auserwählte wie in den großen Geschichten, eine wie Luke Skywalker oder Frodo Beutlin … Vielleicht soll sie sogar die Menschen retten …»

«Max?», sagte ich.

«Ja.»

«Mach Sitz!»

Er machte Sitz und schwieg.

Ich sah wieder in Fees entschlossene Augen, wusste nicht mehr, was ich sagen sollte, drehte mich hilflos zu Frank und bat: «Sag du jetzt doch bitte auch endlich mal was!»

«Ufta!», donnerte er laut und bestimmt.

«Na toll», seufzte ich. «Du bist ja eine echte Hilfe.»

«UFTA, UFTA, UFTA!»

Das brachte es auch nicht.

So wandte ich mich wieder Fee zu: «Bitte … komm mit uns … sei vernünftig.»

«Ich bin vernünftiger als je zuvor.»

«Lass dir doch sagen …»

«Du kannst mir gar nichts mehr sagen», erwiderte Fee. «Du wolltest immer eine andere Tochter haben, jetzt hast du eine.»

«Das hatte ich doch nicht so gemeint.»

«Oh doch, das hast du», sagte sie mit vor trauriger Wut funkelnden Augen.

218

Das tat mir unfassbar weh, weil es so ungerecht war. Und es machte mich zornig.

«Hör auf, so zu reden, oder …», drohte ich hilflos.

«Hör endlich auf, mir Befehle zu geben, nur weil du selber so frustriert bist», hielt sie dagegen.

«Was bin ich?»

«Total frustriert, weil du nichts aus deinem Leben gemacht hast.»

Als sie das ausgesprochen hatte, holte ich instinktiv mit meiner Hand aus. Ich wollte nicht schlagen. Natürlich nicht. Nur drohen. Sie sollte endlich aufhören, so zu reden.

«Du willst mich schlagen?», fragte sie mich erschüttert.

«Nein … ich will dich doch nur zur Vernunft bringen», stammelte ich.

«Verschwinde aus meinem Leben», sagte sie nur leise.

«Aber …»

«Ich will dich nie wieder sehen», flüsterte sie, und die Verachtung in ihren Augen war unerträglich für mich. Ich wandte mich ab. Mir fehlte einfach die Kraft dagegenzuhalten. Und ich schämte mich so sehr, dass ich die Hand gegen sie erhoben hatte.

Traurig und verzweifelt sah ich zu den anderen. Zu Max, der betreten auf den Boden blickte. Zu den Kamelen, die sich immer noch nicht so recht aus dem Lagerraum trauten. Zu Frank und Suleika, von denen ich dachte, dass sie vielleicht was miteinander gehabt hatten. Ein Verdacht, der mir mindestens ebenso wehtat wie Fees Verachtung. Ich konnte mit diesem Verdacht nicht mehr weiterleben, er zerfraß mich. Ich brauchte endlich Gewissheit. Entweder in die eine oder in die andere Richtung!

Aufgewühlt und ohne groß nachzudenken, ging ich zu Frank und fragte: «Habt ihr beiden einmal …»

«Ufta?» Er hatte meine angedeutete Frage nicht verstanden.

Suleika hingegen schon, sie blickte zur Seite und sagte: «Ich … ich schau mal nach den Kamelen.»

Das war schon so gut wie eine Antwort.

Suleika verschwand in dem Geschäft, und ich fragte Frank noch mal, diesmal deutlicher: «Habt ihr beide einmal miteinander geschlafen?»

Frank schüttelte den Kopf.

Riesige Steine der Erleichterung polterten von meinem nicht vorhandenen Herzen. Mein Verdacht war nur eine einzige eifersüchtige Dummheit gewesen. Gott sei Dank!

Ich wollte gerade Frank umarmen, doch da bückte er sich zu Boden und schrieb etwas mit seinem riesigen, klobigen Zeigefinger in den Sand:

Zuerst verstand ich gar nichts. Doch dann wurde mir hundeübel: «Acht?»

Frank nickte beschämt.

«ACHT?!?»

Frank nickte noch beschämter.

«Du hast nicht einmal mit ihr geschlafen, sondern achtmal???»

Frank hörte auf zu nicken, so sehr schämte er sich.

Oh mein Gott, es war alles noch viel, viel schlimmer, als ich gedacht hatte.

Er hatte mich nicht nur einmal im Affekt betrogen. Sondern

ausdauernd und gerne. So etwas tut man nicht, wenn man jemanden liebt.

Er liebte mich also nicht mehr.

Vielleicht schon seit langem.

Mir wurde noch viel schlechter. Als ob mir irgendjemand meine Eingeweide herausreißen würde. Ich sah in die Runde. Es war völlig absurd gewesen, die Schlüssel zu den Herzen meiner Familie zu suchen. Ihre Herzen waren verschlossen.

Mit brüchiger Stimme erklärte ich: «Ich weiß, ich bin nicht perfekt. Ich bin keine supertolle Mama, und ich bin keine supertolle Ehefrau …»

Ich stockte für einen Moment, dann redete ich weiter: «Ich bin eben ich … mehr ist da nicht …»

Alle schwiegen betreten.

Selbst Imhotep.

Und die Kamele.

«Und wenn das nicht reicht, um bei mir zu bleiben …»

Ich blickte zu Fee.

«… und wenn es nicht reicht, euer Leben besser zu machen …»

Ich blickte zu Max.

«… und vor allem, wenn es nicht reicht, um mir treu zu sein …»

Ich blickte zu Frank.

«… dann … dann ist es besser, wenn ich geh.»

Traurig ging ich in das Geschäft und nahm Suleika die Zügel eines Kameles aus der Hand. Ich führte das Tier aus dem Laden heraus, an meiner Familie vorbei und saß auf. Dann gab ich dem Kamel den Befehl loszulaufen.

Und während ich meine Familie verließ, stellte ich fest: Auch Vampire können weinen.

FEE

«Schämst du dich nicht, Mama zu betrügen?!?», schimpfte ich Papa an, nachdem Mama weg war.

«Uff», antwortete er und schämte sich wirklich dabei.

Aber das war mir jetzt völlig egal. Deswegen motzte ich weiter: «Und dann machst du es auch noch mit so einem armen Dritte-Welt-Häschen!»

«Moment mal?», protestierte das Dritte-Welt-Häschen.

«Nix Moment mal. Das war ein verheirateter Mann, mit dem du da in die Kiste gestiegen bist. Wenn du eine Greencard für Deutschland haben willst, such dir doch einen Single-Touri.»

«In Deutschland gibt es keine Greencards ...», wollte sie mich korrigieren.

«Mir könnte gerade nichts scheißegaler sein als das Einwanderungsverfahren der Bundesrepublik Deutschland!»

Suleika hielt die Klappe.

«Dass du für so etwas mit so einem alten Knacker in die Kiste steigst», sagte ich verächtlich. «Mit so welkem Fleisch.»

«Ufta!», protestierte jetzt Papa.

«Ach, hör mir doch auf mit deinem ständigen ‹Ufta›!»

«Iffta?», erwiderte er hilflos.

«Auch nicht besser, geiler Bock!»

«Ufta!», protestierte er jetzt wieder normal.

«Ich ... ich liebe deinen Vater», erklärte Suleika. Und so, wie sie dabei blickte, konnte man ihr das sogar glauben. Auch wenn man es überhaupt nicht begreifen konnte.

«Wenn das wirklich so ist», fragte ich, «wie blöd muss man eigentlich sein, sich in einen Typen zu verlieben, der so übel drauf ist, dass er sogar seine Frau betrügt?»

Sie sah zu Boden.

«Und du?», fragte ich Papa. «Wie blöd muss man sein, seine Frau zu betrügen, wenn man Kinder hat?»

Er blickte ebenfalls zu Boden.

«Auf dem Boden findet ihr keine Antwort.»

Sie sahen zur Seite.

«Da auch nicht.»

Beide schwiegen weiter. Und ich konnte, ganz ehrlich, ihren Anblick nicht länger ertragen. Daher sagte ich: «Komm, Immo, wir gehen.»

«Niemand sagt Imhotep, was er tun soll!», protestierte Immo.

«Nerv nicht», erwiderte ich und begann, mich in einen Sandsturm zu verwandeln. Erst löste sich mein linker Arm in wirbelnden Sand auf. Das kribbelte tierisch. Wie ein eingeschlafener Arm, wenn er langsam wieder aufwacht und man dann auch noch feststellt, dass Tausende Ameisen auf ihm rumkrabbeln.

«Was machst du denn da?», fragte Max unsicher.

«Nach was sieht es denn aus?», erwiderte ich, als sich auch mein anderer Arm in wirbelnden Sand verwandelte.

«Nach einer Flucht», stellte Max traurig fest.

Für einen kurzen Moment traf mich das. Aber dann machte es mich noch wütender: Wenn man aus irgendeiner Situation fliehen durfte, dann war das ja wohl diese hier. Außerdem hatte ich ja endlich einen Plan, was ich mit meinem Leben anstellen wollte, und ich brannte darauf, ihn endlich umzusetzen.

Mein restlicher Körper wurde zu wirbelndem Sand, überall kribbelte es, nur meinen Mund ließ ich noch in seiner eigentlichen Form. Er hing als einziger existierender Körperteil in der Luft, getragen vom Aufwind des Sandwirbels, und ich fragte: «Was ist jetzt, Immo? Kommst du mit?»

«Niemand befiehlt Immo …»

«Ach, heul doch!», schnitt ich ihm das Wort ab.

Dann verwandelte sich auch mein Mund zu Sand, und ich wirbelte hoch in den Himmel. Mann, war das ein geiles Gefühl! So zu wirbeln. So zu fliegen. In den Himmel zu steigen. Eine Naturgewalt zu sein!

Ich sah nach unten: Alle wurden immer kleiner, nur Immo nicht, der jetzt endlich in die Hufe kam und sich ebenfalls in einen Sandsturm verwandelte. So viel also zu: Niemand sagt Imhotep, was er tun soll.

Durch mein eigenes lautes Wehen hindurch hörte ich von unten noch, wie Papa «Fmee!!!» rief.

Ich formte einen riesigen Mund aus Sand – was sich, nebenbei bemerkt, anfühlte, als würde man gähnen, nur viel kribbeliger – und rief mit meiner Wirbelwindstimme zu ihm runter: «Nix da ‹Fmee›! Ich bin nicht mehr eure kleine Fee, ich bin ein für alle Mal Felicitas!»

Dann wehte ich davon und überlegte mir, welch blöder Diktator gleich mal feststellen sollte, wie gut ihm die neue Felicitas in den Hintern treten konnte.

MAX

Das hier lief alles suboptimal. Wobei suboptimal noch höflich formuliert war. Es war in etwa so suboptimal, wie die nautischen Fähigkeiten des Titanic-Kapitäns suboptimal waren. Oder die Lage der deutschen Soldaten vor Stalingrad. Oder der moralische Anstand von Silvio Berlusconi. Oder mein Verständnis von Mädchen.

Mama war weg. Fee auch. Und sie war drauf und dran, eine militante Version von Nelson Mandela zu werden. Zu allem Überfluss hatte Papa auch noch Mama betrogen. Und ich hasste sie jetzt alle drei.

Wie sehr ich mir wünschte, jetzt bei Jacqueline zu sein. Jedenfalls bei einer Jacqueline, die mich nicht auslachte, wenn ich ihr meine Liebe gestand. Aber diese Jacqueline existierte ja leider nicht. Also wünschte ich mir doch nicht, bei Jacqueline zu sein.

Vor allen Dingen wünschte ich mir, dass ich ihr nie gesagt hätte, dass ich sie liebe. Was hatte ich mir nur dabei gedacht? Wie sollte sie auch einen Werwolf lieben? Geschweige denn einen Max?

Es war jedoch auch irrelevant, wie sie einen Max lieben konnte, ich würde ja nie wieder einer sein. Wir Wünschmanns hatten keinerlei Möglichkeit mehr, uns wieder zurück in normale Menschen zu transformieren oder gar in eine normale Familie, die wir – wenn man es mal so richtig durchdachte – ja ganz offensichtlich ohnehin niemals waren.

Was sollte ich jetzt nur anstellen mit meinem Leben? Bei Papa bleiben? Einem Mann, der Schwierigkeiten hatte mit dem Addieren im einstelligen Zahlenbereich und den ich jetzt zutiefst verachtete? Einem Mann, dem ich am liebsten ans Bein strullern wollte und dann ins Bein beißen? (Wobei in geschmacklicher Hinsicht die umgekehrte Abfolge der Aktionen sicherlich optimaler wäre.)

Nein, bei diesem Menschen konnte ich nicht bleiben! Ich musste also sehen, wie ich alleine als Werwolf durchs Leben kommen würde. Doch wie sollte das gehen? Mit Talkshowauftritten Geld verdienen? Wie lange würde dies gutgehen? Wie lange wäre meine Halbwertszeit als Mediensensation, bevor man mich im Dschungelcamp entsorgte?

In diesem Augenblick fiel mir wieder ein, welcher Gefahr ich mich aussetzen würde, wenn ich als parlierender Werwolf bekannt würde. Garantiert würde ich in das Visier von Wissenschaftlern geraten. Diese würden vor einem Gericht dafür sorgen, dass man mich nicht als Homo sapiens klassifizierte, sondern als Tier, und dann würde ich für die nächsten fünfzig

Jahre in einem Versuchslaboratorium verschwinden. Wenn ich überhaupt so lange darin überleben würde.

Das durfte nicht passieren! Es war ganz evident: Ich musste inkognito bleiben. Doch wie? Sollte ich mich einem Wolfsrudel anschließen? Es gab ja keine Wölfe in der Fauna von Ägypten. Und die Wüstenfüchse würden wohl kaum darauf reinfallen, wenn ich so tat, als wäre ich einer von ihnen. Und falls sie doch nicht hinter diese Scharade kämen, wären die Wüstenfüchse so etwas von intellektuell unter meiner Würde, dass ich mich niemals zu ihnen gesellen wollen würde.

Es gab nur eine Möglichkeit für mich, als Werwolf Geld für Kost und Logis zu verdienen und gleichzeitig unter dem Radar der Wissenschaftler zu bleiben: Ich musste mich einem kleinen Zirkus anschließen. Zum Beispiel dem, der gerade am Resort gastierte. Endlich hatte ich eine Strategie! Keine sonderlich reizvolle. Aber eine praktikable.

Ich lief zu Papa und strullerte ihm ans Bein. Dann biss ich rein. Und ärgerte mich zugleich, dass ich mir in meinem Zorn nicht die richtige Reihenfolge gemerkt hatte. Dann lief ich – mit einem schlechten Geschmack im Mund – auf und davon. Zum Zirkus!

EMMA

Wenn man in großen epischen Filmen jemanden auf der Leinwand sieht, der in wundervollen Landschaften weint – in Tibet, im Dschungel oder wie ich in der Wüste –, dann ist man im Kinosaal immer ganz ergriffen und denkt: «Hach ... welch große, tiefe Gefühle!»

Doch in diesem Augenblick erkannte ich: Große, tiefe Gefühle sind voll für den Arsch.

Was hätte ich nur dafür gegeben, total angeödet vor der

Glotze zu sitzen, mir auf Phoenix was Langweiliges wie eine Bundestagsdebatte über die Mautgebühr anzusehen und dabei Chips zu futtern.

Und was hätte ich dafür gegeben, mit einer Tüte Chips meinen Hunger stillen zu können. Denn während meines epischen Emotionsrittes durch die Wüste begann mein Magen zu grummeln. Anfangs ignorierte ich ihn, war ich doch viel zu sehr mit Weinen beschäftigt. Doch dann meldete er sich immer lauter zu Wort, bis ich seinen Ruf nicht mehr ignorieren konnte, der da lautete: «Hey, ich hab Kohldampf! Und mit ‹Kohl› mein ich Blut!»

Die Wirkung von Draculas Pille ließ nach. Und zwar rasant schnell. So schnell, dass mir im weiteren Verlauf des Rittes völlig egal wurde, ob Frank es achtmal mit Suleika im Bett getan hatte oder siebzehnmal auf einem Trapez.

Ich hatte keine Ahnung, wohin ich überhaupt ritt, aber in meinem Hunger war mir auch das egal. Mein Kamel wollte anscheinend heim zum Resort, was man ihm bei dem Verlauf des bisherigen Abends auch nicht verübeln konnte. Noch bevor ich überlegen konnte, ob ich selbst in dieses Feriendomizil wollte, ritten wir schon am Zirkus vorbei, dessen Vorstellung schon längst beendet war, und erreichten das Tor der Ferienanlage. An dessen Eingang sah ich einen Klaus und eine Bärbel stehen, die sich stritten:

«Hanoi, du könnteschd zu Mundgeruch International», schimpfte Bärbel.

«Und du könnteschd zu Mit dem Aussehen Eier abschreck International», erwiderte Klaus.

Diese beiden kamen mir gerade recht. Sie waren für mich keine Touristen mehr, sondern Mahlzeiten.

Ich sprang vom Kamel ab, das ohne mich weiter durch das geschwungene Tor des Resorts lief. Die beiden Mahlzeiten nahmen mich allerdings gar nicht wahr, sondern sie stritten sich weiter. Bärbel schimpfte: «Du könnteschd zu Mit dem Fuß-schweiß Tiere einschläfern International!»

«Hallo», versuchte ich in das Gespräch einzugreifen.

«Und du könnteschd zu Starker Bartwuchs International», erwiderte Klaus, ohne mich zu beachten.

«HALLO!», sagte ich nun noch lauter.

«Hanoi», motzte Klaus, «sehen Sie nicht, dass mir uns hier unterhalten?»

«Sehen Sie nicht, dass mir das völlig egal ist?», erwiderte ich.

Klaus blickte in mein Gesicht, erkannte darin meinen Blutdurst und begann zu zittern: «Doch ... doch, des seh ich ...»

«Fein!», erwiderte ich.

«Warum ...», fragte Bärbel mich ängstlich, «... henn Sie so große Zähne?»

«Du erwartest jetzt doch nicht wirklich, dass ich ‹damit ich dich besser fressen kann› antworte?»

Verängstigt schüttelte Bärbel den Kopf.

Mein Verlangen war jetzt riesig, meine Zähne in ihre Halsschlagadern zu schlagen.

«Ähem ...», sagte Klaus, «... es wird Zeit für Ich verpiss mich International.»

«Kläusle!», rief Bärbel entsetzt. Und als sie begriff, dass er sie alleinließ, wollte sie ebenfalls fliehen, aber ich packte sie mir, bevor sie abhauen konnte.

«Ich hol Hilfe», rief Klaus ihr noch zu, bevor er ins Resort verschwand, ohne dass man ihm dies wirklich glauben konnte.

«Ein echter Held», grinste ich.

«KLAUUUSSS!!!», schrie Bärbel nun panisch.

Der Mann hatte sie verlassen. Aber ich hatte keinerlei Mitleid mit ihr. Wer hat schon Mitleid mit seinem Essen?

«Hilf mir, Klaus ... ich nehm des auch mit dem Fußschweiß zurück», wimmerte sie.

«Bärbel …», sagte ich.

«Ja?», fragte sie ängstlich.

«Ich finde es besser, wenn mein Essen seinen Mund hält.»

Sie schwieg und wimmerte nur leise vor sich hin. Ich öffnete meinen Mund und führte meine Zähne an ihren Hals. Ihr Wimmern war mir völlig einerlei. Alles war mir völlig einerlei. Nur nicht ihr Blut. Ich wollte ihr süßes, duftendes, verführerisches Blut!

Wie von Sinnen ritzte ich mit meinen Reißzähnen ihre Haut am Hals leicht an. Gleich würde ich trinken, mein unermessliches Verlangen stillen. Doch bevor ich mich hingeben konnte, hörte ich: «Emma!»

Das war definitiv nicht die Stimme eines Kläuseles.

Ich nahm meine Zähne von Bärbels Hals, hielt sie aber weiter fest. Und dann sah ich ihn: Dracula.

Das nächtliche Wüstenpanorama um ihn herum stand ihm hervorragend. Er wirkte darin noch hübscher und edler als zuvor. Unglaublich begehrenswert. Und dennoch in diesem Augenblick bei weitem nicht so begehrenswert wie Bärbels Halsschlagader.

«Du willst doch nicht wirklich ihr Blut trinken?», fragte Dracula mit sanfter Stimme.

«Oh doch, das will ich!»

«Du machst dich damit unglücklich!»

«Mag sein, aber erst mal mach ich mich glücklich», erwiderte ich.

«Lass es sein», bat er mich eindringlich.

«Höre Sie auf den Mann!», fand Bärbel.

«Ich dachte, wir hätten schon besprochen, dass das Essen nicht reden soll!», blaffte ich sie an, und sie hielt wieder still.

«Nimm diese Pille hier!», bat Dracula und hielt mir eine weitere seiner roten Tabletten hin, die für Vampire als Nahrungsersatz fungierten. Doch aus Bärbels Hals tropften an den beiden Stellen, an denen ich ihr mit meinen Reißzähnen die Haut eingeritzt hatte, schon erste kleine Blutstropfen.

«Ich finde das Original viel besser als den Ersatz!», rief ich und wollte jetzt endlich an Bärbel saugen.

Statt einer Antwort warf Dracula blitzschnell die Pille in meine Richtung. Mit einer ungeheuren Wucht. Und zielgenau. Sie traf meinen offenen Mund und fiel durch meinen Rachen in meine Speiseröhre. Ich verschluckte mich, musste husten, aber die Pille war in meinem Körper. Und sie entfaltete blitzschnell ihre Wirkung: Mein brennendes Verlangen wurde sofort gelöscht, und ich ließ von Bärbel ab.

«Geh», sagte ich benommen zu ihr.

Sie wusste nicht, was sie antworten sollte.

«Du bist kein Essen mehr», erklärte ich, «sondern wieder eine Bärbel.»

«Ich heiß gar ned Bärbel, sondern Aschdrid», meinte sie.

«Weißt du, was mir das ist?»

«Völlig wurscht?»

«Schlaue Aschdrid. Und jetzt verschwinde, sonst gibt es für Aschdrid ...»

«... einen Arschtritt?», fragte sie.

«Sehr, sehr schlaue Aschdrid!»

Die Schwäbin rannte jetzt los ins Resort, und ich hörte noch, wie sie rief: «Hanoi, als Erschtes ruf ich den Scheidungsanwalt an.»

«Menschen», seufzte Dracula, «sind ja so was von überflüssig.»

Mein Blutrausch war verflogen. Dracula hatte mich davor bewahrt, eine Mörderin zu werden. Vielleicht war es sogar das Größte, was je jemand für mich getan hatte. Dafür war ich ihm zutiefst dankbar.

Doch dass ich mich nicht mehr im Rausch befand, war nicht nur ein Segen, denn mit einem Mal waren alle meine anderen

Gefühle wieder da. Und ich hätte wegen meiner Familie wieder auf der Stelle losweinen können.

«Hast du heute Abend etwas vor?», fragte Dracula. «Wenn nicht, flieg doch einfach mit mir davon.»

«Können Vampire etwa auch fliegen?», fragte ich. Diese Vorstellung lenkte mich etwas von meinem Kampf mit den Tränendrüsen ab.

«Wenn wir uns in Fledermäuse verwandeln.»

«Brr», sagte ich, der Gedanke war mir unangenehm.

«Aber ich würde vorschlagen, wir nehmen lieber meinen Learjet», lächelte Dracula und zeigte auf einen edlen Jet, der nicht mal hundert Meter entfernt stand.

Ich überlegte kurz.

Dann antwortete ich: «Das ist ein verdammt guter Vorschlag.»

MAX

Über mir flog im Himmel irgendein Jet, während ich mich vorbei an dem Zelt des Zirkus namens «Maximus» schlich. In den Käfigen neben dem Zelt schnarchten zwei altersschwache Tiger und ein großer, fetter, vermutlich adipöser Gorilla vor sich hin. In der Mitte des kleinen Wüstenareals, das der Zirkus in Beschlag nahm, stand ein Wagen, der vermutlich dem Zirkusdirektor gehörte. Für diese These sprach die Tatsache, dass auf diesem Wagen in großen Lettern *Der Große Maximus* stand. Aus diesem Namen konnte man zudem schlussfolgern, dass es sich bei Maximus um einen Deutsch sprechenden Zirkusdirektor handelte. Ferner stand zu vermuten, dass ein Mann, der sich der Große Maximus nannte, nicht gerade unter einem mangelnden Ego litt. Wahrscheinlich sprach er von sich selbst in dritter Person.

Doch egal, was für ein psychologisch ausgeprägtes Exemplar der Gattung Mensch Maximus auch war, ich musste mit ihm reden, denn wenn eine Kreatur wie ich irgendwo Unterschlupf finden konnte, dann war es an einem Ort wie diesem hier. Hier lebten bereits schon so einige merkwürdige Geschöpfe: In einem Wagen sah ich durch das beleuchtete Fenster, wie sich eine Frau, deren Haut aussah wie die einer Schlange, ihrer Kleidung entledigte. Der Busen dieser Schlangenfrau war der erste, den ich in meinem Leben live sah, und ich war mir nicht sicher, wie ich diesen Anblick finden sollte.

An einem anderen Wagen hing ein Plakat, auf dem *Jo und Bob, die siamesischen Zwillinge am Trapez* angekündigt wurden. Und vor dem leeren Zirkuszelt schlief, an einem Pfosten angelehnt, eine dicke, betrunkene Dame mit Vollbart. Ja, in so einem Umfeld würde ich definitiv nicht auffallen!

Ich ging die kleine morsche Holztreppe hoch und hörte durch die Tür ein lautes Schnarchen. Maximus hatte ein maximales Organ, so viel stand schon mal fest.

Auf dem Treppenabsatz angekommen, klopfte ich mit meiner Pfote gegen die Tür. Maximus schnarchte noch etwas lauter. So hämmerte ich immer heftiger gegen das Holz der Tür, bis ich anstatt eines Schnarchens «Scheiße, wer wagt es, Maximus so spät in der Nacht zu stören?» hörte.

Wie ich es mir gedacht hatte: Maximus redete von sich in der dritten Person.

«Wenn das wieder ihr besoffenen siamesischen Idioten seid», brüllte er, «dann versohl ich euch so euren gemeinsamen Arsch, dass ihr nicht mehr wisst, wo dieses bekloppte Siam überhaupt liegt!»

Dieser Mann schien nicht gerade ein freundlicher Arbeitgeber zu sein.

«Ich komme wegen eines Jobs!», rief ich tapfer durch die geschlossene Tür.

«Ich brauch keine jungen Männer zum Mitfahren!», brüllte er zurück.

«Ich komme als Attraktion!»

«Was hast du zu bieten?»

«Das müssen Sie sich schon selber ansehen.»

Nach einer Weile des Sinnierens antwortete der große Maximus: «Okay, aber wenn es mich nicht überzeugt, lass ich dich von den siamesischen Zwillingen verprügeln. Die haben zwei sensationelle linke Fäuste!»

Ich schluckte. Und wartete. Anscheinend musste sich der Zirkusdirektor erst mal anziehen. Nach einer gefühlten Ewigkeit ging die Tür endlich auf, und der große Maximus stand vor mir im Bademantel und war … ziemlich klein. Um exakt zu sein: Er war ein Liliputaner. Einer der ganz, ganz fiesen Sorte, die im Kampf den Gegnern bestimmt an den Haaren zieht oder ins Ohr beißt.

Tapfer sagte ich: «Ich sehe, der Name ‹Der Große Maximus› ist eine ironische Selbstreferenz.»

«Wieso denn ironisch?», antwortete er aggressiv. Anscheinend meinte er seinen Namen ganz und gar nicht ironisch. «Und was zum Henker ist ‹Selbstrefenz›?»

«Das ist, wenn …», wollte ich erklären.

«Halt's Maul!», unterbrach er. Dann musterte er mich und war dabei kein bisschen erstaunt, einen parlierenden Werwolf vor sich zu haben. Er war Kreaturen wie mich ganz offensichtlich gewohnt.

«Wie heißt du?», fragte er mich.

«Max.»

«Wenn du im Zirkus Maximus arbeiten willst, kannst du nicht so heißen!»

«Das heißt … ich kann hierbleiben?»

«Du bekommst freies Essen, ein Dach überm Kopf und 25 Dollar im Monat.»

«Nur 25 Dollar?»

«Wo willst du denn als Wolf groß Geld ausgeben?»

Das war ein schlagendes Argument. Dennoch wollte ich nicht einwilligen. Wenn ich schon ein Vagabund werden sollte, dann einer, der sich nicht billig abspeisen lässt.

«Ich will 50 Dollar!», sagte ich mit allem Mut, den ich aufbringen konnte.

«Ich bin Maximus der Große», antwortete der Liliputaner im Bademantel und kramte dabei eine dicke Zigarre aus seiner Bademanteltasche, «und nicht Maximus der Krösus!»

«50 Dollar, oder ich geh», insistierte ich.

«Ich bin auch nicht Maximus, der Typen wie dich nötig hat», erwiderte er und steckte sich die Zigarre genüsslich an.

Ich zögerte. Sollte ich jetzt wirklich gehen? Doch wohin?

«Du siehst nicht gerade aus wie jemand, der eine große Wahl hat», stellte er fest. Er war höchstwahrscheinlich der einzige Liliputaner der Welt, der mit einem so von oben herab reden konnte.

«Na gut, dann eben 25 Dollar», willigte ich zähneknirschend ein.

«20», korrigierte er kühl.

«Eben waren es doch 25?!?», protestierte ich.

«Da hattest du es auch noch nicht gewagt, mir zu widersprechen», erwiderte Maximus und blies mir den Zigarrenrauch ins Gesicht.

«Aber …», hustete ich.

«Schon wieder widersprochen. Jetzt sind es nur noch 15.»

«Hey!»

«13.»

«Das …»

«10.»

«Ich sollte wohl nicht weiterreden», resignierte ich.

«Endlich hast du begriffen, wie es bei Maximus läuft»,

grinste er und tätschelte dabei grob meinen Wolfskopf. «Jetzt zeig ich dir, wo du pennen kannst!»

«Krieg ich einen eigenen Wagen?», fragte ich hoffnungsvoll, als wir die Treppe von seinem runtergingen. Ein eigenes Reich hätte mir sehr gut gefallen.

Darauf begann Maximus zu lachen: «Ein eigener Wagen ... du bist lustig ... vielleicht kannst du auch als Clown auftreten! Bei unserem heulen die Kinder immer ...»

Ich betrachtete mir den lachenden Liliputaner, und mich fröstelte es bei dem Gedanken, dass ich diesen Mann fortan jeden Tag sehen würde. Mit einem Male fühlte ich mich wie eine jener unglücklichen Waisen aus den Kinderbüchern, die bei den Bösen blieben, weil sie unter einem dramatischen Mangel an Alternativen litten.

Nachdem Maximus endlich zu Ende gelacht hatte, fragte er mich, beim Gang über das Zirkusgelände: «Wie willst du jetzt heißen?»

Ich dachte nach: Warum sollte ich ein neues Leben nicht mit einem neuen Namen einläuten? Vielleicht Harry oder Oliver oder der eines anderen Waisenkinds, das zu einem großem Helden geworden war – auch wenn ich mittlerweile ziemlich fest davon überzeugt war, dass ich nicht aus dem Stoff war, aus dem Helden werden.

Nach etwas Sinnieren fiel mir der Name eines anderen berühmten Waisen ein, der zum Helden wurde, ein Captain namens Kirk. Und so antwortete ich Maximus: «Ich will James Tiberius heißen!»

Maximus musterte mich.

«Tiberius passt auch ein bisschen zu Maximus», versuchte ich, ihm die Idee schmackhaft zu machen.

Er lächelte jetzt. Großartig. Ich würde mein neues Leben wenigstens mit einem heroischen Namen beginnen: James Tiberius Wünschmann.

Nun, vielleicht sollte ich auf «Wünschmann» verzichten.

«Was halten Sie davon?», fragte ich hoffnungsvoll.

«Nichts», erwiderte er. «Du heißt ab sofort Rex!»

«REX?!?», fragte ich entsetzt.

«Passt am besten zu dir», erwiderte Maximus und ergänzte: «Hier ist dein Schlafplatz, Rex.»

Schlagartig vergaß ich mein Entsetzen über meinen neuen Namen. Denn es wich dem Entsetzen über meinen neuen Schlafplatz.

«Im Gorillakäfig?», rief ich. «Ich soll im Gorillakäfig schlafen?!?»

«Das ist ein Zirkus und kein Luxushotel, Rexi-Boy.»

«REXI-BOY?!?»

Jetzt war ich wirklich den Tränen nah. Das Einzige, was mich am Losheulen hinderte, war die Furcht davor, Maximus würde dann wieder einen Lachkrampf bekommen.

Er öffnete die Käfigtür, und da diese quietschte, wachte der Gorilla auf. Dabei grunzte er noch tiefer als mein Frankenstein-Papa.

«Ihr beide werdet euch gut verstehen!», grinste Maximus.

Das bezweifelte ich.

«Ihr habt viel gemeinsam», sagte Maximus.

Das bezweifelte ich noch mehr.

«Los, geh endlich in den Käfig, ich will mich wieder hinhauen, Rexi-Boy», befahl mein neuer Direktor.

Deprimiert tat ich, wie mir geheißen. Maximus schloss hinter mir die Käfigtür und verschwand. Dabei paffte er fröhlich den Rest seiner Zigarre.

Ich verkrümelte mich in die Ecke des Käfigs, in der der Gorilla, der mich jetzt sehr interessiert betrachtete, nicht lag. In der Ecke angekommen, wollte ich endlich losweinen. Doch kaum hatte ich die erste Träne produziert, begann der Gorilla zu reden: «Mein Name ist Gorr!»

«Du … du kannst sprechen?», fragte ich völlig konsterniert.

«Du doch auch, Rexi-Boy», erwiderte der parlierende Gorilla.

Ich wusste nicht, was ich darauf antworten sollte, so erstaunt war ich. Dafür redete das Tier weiter: «Sieht aus, als ob die Liliputaner-Wanze recht hatte: Wir beide haben etwas gemeinsam. Bist du ein verzauberter Mensch wie ich? Oder ein verzauberter Wolf?»

«Mensch. Ich wurde von einer Hexe verzaubert …», erklärte ich.

«Und ich von einem Voodoo-Priester im Kongo!»

Gorr war tatsächlich ein Mensch mit ähnlichem Schicksal. Mein Herz schöpfte wieder etwas Hoffnung: Vielleicht konnte dieser Gorilla mein gutmütiger Mentor werden. Mir all jene Dinge beibringen, die ich benötigte, um mich in dieser fremden Welt zurechtzufinden. Der Obi-Wan-Kenobi sein, der mich zu einem wahren Jedi-Ritter machte!

«Der Voodoo-Priester», erzählte der Gorilla weiter, «wurde auf mich wütend, weil ich mit meinen Söldnern sein Dorf niedergemäht hatte.»

Offensichtlich konnte ich mir das mit dem «gutmütigen Mentor» abschminken.

Gorr stand jetzt auf und ging gemächlich auf mich zu. Als er vor mir stand, lächelte er mich mit seinen gelben Gorillazähnen maliziös an: «Ich kann mir sehr gut vorstellen, wer von uns beiden wohl ab jetzt der Diener des anderen sein wird!»

«Ach ja?», fragte ich voller Angst.

«Ich geb dir einen kleinen Tipp: Der Gorilla von uns beiden wird nicht der Diener.»

Dabei fletschte er seine gelben Zähne, und ich konnte nicht mehr anders: Ich musste endgültig losheulen und rief ganz laut nach: «MAMAAAAAA!»

EMMA

So ein Learjet ist eine verdammt schicke Angelegenheit. Besonders, wenn man wie ich Billigflieger gewohnt war, bei denen einem alles inklusive der Atemluft extra berechnet wird.

Draculas Learjet war geräumig und unfassbar leise, er war ein Traum aus Edelhölzern, Ledersesseln und Butlern. Ich saß in einem unfassbar bequemen Sessel und bekam von einem Butler einen Rotwein kredenzt, der meine sämtlichen Geschmacksnerven vor Sinnesfreuden explodieren ließ.

«Das ist ein 78er Château Farfernac», erläuterte Dracula.

«Von dem habe ich noch nie gehört», antwortete ich, was aber auch kein Wunder war, hatte ich doch von guten Weinen in etwa so viel Ahnung wie ein Nashorn vom modernen Tanztheater.

«Er stammt aus meinem privaten Weinberg.»

Dracula hatte einen privaten Weinberg? Das hatte Stil. Enormen Stil.

«Hast du Appetit, verehrteste Emma?»

«Du hast mir doch die Pille eingeworfen», antwortete ich und trank noch einen Schluck von dem Château Dingsbums. An das Gesöff konnte man sich gewöhnen.

«Ich meine Appetit, nicht Hunger», lächelte er. «Uns Vampire verlangt es zwar nach Blut, aber dies bedeutet doch nicht, dass wir kulinarischen Gaumenfreuden abgeneigt sein müssen. Hatte ich schon erwähnt, dass ich einen Drei-Sterne-Koch an Bord habe?»

«Nein, das hast du nicht», schmunzelte ich.

«Ich habe einen Drei-Sterne-Koch an Bord.»

Während er das sagte, lächelte er so, dass meine Knie ganz weich wurden.

Dieser Vampir hatte eine Wirkung auf Frauen. Und eine ganz besondere auf Vampirinnen mit Seele.

Kurz darauf speisten wir das phantastischste Menü aller Zeiten: Es gab mosambikanisches Büffelfleisch, tibetanischen Ziegenkäse und ein andalusisches Tiramisu, das so verboten gut war, dass ich nie wieder ein italienisches würde essen wollen. Allesamt waren es Köstlichkeiten, die selbst dem abgestumpftesten Gourmet-Kritiker den Atem verschlagen hätten.

Während wir aßen, berichtete Dracula von verborgenen Orten voller Schönheit, die er mir alle zeigen wollte: Da war die geheime afrikanischen Stadt B'wana, deren Ruinen verborgen im kongolesischen Dschungel lagen, oder der sagenumwobene Lotusblumen-Tempel in Burma. Dracula beschrieb die Schönheit dieser Orte so lebhaft, dass seine Schilderungen mich sogar noch mehr anregten als die wunderbaren Speisen und der wunderbare Wein. Ich hatte ja keine Ahnung gehabt, dass es in unserer modernen, völlig vermessenen Welt noch so viele verborgene Orte voller Geheimnis, Anmut und Schönheit gab. Es musste zauberhaft sein, mit Dracula dorthin zu reisen. Dagegen wirkte ein Trip nach Mauritius mit Hugh Grant, wie meine ehemalige Kollegin Lena ihn gemacht hatte, sicherlich eher wie ein Besuch im Zoo von Bad Salzuflen.

In Gedanken war ich schon nicht mehr im Learjet bei Speis und Trank, ich ging mit Dracula durch den Tempel voller Lotusblumen und roch an deren Blüten.

«Woran denkst du?», unterbrach Dracula meinen gedanklichen Spaziergang.

Anstatt zu antworten, legte ich meine Gabel beiseite und betrachtete ihn mir. Er hatte Augen, in denen man versinken konnte. Sie passten so wunderbar zu diesen sinnlichen Lippen. Und zu diesem edlen blassen Gesicht. Und zu dem muskulösen Körper. Garantiert hatte er unter seinem feinen Hemd ein Six-Pack, und bestimmt war seine Körperfettwaage arbeitslos.

Wie es wohl sein mochte, im Lotusblumen-Tempel mit Dracula Liebe zu machen? Cheyenne hatte mir ja berichtet, dass er im Bett ein Virtuose war.

Halt, Moment mal! Das alles durfte ich doch nicht denken!

Andererseits, warum sollte ich mir so etwas nicht ausmalen? Wem gegenüber sollte ich ein schlechtes Gewissen haben, wenn ich mit Dracula schlafe? Etwa gegenüber Schmuleika-Frank? Bestimmt nicht!

Ich wollte diesen Mann ... Vampir ... Learjetbesitzer ... Und er wollte mich! Das konnte man in seinem Blick sehen. Der war nicht lüstern. Sondern verliebt. Unfassbar, ein solcher Mann liebte ausgerechnet mich, Emma Wünschmann!

Aber noch einmal: Halt, Moment mal! Vielleicht war das Ganze ja hier auch nur ein Trick, um mich herumzukriegen. Womöglich war das Essen mit Stoffen angereichert, die mich gefügig machen sollten. Wie konnte man sonst erklären, dass ich ihn wollte und kaum noch an meine Familie dachte? Dracula war jegliche Schandtat zuzutrauen, selbst wenn er nicht Dracula gewesen wäre, sondern lediglich der Konzernchef von Gugel.

«An was denkst du?», fragte er noch mal.

«Hast du was in mein Essen getan?», fragte ich direkt zurück.

«Wieso sollte ich das tun?»

«Um mich scharf auf dich zu machen.»

«Das heißt», antwortete er erfreut, «du begehrst mich?»

Upps.

Ich musste schnell aus der Nummer herauskommen und antwortete: «Ähem ... nein ... nein, wie kommst du denn darauf?»

«Weil du die Vermutung hast, dass ich dir heimlich Aphrodisiaka ins Essen geträufelt habe.»

«Ähem, ja, so kann man wohl darauf kommen ...», gab ich zu.

«Aber wenn ich solche hineingeträufelt hätte …»

«… würden sie gar nicht wirken!», vollendete ich hastig.

Dracula musterte mich. Amüsiert. Er glaubte mir kein Wort. Dann lächelte er freundlich und sagte: «Wenn du mich je begehren solltest, verehrteste Emma, dann aus freien Stücken und nicht, weil ich mit Magie nachhelfe. Eine wahre Liebe sollte auf Ehrlichkeit und Wahrheit aufgebaut sein.»

«G… gut», erwiderte ich.

Dabei war es gar nicht gut. Ich war also nicht scharf auf Dracula, weil er mir was ins Essen getan hatte, ich war scharf auf ihn, weil ich scharf auf ihn war. Und ich dachte etwa nicht nicht an meine Familie, weil er versuchte, mich zu überlisten, ich dachte nicht an meine Familie, weil ich nicht an meine Familie dachte. Und das Ganze bereitete mir in diesem Augenblick kein schlechtes Gewissen, weil ich gar kein schlechtes Gewissen hatte.

Es sei denn … Dracula log mich an, und er hatte mir doch was ins Essen gepanscht.

«Lügst du mich an?», fragte ich geradeheraus.

«Nein», erwiderte er, klar und ohne mit der Wimper zu zucken.

Ich dachte über die Antwort nach und fragte: «War das jetzt eine Lüge?»

«Nein.»

«Und das?»

«So wirst du es nie herausfinden», lächelte er freundlich.

Da war was dran.

«Du musst schon selber spüren», erklärte Dracula sanft, «ob dein Verlangen nach mir echt ist oder nicht.»

Ich spürte in mir herum und stellte fest: Mein Verlangen war echt. Nicht nur das, es fühlte sich verdammt gut an. Dracula liebte mich, ich begehrte ihn, und ich war allein. Getrennt von meinem betrügerischen Mann und den undankbaren Kindern. Ich konnte mein eigenes Leben leben. Ich durfte mein eigenes Leben leben! Und ich durfte das auch genießen. Niemand konnte mir das verbieten!

Ich wollte meine Freiheit sofort ausleben. So fragte ich Dracula direkt: «Hast du etwas dagegen, wenn ich dich jetzt küsse?»

Eine Antwort wartete ich erst gar nicht ab. Ich beugte mich über das andalusische Tiramisu zu ihm über den Tisch und presste die Lippen sanft auf seine. Sie waren kalt wie meine. Aber – man verzeihe mir die kitschige Ausdrucksweise, doch manchmal ist Kitsch einfach so etwas von wahr – als unsere kalten Lippen sich berührten, brannte unsere Leidenschaft wie Feuer. Dracula küsste wie ein Großmeister, anscheinend hatte er sein unsterbliches Leben auch dazu genutzt, seine Kusstechnik zu perfektionieren. Minutenlang ließen wir nicht voneinander ab – als Vampire brauchten wir dankenswerterweise nicht zu atmen.

Als er dann schließlich doch seine Lippen von den meinen nahm, wollte ich das kaum zulassen. Dracula sprach aber nur kurz einmal in die Bordsprechanlage und gab seiner Besatzung den freundlichen Befehl: «Bis wir landen, wollen wir ungestört sein.»

Dann küsste er mich wieder und zog mich langsam aus. Und da mein Vampirkörper so viel attraktiver war als mein früherer, musste ich mir dabei keine Gedanken über die Beleuchtung machen, es gab keine Körperstellen mehr, die ich bei einem ersten Mal lieber in schummrigem Licht entblößt hätte. So dachte ich mir lediglich: «Landen? Wer zum Teufel will landen?»

FEE

Ich wirbelte über die Wüste hinweg, über der gerade die Sonne aufging. Immo flog im Sicherheitsabstand hinter mir her – ich hatte ihm damit gesagt, dass er es ja nicht wagen sollte, seinen Sand mit meinem zu vermischen.

Ich brauste über ein Meer, von dem ich nicht wusste, ob es das Rote Meer war, das Tote Meer oder das Was-auch-immer-Meer. Ich hätte in Geo wohl mal besser aufpassen sollen. Danach sauste ich wieder über Land. Aber egal, wo ich auch hinflog, welche arabische Stadt ich auch umwehte, ich sah aus meiner Google-Earth-Perspektive keine Armeen, die Menschen unterdrückten, oder Polizisten, die Demonstranten prügelten. Niemanden, dem ich mal zeigen konnte, was eine Harke bzw. eine Viehpest ist.

Schließlich überflog ich eine kleine arabische Hafenstadt. Dort erblickte ich in einer kleinen schmuddeligen Gasse mit windschiefen Häusern zwei junge Typen, die einen Anzugträger mit großem Schnurrbart verprügelten. Das war besser als nichts.

Aus großer Höhe wirbelte ich hinab und sah, wie die beiden arabischen Schläger versuchten, sich vor meinem Sandsturm hinter Mülltonnen zu verstecken. Ihr schnauzbärtiges Opfer hatte keine Kraft mehr aufzustehen und lag auf dem Boden. Ich rieselte als Sand herunter in die Gasse und verwandelte mich in meine Mumiengestalt. Die beiden Typen bewiesen, dass sie keine Volldeppen waren, und verkrochen sich noch mehr hinter ihren Mülltonnen.

«Heute aufzustehen, war keine gute Idee von euch», rief ich ihnen zu und belegte sie zuerst mit Viehpest. Die Kerle bekamen Beulen im Gesicht und sahen binnen Sekunden aus wie die Wesen, mit denen sich Frodo in *Herr der Ringe* rumschlagen musste. Dann ließ ich auch gleich noch einen Schwarm Stechmücken auf sie los und, als krönenden Schluss, noch einen kleinen Froschschauer. Als ich fertig war, lagen die Typen ohnmächtig und verbeult am Boden.

Doch aus irgendeinem Grund machte mich das Ganze nicht

glücklich. Irgendwie hatte ich erhofft, dass es befriedigender sein würde, üblen Burschen eins reinzuwürgen. Stattdessen musste ich bei dem, was ich ihnen angetan hatte, selber würgen.

Der Schnurrbartmann kam wieder zu Bewusstsein, rappelte sich langsam auf und erklärte ehrfürchtig: «Was immer du auch für ein wundersames Wesen bist. Du hast Gutes getan.»

Ein Vorteil davon, eine ägyptische Mumie zu sein, war, dass ich Arabisch super verstehen und reden konnte. «Schön», erwiderte ich daher auf Arabisch, ein bisschen traurig, dass sich das Gute, was ich getan hatte, so ganz und gar nicht gut anfühlte.

«Du hast mich vor diesen revolutionären Schweinen gerettet.»

«Revolutionäre Schweine?», fragte ich irritiert. «Wieso revolutionäre Schweine?»

«Ich bin ein Agent des Geheimdienstes, sie sind mir auf die Schliche gekommen und werden jetzt im Folterkeller landen.»

Oh-oh.

«Ähem … wer regiert hier in diesem Land genau?»

«Der Präsident!»

«Und der wurde doch gewählt?», fragte ich hoffend.

«Nicht direkt.»

«Indirekt?»

«Auch nicht.»

Das klang nicht super demokratisch.

«Kann denn jemand sein Amt übernehmen?»

«Nach seinem Tod wird es sein Sohn tun.»

Nein, demokratisch war etwas anderes.

Ich hatte die falschen Typen mit Viehpest belegt. Ich blickte dem Schnauzbart nun tief in die Augen und hypnotisierte ihn: «Ich wünsch mir, dass du vergisst, dass die beiden Revolutionäre sind.»

«Schon vergessen!», antwortete er eifrig.

Neben mir rieselte Immo zu Boden und verwandelte sich in seine Lendenschurz-Version.

«Es ist nicht einfach», kommentierte er, «Gut und Böse zu unterscheiden.»

«Da sagst du was», seufzte ich.

«Nicht mal in seinem eigenen Herzen», ergänzte Immo.

Das klang nach einer sehr unbequemen Lebensweisheit.

Ich blickte auf die beiden armen Kerle, die ich verunstaltet hatte. Leider besaß ich keinerlei Fähigkeit, um sie zu heilen. Es würde gewiss Wochen dauern, bis sie wieder gesund waren. Was war ich nur für eine hohle Nuss. Ich war kopfüber in eine Situation gestürzt, ohne sie zu umreißen. Ich war keine Anck, die genau wusste, was sie tat. Nicht mal ansatzweise.

Aber vielleicht war genau das der Fehler: Ich wollte so sein wie sie.

Und vorher wollte ich so sein wie Cheyenne.

Dabei musste ich doch meinen eigenen Weg finden.

Ich musste ich selber sein.

Wie auch immer.

Zurück in Immos Gruft, konnte ich immer noch an nichts anderes denken als an die beiden Revolutionäre, denen ich nicht hatte helfen können. Der einzige Trost war, dass der Schnauzbart sie nicht verraten und auch sonst niemandem mehr schaden würde (ich hatte ihn noch hypnotisiert, sein Geld in Zukunft als Straßenclown zu verdienen).

Mein Gewissen war tierisch schlecht. Jetzt hätte ich jemanden gebraucht, der mich ein bisschen aufrichtete. Aber wer konnte das sein? Fremdgehpapa bestimmt nicht. Immo? Er sah in mir nur die Wiedergängerin seiner Anck. Mama? Vielleicht hätte sie mir einen guten Tipp geben können, was ich jetzt tun sollte. Und vielleicht hätte sie mir dabei auch nicht unter die Nase gerieben, dass sie mir von Anfang an gesagt hatte, ich sollte bei ihr bleiben.

Vielleicht.

Höchstwahrscheinlich aber auch nicht.

Wo sie jetzt wohl war?

Garantiert war sie einsam und allein und traurig.

EMMA

Cheyenne hatte recht: Der Sex mit Dracula ist der WAAAAAAAHNSINN!!!!!!!!!!!

FEE

Immo unterbrach meine Gedanken mit dem Satz, den ich schon immer mal von einem Menschen hören wollte: «Ich liebe dich!»

Typisch ich. Das erste Mal liebte mich jemand. Aufrichtig. Ohne dass ich ihn vorher hypnotisiert hatte. Und dann war es ausgerechnet ein 3000 Jahre alter Ägypter im Lendenschurz.

«Nach all dem Leid bin ich endlich über Anck hinweg», erklärte er.

«Schön für dich …», antwortete ich und fand es leider nicht schön für mich, denn ich konnte mir beim besten Willen nicht ausmalen, dass er und ich ein Paar würden. Er hingegen schon: Mit einem Male kniete er sich vor mich nieder auf den steinernen Gruftboden. Und er nahm meine Hand. Oh mein Gott, wollte er etwa …?

«Willst du meine Frau werden?»

Er wollte!

Und ich selbstverständlich nicht.

Er sah mich erwartungsvoll an. Ich musste reagieren. Irgendwie.

«Ähem ... Immo, du bist echt süß und alles ...», stammelte ich, «aber ich glaub, das ist keine so super Idee ...»

«Wieso nicht?»

Was fragte er da nach? Wenn jemand auf einen Heiratsantrag sagt: «Ich glaub, das ist keine so super Idee», dann heult man doch in sein Kissen, anstatt nachzufragen.

«Nun», versuchte ich, es ihm schonend beizubringen, «wir haben ja schon einen ziemlichen Altersunterschied. Du bist 3000, ich bin fünfzehn ...»

«Aber du bist doch schon geschlechtsreif», erwiderte er.

Au Mann, ich hatte keinerlei Bock darauf, mit ihm über meine Geschlechtsreife zu reden.

«Wir können also Kinder zeugen», redete er weiter.

Zum einem war ich mir nicht ganz sicher, ob mein Mumienkörper zu solchen Dingen überhaupt in der Lage war, zum anderen wollte ich nicht mal ansatzweise darüber nachdenken.

«Ich bin viel zu impulsiv», versuchte ich mich jetzt schlechtzureden.

«Damit kann ich leben.»

«Wenn ich zu früh geweckt werde, bin ich unerträglich ...»

«Dann weck ich dich erst mittags», erwiderte er fröhlich.

«Und wenn ich meine Regel habe, dann will ich auch nachmittags jeden killen.»

«Liebe erträgt alles.»

Mit der Wahrheit kam ich anscheinend nicht weiter, also konnten mir nur noch Lügen helfen. Mal sehen, ob er das hier auch so lässig ertrug: «Ich ... ich liebe nur Frauen!»

«Ich werde dich vom Gegenteil überzeugen», ließ er nicht locker. «Ich liebe Herausforderungen.»

Er zog mich zu sich, dicht an sich ran und wollte mich küssen. Gegen meinen Willen. Das war so was von ekelhaft. Und da er ja schon von Geschlechtsreife redete, war mir klar, was er eigentlich wollte, und ich ekelte mich noch viel mehr. Mit aller Macht stieß ich ihn von mir weg.

«Mein Gott, du brauchst es wohl auf die harte Tour», schimpfte ich nun. «Ich liebe dich nicht. Und ich kann einen Typen wie dich niemals lieben!»

«Was …?», fragte er entsetzt.

«Was hast du denn gedacht? Du bist ein Kerl, der 3000 Jahre in einer Gruft lag und die ganze Zeit einer Frau nachhing. Da sagt man als Nächste nicht: Whao, der Typ ist ja echt super.»

Sein Gesicht legte sich in Zornesfalten.

«Außerdem läufst du mit einem albernen Lendenschurz herum, und deine Füße müffeln!»

«Meine Füße riechen nicht!»

«Riechen kann man das ja auch nicht mehr nennen.»

«Du … du verpönst mich?», stellte er fest und lief langsam rot an.

«Bingo!»

«Was bedeutet ‹Bingo›?»

«Dass ich dich so was von verpöne! Ich find dich sogar noch bescheuerter als das Wort ‹verpönen›!»

Jetzt stieg endgültig die Zornesröte in sein Gesicht. Immo bebte vor Wut. Möglicherweise war ich einen Tick zu weit gegangen.

«Nun werde ich das tun», bebte er, «worum mich Dracula gebeten hat!»

«Dracula …?», fragte ich. Was hatte der denn jetzt mit allem zu tun?

«Er wollte, dass ich deinen Bruder und deinen Vater umbringe. Und dich!»

Nicht nett.

«Und dies werde ich jetzt auch tun!»

Ganz und gar nicht nett.

Für einen kurzen Augenblick dachte ich, Immo würde den «Fluch der Mumie» anwenden, selbst wenn er, laut den Regeln des Fluches, dabei sein Leben aufs Spiel setzte. Aber er verfluchte mich doch nicht und verwandelte sich stattdessen in einen riesigen blauen Käfer. Skarabat ... Skarabus ... Skaradingsbums oder wie die Dinger hießen. Jedenfalls war er erst mal nicht besonders furchterregend. Im Vergleich zu Zombies und Godzilla war er sogar erst mal ziemlich lächerlich. Bis plötzlich eine schwarze Flüssigkeit knapp neben mir gegen die Wand spritzte und die Steine augenblicklich zerbröselten.

EMMA

Zärtlich. Sinnlich. Aufregend.

Ich hatte meinen Mann betrogen und jede Minute davon genossen und keine Sekunde an ihn gedacht. Erst jetzt, als wir mit Draculas Limousine durch die Berge Transsilvaniens zu dessen Schloss fuhren, dachte ich das erste Mal darüber nach, was ich getan hatte. Die Sonne brannte vom Himmel, aber dank der getönten Scheiben des Wagens nicht auf meine Vampirhaut, und ich fragte mich, ob ich ein schlechtes Gewissen haben sollte gegenüber Frank. Ich hatte es. Ein bisschen. Ein bisschen arg.

Aber sollte ich es auch haben? Es stand doch gerade mal 1:1 im Fremdgehen. Oder besser gesagt: 1:8. Frank war ja achtmal mit seiner Erotikführerin in der Kiste gewesen, mit einer jüngeren, schöneren Frau. Da war es ja wohl nur mehr als gerecht, dass ich mit einem älteren, schöneren Mann auf dem Learjet-Futon gelegen hatte (die Daunendecken darauf waren der helle Wahnsinn!). Das hätte ich sogar noch siebenmal machen können, und dann würde es erst unentschieden zwischen Frank und mir stehen.

Gott, ich war immer noch so wütend auf ihn, wie konnte er mich nur so verletzen?

«Ich möchte dir etwas Phantastisches zeigen», unterbrach Dracula, der während der Fahrt meine Hand hielt wie ein verliebter Teenager, meine zornigen Gedanken.

«Und was?», wollte ich wissen.

«Mein Heim!»

Er deutete auf ein Schloss, das jetzt ins Blickfeld kam. Es stand auf einem Hügel und wirkte mit seinen vielen Türmen majestätisch, würdevoll, einfach atemberaubend. Dagegen war das englische Landhaus, in das Lena mit ihrem englischen Verlobten gezogen war, sicher total popelig.

«Whao ...», rief ich aus.

«Warte erst mal, bis du den Wellnesstempel siehst», lächelte Dracula.

«Du hast einen Wellnesstempel?» Das fand ich noch toller als den eigenen Weinberg.

«Mit römischem Bad, griechischer Therme, ayurvedischer Sauna. Und das Schönste ist: Durch spezielle Glasdächer wird das Sonnenlicht so gefiltert, dass es uns nichts anhaben kann, wenn wir an meinem Meerwasser-Pool liegen. Wir können die Sonne genießen, ohne dass sie uns schmerzt.»

«Das klingt wundervoll», seufzte ich sehnsüchtig.

«Das ist es auch. Aber du wirst noch etwas viel Wundervolleres genießen.»

«Und was?», fragte ich neugierig.

«Meine Massagekünste.»

Genießen war ja so was von untertrieben.

Dracula verabreichte mir sinnliche Massagen in dem Orchideengarten seines Schlosses (ich fragte mich gar nicht mal mehr, wie er es schaffte, so einen in den Bergen Transsilvaniens anzulegen). Seine Hände waren wundervoll zärtlich, und ihm gelang es sogar, meine Kniescheibe in eine erogene Zone zu verwandeln. Nach der Massage liebten wir uns in seinem mit exquisiten Düften aromatisierten römischen Bad. Und anschließend in dem mit exquisiten Düften aromatisierten Whirlpool. Gut, dass mein neuer Körper so ausdauernd war!

Wenn wir so weitermachten, würde es zwischen Frank und mir bald 8:8 stehen. Dann müsste ich mir vielleicht doch mal Gedanken über ein schlechtes Gewissen machen. Aber bis dahin, so hatte ich mir fest vorgenommen, wollte ich von meinem Gewissen nichts wissen.

Als wir dann am frühen Nachmittag aus dem Whirlpool stiegen, legte Dracula mir einen flauschigen Bademantel um und ließ mir exquisiten aromatisierten Tee servieren. Dann bat er: «Entschuldige mich bitte, ich muss mich um berufliche Angelegenheiten kümmern.»

«Aber komm bald wieder!», hob ich spielerisch den Zeigefinger und kicherte dabei albern wie ein Schulmädchen.

Ich saß jetzt allein am Pool unter dem transparenten Glasdach, das die Sonne angenehm filterte, und genoss die Sonnenstrahlen auf meinem Gesicht.

Ja, Sonne, Pool und Wellness. Drei-Sterne-Menüs und Reisen in exotische Länder. Keine Cellulite an Schenkeln und Po, dafür aber phantastischer Sex mit einem charmanten und gutaussehenden Mann – und als Kirsche auf dem Kuchen war ich auch noch unsterblich. Das Leben als Vampirin war wunderschön!

FRANK

EMMA

Dracula ließ auf sich warten. Aber das war erst mal nicht schlimm, versorgte mich doch sein Diener Renfield den halben Nachmittag mit Zeitschriften, Kopfmassagen und köstlichsten Pralinees (bei Letzteren hoffte ich doch sehr, dass Vampire nicht dazu neigten, Hüftgold anzusetzen).

Als Renfield die Kopfmassage beendet hatte und verschwand, stand ich auf und blickte in den Pool, der so wunderschön klar und blau war, dass er gewiss David Hockney zu einem Schwung neuer Bilder animiert hätte. Ich genoss den Anblick, mich störte es nicht mal mehr, dass ich mich in dem Wasser nicht spiegeln konnte.

Plötzlich zersplitterte über mir mit einem lauten Krachen das transparente Glas, das die Sonnenstrahlen abhielt. Etwas Großes sauste auf mich zu. Reflexhaft sprang ich zur Seite. Das Etwas – es sah aus wie ein menschlicher Körper – knallte auf den Beckenrand, von da rutschte es in den Pool und sank darin leblos zu Boden. Das Ganze erschreckte mich unglaublich. Da das Glas zerborsten war, brannte die Sonne unbarmherzig auf mich herab. Zwar nicht so schlimm wie in Ägypten, aber ich beschloss dennoch, ins Wasser zu springen und mich vor der Strahlung in Sicherheit zu bringen.

Beim Hinabtauchen streifte ich meinen Bademantel ab, und als ich nur in Unterwäsche bekleidet langsam zum Boden schwamm (als Vampir brauchte ich ja keine Atemluft und musste mich daher auch nicht beeilen), erkannte ich, wer da zu ertrinken drohte: Es war Baba Yaga!

Mein Gott, wir hatten sie durch halb Europa gejagt, und jetzt lag sie bewusstlos vor mir, Luftblasen stiegen aus ihrem Mund. Mitleid hatte ich kaum. Meine Gefühlslage war eher so, wie wenn man im Fernsehen eine Reportage über Kinder im Krieg sieht und sich fragt, ob in einem anderen Programm *Dr. House* läuft. War ich als Vampir ein gefühlloses Monster geworden? Oder war ich einfach nur wie viele normale Menschen?

Die Luftblasen endeten. Baba würde nicht mehr viel Zeit haben, bevor sie starb. Und es war wirklich kein Problem für mich, sie da auf dem Boden liegen zu lassen. Aber für meine Familie würde es eins sein. Zwar wollte sich Fee genauso wenig zurückverwandeln lassen wie ich, aber Frank und Max wollten ihre früheren Körper sicherlich wiederbekommen.

Was Frank dachte, war mir einerlei, ich war immer noch so wütend, meinetwegen hätte die Hexe ihn auch in den Punchingball im Boxkeller der Klitschko-Brüder verwandeln können. Aber Max war mir nicht egal. Ich vermisste ihn. Und ich fragte mich, ob es richtig war, ihn bei Frank und Gnuleika zu lassen. Eine Frage, die ich mir selbst mit «Nein, du dusselige Kuh, das war natürlich ganz und gar nicht richtig» beantwortete.

Ich zog die Hexe vom Boden hoch, schlang die Arme um sie, schwamm mit ihr an die Oberfläche und legte sie am Beckenrand ab, bevor ich selbst aus dem Pool kletterte. Dank der Wassertropfen auf meiner Haut brannte die Sonne noch fürchterlicher. Ich warf mir den Bademantel über die nasse Unterwäsche und schleppte die bewusstlose Baba unter eine große Kokospalme, wo sie zu Bewusstsein kam. Sie spuckte etwas Wasser wie ein defekter Springbrunnen und fragte schließlich: «Du ... du haben mich gerettet?»

«Ich hoffe, ich muss es nicht bereuen», antwortete ich.

«Ein stupides Wesen wie du mich retten», stellte sie fassungslos fest.

«Okay, ich bereue es jetzt schon», sagte ich beleidigt.

Baba richtete sich zittrig auf, stand auf wackeligen Beinen und blickte sich um: «Ich sein im Schloss Draculas. Endlich am

Ziel ich bin.» Dann musterte sie mich, wie ich in Unterwäsche dastand, und fragte mich direkt: «Du Dracula etwa lieben?»

Das war mal eine interessante Frage, die ich mir noch gar nicht gestellt hatte. Lieben? Das war ein großes Wort. Ich war fasziniert von Dracula, und das aufregende Leben, das er verhieß, war definitiv verlockend. Doch liebte ich ihn auch? Verknallt traf es wohl eher. Aber aus Verknalltheit konnte ja bekanntlich Liebe entstehen. Und würde das geschehen, könnten wir beide gemeinsam mit Max die merkwürdigste Patchwork-Familie der Weltgeschichte gründen.

«Das geht dich gar nichts an», antwortete ich der Hexe.

«Er dich nicht lieben.»

Getroffen fragte ich: «Wie … wie kommst du denn darauf?»

«Nun … du sein du», grinste sie breit.

«Na danke», sagte ich bitter.

«Wie soll er so stupide Frau lieben?»

«Nochmals danke.»

Sie grinste breit, und ich wollte mich verteidigen: «Also, die Weissagung des Haribos …»

«Harboor», korrigierte sie mich.

«Wie auch immer … der hat jedenfalls gesagt, dass der Vampir mit Seele die Vampirin mit Seele lieben wird …»

«Das Dracula dir erzählt haben?»

«Ja.»

«Du noch stupider als noch stupider als stupide. Dracula besitzen keine Seele.»

Ich wollte das nicht glauben. Jemand, der so gut zu mir war, musste einfach eine Seele haben. Vor allen Dingen musste jemand, in den ich mich verknallt hatte und mit dem ich vielleicht sogar eine neue Familie gründen wollte, eine Seele besitzen.

«Ich dir zeigen.»

Die Hexe wankte zum Beckenrand, nahm ihr Amulett, hob ihre zittrigen Arme über den Kopf, rief «Irbraci tempi passanus!», und aus allen ihrer zehn Finger schossen schwarze Blitze in den Pool. Die Wasseroberfläche begann daraufhin zu brodeln.

Neugierig trat ich hinzu, und was ich dort erblickte, ließ mich meine brutzelnde Haut vergessen: Auf der blubbernden Wasseroberfläche war zu sehen, wie Neandertaler in einer Höhle um ein Lagerfeuer herumsaßen. Vor ihnen stand ein alter, dürrer Mann mit weißem Bart. Er erzählte aufgeregt und fuchtelte dabei wild mit den Armen. Offensichtlich war dies eine Liveschaltung in die Vergangenheit, und der alte Knacker war der Weissager Haribo. Er wirkte leicht irre, wie jemand, der in der Fußgängerzone mit Schildern herumläuft, auf denen steht *Das Ende ist nah, bereut!*, oder wie einer, der Bestseller über die Bedrohung unserer Gesellschaft durch Überfremdung schreibt. Die Neandertaler zitterten bei dem, was Haribo so von sich gab. Ich nicht, denn ich verstand kein Wort von seinem urzeitlichen Gebrabbel.

«Du hören, was er Furchtbares sagen?», fragte Baba grinsend.

«Hören schon. Aber ich versteh nur Goldbärchen.»

«Verzeih», erwiderte Baba. Sie ließ einen weiteren schwarzen Blitz aus ihrem Zeigefinger schießen und rief: «Translat.»

Damit hatte sie wohl den Zweikanalton ihres magischen Fernsehbildes auf Deutsch geschaltet, jedenfalls konnte ich den zappeligen alten Mann nun verstehen: «… und Dracula wird die Vampirin mit Seele ehelichen.»

Das klang erst mal noch nicht furchtbar.

«Und Dracula wird mit ihr Kinder kriegen», fuhr Haribo aufgeregt fort.

Kinder? Da wusste ich nicht, ob ich das wollte. So weit war ich gedanklich noch nicht. Noch lange nicht.

«Tausend Kinder!», rief der Weissager.

Tausend?

«Und Abertausende!»

Da staunte die Gebärmutter.

«Und mit diesen Kindern wird der Vampir ohne Seele eine Horde schrecklicher Wesen haben, mit denen er sich die Erde untertan macht und die Menschheit vernichtet.»

Ich hätte mir jetzt Gedanken darüber machen können, dass Dracula keine Seele besaß.

Oder dass er eine Armee zusammenstellen würde, um die Welt zu erobern.

Aber mein Hirn hing immer noch bei den Worten «Abertausende Kinder» in Schockstarre fest.

Der wirre Haribo redete weiter auf seine Neandertaler ein mit anderen Prophezeiungen von der schrecklichen Zukunft: Er warnte vor Massenvernichtungswaffen, Schweinegrippe und Privatfernsehen. Es war also kein Wunder, dass die Neandertaler beschlossen hatten auszusterben.

Als das Bild schließlich verschwand, fragte die Hexe: «Du sehen, was Dracula mit dir vorhaben?»

«Das muss doch alles gar nicht stimmen!», erwiderte ich. «Ich mein, der Haribo sieht doch aus, als ob er Goldbärchen zerstampft und die dann raucht ...»

Ich wollte es einfach nicht glauben: Erst hatte Frank mich betrogen, und nun sollte gleich auch noch Draculas Liebe zu mir eine einzige Lüge sein? Wie sollte ich das alles verkraften? Erst meine Familie zu verlieren und dann noch die wunderbare Alternative dazu?

«Du brauchen weiteren Beweis?», fragte die Hexe.

«Da bin ich mir nicht sicher ...», erwiderte ich überfordert.

«Du brauchen einen!», stellte die Hexe fest.

Sie nahm wieder ihr Amulett, brabbelte etwas, und diesmal schoss aus ihren Händen ein Rauch, der nach Schwefel stank und uns einnebelte. Kaum waren wir vollständig umnebelt, waren wir auch schon weg vom Pool ...

... und befanden uns mit einem Male in einem Verlies, wie es klassischer nicht hätte sein können. Es bestand aus dunklen Stollengängen, die nur von Fackeln beleuchtet waren und nach Moder rochen. In diesen Gängen gab es Erdhöhlen, die mit schweren Eisengittern befestigt waren. Hinter diesen Eisengittern vegetierten ganz und gar unklassische Gefangene vor sich hin. Es waren kleine ausgemergelte Geschöpfe, manche kaum größer als zehn Zentimeter, die da leise wimmerten.

«Was ... sind das für Wesen?», wollte ich wissen, als ich meine Sprache endlich wiedergefunden hatte.

«Elfen, Feen, Schutzengel ... Dracula haben alle gefangen genommen», erklärte Baba. «Alle Wesen, die Menschen helfen, seien Feinde von ihm.»

Ich betrachtete mir die armen gepeinigten Wesen genauer. Und tatsächlich: Es waren kleine, heruntergehungerte Schutzengel, denen man die Flügel ausgerissen hatte, Elfen mit verstümmelten Spitzohren und einstmals anmutige Feen mit Brandzeichen am ganzen Körper. Alle starrten durch uns hindurch, als ob sie uns gar nicht mehr wahrnahmen. Ihr Wille war schon vor langer Zeit gebrochen worden. Dieses Verlies war ein Kabinett des Schreckens, das selbst Stephen King um den Schlaf gebracht hätte. Doch der größte Horror war: Ich hatte mit dem Mann, der es erschaffen hatte, geschlafen.

Oh mein Gott, wie sehr ich mich nach einer Dusche sehnte.

MAX

Den ganzen Vormittag durfte ich Gorilla Gorr das Fell nach Läusen, Wanzen und anderem parasitären Ungeziefer durchflöhen. Aber im Vergleich zu dem, was ich dann nachmittags im Zirkus der Abnormitäten erleben durfte, war diese Reinigung geradezu ein euphorisierendes Erlebnis gewesen. Der Liliputaner, jetzt für die Hitze völlig unpassend gekleidet mit Hut und Trenchcoat, führte mich in das Zirkuszelt, das an vielen Stellen notdürftig geflickt war, und erklärte: «So, Rexi, jetzt wollen wir mal mit dir deine Nummer einstudieren.»

Zu diesem Zeitpunkt hätte es mir bereits zu denken geben müssen, dass die siamesischen Zwillinge, die oben am Trapez hin- und herschwangen, mit maliziöser Vorfreude grinsten. Aber noch war ich im festen Glauben, dass wenigstens die Zirkusvorstellungen, in denen ich von nun an als parlierender Wolf auftreten würde, zu den Höhepunkten meines zukünftigen Artistenlebens gehörten.

«Hopalong Cassidy, komm her!», rief Maximus in das Rund, und aus den oberen Rängen trat ein alter Mann im Westernanzug hervor.

«Wer ist das?», wollte ich vom Zirkusdirektor wissen.

«Dein neuer Partner.»

«Und ... was macht mein neuer Kompagnon so?», fragte ich unsicher.

«Er ist unser Messerwerfer.»

«MESSERWERFER?»

«Richtig gehört, Rexi.»

«Er wirft doch nicht etwa auf mich?», fragte ich panisch.

«Also, auf mich wirft er bestimmt nicht», erwiderte Maximus lächelnd.

«Und auf uns erst recht nicht!», riefen die siamesischen Zwillinge, die mittlerweile kopfüber am Trapez hingen, freudig im Chor.

Ich sah zu Cassidy, der langsam die Treppen runterging und sich dabei den Weg ertastete. Man musste nicht in der Baker Street 221 B wohnen und Holmes heißen, um zu kombinieren, dass er so gut wie blind war.

«Der ... der kann doch gar nichts mehr sehen ...», protestierte ich.

«Keine Sorge, er wirft nach Gehör.»

«NACH GEHÖR?»

«Na ja, nach Geruch ist selbst für ihn zu schwer.»

Die siamesischen Zwillinge lachten schallend, gemeinsam mit Gorilla Gorr und der bärtigen Dame, die mittlerweile ebenfalls das Zirkuszelt betreten hatten.

«Aber ... aber ...», stammelte ich, «... ich dachte, wir machen eine Attraktion, bei der ich einfach nur spreche?»

«Zu jeder wahren Zirkusattraktion gehört echtes Drama!», erklärte Maximus mit einer Emphase, die darauf schließen ließ, dass er an diese Art von Dramaturgie zutiefst glaubte. Dann wandte er sich wieder an den Cowboy und verkündete: «So, Cassidy. Wir haben einen Ersatz für Tanitou, den Indianer.»

«Seit unserer letzten Performance heißt Tanitou nicht mehr so», erwiderte der Messerwerfer und klang dabei sehr, sehr traurig.

«Wie heißt er denn jetzt?», fragte ich und war mir relativ sicher, dass mir die Replik nicht gefallen würde.

«Tanitou, der Eunuch.»

Dies war der Moment, in dem ich beschloss davonzulaufen.

Dieser Moment wurde schnell gefolgt von dem Moment, in dem ich von Gorr am Fellkragen gepackt wurde.

Lachend schleppte er mich zu einer großen Zielscheibe und fesselte mich mit Hilfe der dicken bärtigen Frau – sie war fast noch kräftiger als der Gorilla. Meine Arm- und Fußgelenke steckten in festen Schlaufen, und alle viere waren von mir gestreckt.

«Jetzt wirf mal, Cassidy!», forderte Maximus auf.

«Ich werde zu alt für den Shit», antwortete der, nahm aber dennoch ein Messer und warf es. Es sauste neben meinem Ohr in das Holz der Zielscheibe und blieb darin stecken.

«AHHHH!», schrie ich.

«Du solltest jetzt noch nicht schreien», befand Maximus.

«W… w… wann denn dann?», wollte ich wissen, und meine Zähne klapperten dabei im Dreivierteltakt.

«Wenn wir die Scheibe drehen!», lachte Maximus und gab der Scheibe Schwung. Sie zirkulierte mit mir im Kreis, und ich schrie tatsächlich: «AHHHHHHHHHH!»

Cassidy nahm sein zweites Messer, warf auch das auf die Drehscheibe, und es rasierte einige Haare an meinem Schopf. Ich hörte auf zu schreien, so erschrocken war ich.

«Siehst du, Cassidy, du kannst es noch!», lobte Maximus seinen Messerwerfer und befahl ihm: «Jetzt nimm den Bogen mit dem brennenden Pfeil.»

Dank der schnellen Zirkulation der Scheibe sah ich nur undeutlich, wie der Cowboy von dem Liliputaner einen brennenden Pfeil in die Hand gereicht bekam. Cassidy legte ihn in einen Bogen ein, spannte diesen mit zittrigen Händen und nahm mich in sein Visier. Gleich würde er den Pfeil abschießen, und ich würde mit etwas Pech zu «Rexi, der Eunuch» oder mit noch mehr Pech zu «Rexi, der hier in Frieden ruht». Und unter diesen Zeilen würde auf dem Grabstein noch der Zusatz stehen: «… ohne je Jacqueline geküsst zu haben.»

Ich schloss die Augen, erwartete den finalen Pfeil, da hörte ich ein «URGHHH!».

Es war Papas Stimme!

Ich riss die Augen auf und erkannte rotierend, wie er Cassidys Arm packte und der Pfeil ins Zeltdach flog. Dass die Plane daraufhin Feuer fing, war für mich nur von marginaler Bedeutung. Mein Papa war gekommen, um mich zu retten!

«Packt euch den Kerl!», schrie Maximus.

«Dem werde ich zeigen, was ich als Söldner gelernt habe!», rief Gorilla Gorr.

«Und ich», rief die bärtige Frau mit russischem Akzent, «in der sowjetischen Damen-Ringermannschaft!»

Sie stürzten sich auf Papa, während meine Drehscheibe langsam an Rotationstempo verlor. Die Zirkusleute hatten Schwierigkeiten, Papa zu packen. Allerdings nur, bis sich die siamesischen Zwillinge vom Trapez aus auf ihn fallen ließen. Sie saßen huckepack auf ihm drauf, umklammerten mit ihren Beinen seinen Oberkörper und hielten mit ihren vier Händen seine Augen zu, während Gorilla Gorr und die dicke Frau auf ihn einschlugen.

Mein Rad kam indessen in der Waagerechten zum Stillstand, sodass ich im 90-Grad-Winkel zum Boden hing und den Kampf aus dieser Perspektive verfolgen musste.

«Shit», rief Cassidy plötzlich.

«Was ist?», rief Maximus.

«Das Zelt brennt!»

Ich blickte aus der Waagerechten nach oben, zwar war der Fokus meiner Augen immer noch nicht ganz scharf, aber der Kerl hatte recht: Die Plane brannte lichterloh!

Die Zirkusfreaks ließen von Papa ab und flohen aus dem brennenden Zelt. Papa rannte zu mir, zertrümmerte furios die Scheibe, und ich konnte mich aus den Schlaufen befreien. Gemeinsam rannten wir durch die Manege in Richtung Ausgang, während die brennenden Planen links und rechts neben uns herabregneten. Als wir endlich das flammende Inferno hinter uns ließen, waren wir allerdings noch lange nicht in Sicherheit. Denn vor uns stand wieder die Zirkusmeute, und Maximus ging zornig auf Papa zu: «Du hast meinen Zirkus zerstört.»

Papa erwiderte: «Schmeipfegal!» Dann nahm er Maximus und warf ihn im hohen Bogen durch die Wüste, mindestens hundert Meter weit, und der Liliputaner landete unsanft in einer Sanddüne. Die Zirkusleute waren konsterniert, die Bärtige murmelte gar: «Wie eine chinesische Hammerwerferin.»

Doch eh sie sich's versah, packte Papa die Bärtige und Gorr und schlug deren beider Schädel so heftig gegeneinander, dass die Schurken sofort bewusstlos zu Boden gingen. Hopalong

Cassidy und die siamesischen Zwillinge sahen Papa erschrocken an. Er beugte sich bedrohlich zu ihnen runter und flüsterte: «Buh!»

Die siamesischen Zwillinge rannten daraufhin erschrocken weg, mit allen ihren vier Armen fuchtelnd, während Hopalong so schnell lief, wie seine Altmännerbeine es zuließen. Dabei fluchte er vor sich hin: «Ich hätte damals mit Tanitou ins Heim gehen sollen.»

Es war enthusiasmierend: Alle meine Peiniger waren außer Gefecht gesetzt. Mein Papa hatte mich gerettet!

Dass er Mama betrogen hatte, war für mich jetzt komplett irrelevant. Ich schmiegte mich an sein Bein, roch, dass es jenes war, an das ich gestrullert hatte, und drückte mich daraufhin an das andere. Papa war sichtlich glücklich, dass ich ihn wieder mochte, und sagte zu mir: «Ich fmiebe dich.»

Wann hatte er das das letzte Mal zu mir gesagt?

Zugegeben, «fmiebe» hatte er noch nie gesagt, aber auch ein «Ich liebe dich» war lange her. Sicherlich war ich da noch ein Kleinkind gewesen.

Jetzt tätschelte er sogar zärtlich meinen Kopf. Ich hatte auch keine Ahnung, wann er mich das letzte Mal so lieb gestreichelt hatte.

Komisch, manchmal merkt man erst, wie enorm man etwas vermisst, wenn man es neu erlebt.

Ich bekam einen Kloß in meinem Werwolfhals und fühlte mich Papa plötzlich so nah wie nie zuvor. Es war mein glücklichster Moment auf unserer ganzen verrückten Reise. Und daher flüsterte ich: «Ich fmiebe dich auch.»

Mein großer kräftiger Papa schluckte gerührt. Dann beugte er sich zu mir runter und drückte mich an sich. Ganz sanft und ganz lieb.

Unser formidabler Vater-Sohn-Moment fand jedoch ein jähes Ende: Ein Sandsturm zog sich über uns zusammen. Es war selbstverständlich nicht irgendein ordinärer Sandsturm. Es war Fee, die da über unseren Köpfen wehte. Ihr Sandgesicht war wieder zu sehen. Und sie schrie: «Papa ... Max ... Hilfe!»

Dann rieselte sie als Sand zu Boden, transformierte sich vor unseren Augen wieder in die Mumie Fee und sank geschwächt darnieder. Papa und ich wollten gerade zu ihr laufen, da zog ein zweiter Sandsturm auf, bei dem es sich natürlich um Imhotep handelte. Auch er rieselte zu Boden, doch dort verwandelte er sich nicht etwa in seine humane Gestalt, sondern in einen riesigen Skarabäus. Und er war sicherlich der erste Käfer in der Historie unseres Planeten, der pompös verkündete: «Bereitet euch auf den Tod vor, elendige Hunde!»

Während ich realisierte, dass ich unbewusst meinen Schwanz zwischen die Beine geklemmt hatte, war Papa weiter im Kinder-Rettungsmodus. Wütend stapfte er durch den Sand auf den Skarabäus zu und rief: «Käpfer, Arschpf pfoll!»

«Was?», fragte Imhotep, der Skarabäus, verwirrt und blieb stehen. Ein grober Fehler, denn Papa nutzte diesen kurzen Moment der Irritation und packte den riesigen Käfer. Der schoss zwar Säure aus seinen Händen, aber die traf Papa nicht, da er die Arme von Imhotep nach oben riss. So streute das schwarze Gift nur wahllos durch die Luft. Und ich dolmetschte lächelnd, was Papa laut gegrunzt hatte: «Mein Papa meint, der Käfer bekommt jetzt den Allerwertesten versohlt.»

EMMA

Mit einer Fackel in der Hand führte mich Baba Yaga auf einer Wendeltreppe immer tiefer in das Verlies. Zwar hörte ich mit jeder Stufe weniger das Wehklagen der Gefangenen, dennoch wurde mir immer beklommener zumute. Und ich begann zu frieren. Nicht so sehr, weil ich nur einen Bademantel trug. Nein, es lag an dem Leid, das in der Luft lag und von Schritt zu Schritt greifbarer zu werden schien. Es war fast so, als ob es stofflich wurde, sich mir um den Hals legte und mich würgte wie eine Boa constrictor.

«Wo gehen wir hin?», fragte ich ängstlich.

«Zu meinem Kind», antwortete Baba.

«Das ist hier?», fragte ich entsetzt.

«Dracula hat es gefangen als Geisel, ich es erst jetzt sehen darf, wo ich hab geschaffen dich. Seine Leibgarde mich nicht mehr aufhalten. So war mein Handel mit ihm.»

In diesem Moment konnte ich sogar etwas verstehen, warum Baba uns Wünschmanns das alles angetan hatte. Aus Mutter-Hexen-Liebe hatte sie uns geopfert.

Als wir endlich den tiefsten Punkt des Verlieses erreichten, leuchtete Baba mit der Fackel in eine Höhle, und wir sahen … ihr Kind.

Und es war wirklich ein Kind!

Ein vielleicht siebenjähriger Junge, an Armen und Beinen in Ketten gelegt mit offenen eitrigen Wunden am ganzen Körper. Deswegen war das Leid hier unten so groß, es war das Leid eines Kindes.

«Golem!», schrie Baba auf. Sie rannte zu dem Jungen, warf die Fackel auf den Boden und umarmte das blutende stöhnende Wesen.

Der Gestank von Golem war unerträglich, er war völlig verwahrlost. Ich hob die Fackel auf und leuchtete in seine Richtung.

«Ahhh!», schrie der Kleine auf und hielt sich schützend einen Arm vor das Gesicht. Nach so vielen Jahren in der Dunkelheit war das Feuer der Fackel zu hell für ihn. Ich wich ein paar Schritte zurück, und Golem hörte auf zu schreien, stattdessen weinte er leise.

«Das ist dein Kind?», fragte ich. «Wie kann das sein … so jung?»

«Ich ihn mit Zauber aus Klumpen Lehm erschaffen», erklärte Baba, während sie den Jungen zärtlich streichelte.

«Du kannst Leben erschaffen?», fragte ich fassungslos.

«Können das nicht jede Frau?»

«Nicht mit Magie.»

«Jede Geburt sein magisch», erwiderte sie.

Dem konnte man nicht widersprechen.

«Ich habe ihn geschaffen», erklärte Baba, «weil ich begriffen, dass nur Liebe glücklich macht. Leider ich haben sehr spät im Leben das erkannt. Jedoch nicht zu spät.»

Das traf mich bis ins Mark, hatte ich doch selbst gerade meine Familie verlassen.

Baba wandte sich wieder Golem zu und wollte den wimmernden Kleinen beruhigen: «Alles werden gut!»

Dabei wussten sie und ich ja, dass sie log. Aber was sollte sie dem Kleinen auch sagen: «Kindchen, schön, dass wir uns wiedersehen … ach, übrigens, ich sterbe in wenigen Stunden»?

Baba küsste die Wunden des Jungen. Dabei hatte sie Tränen in den Augen. Sein Jammern wurde langsam leiser. Er beruhigte sich durch die Liebe seiner Mutter. Erleichtert, weil er dachte, dass sie bei ihm blieb und ihn retten konnte. Aber sie konnte niemanden retten.

Und ich konnte nach allem, was ich gesehen hatte, unmöglich zu Dracula zurück. Schon gar nicht wollte ich ihm dabei helfen, den Erdball in ein Verlies wie dieses hier zu verwandeln. Doch eine Flucht war zwecklos, Dracula würde mich überall auf der Welt finden und zur Not zwingen, seine Braut zu werden und mit ihm die Vampire zu zeugen, mit denen er die Welt zerstören wollte.

Alles schien ausweglos, doch mit einem Mal kam mir ein wunderbarer Gedanke: Wenn Dracula für seinen Plan die Vampirin Emma brauchte, dann würde er mit der menschlichen Emma nichts anfangen können.

«Verwandle mich zurück!», bat ich Baba. «Dann bleibt die Erde verschont.»

«Ich das nicht können.»

«Ähem ... wie bitte, was?», fragte ich erstaunt.

«Ich das nicht können. Verwandlungszauber kann nicht durch anderen Zauber aufgehoben werden.»

«Durch was denn dann?», fragte ich irritiert, dass die Hexe anscheinend gar nicht helfen konnte und wir, wenn dies wirklich stimmte, ihr die ganze Zeit völlig umsonst nachgejagt waren.

«Zauber nur werden durch Glück aufgehoben.»

«Glück im Sinne von Zufall?», fragte ich.

«Nein. Glück im Sinne von Glück», kam es zurück. «Nur vollkommenes, inneres Glück kann Zauber aufheben. Nur wenn du so einen Moment des Glücks tief empfinden, du werden wieder Mensch.»

«Ich verstehe immer noch nicht ganz ... wieso?», erwiderte ich.

«Ich dich hab nur verzaubern können, weil du verwundbar warst. Verwundbar, weil du hattest einen Moment des Unglücks ...»

«... und nur ein Augenblick des Glücks kann das wieder heilen», begriff ich nun die Logik des Zaubers. Doch von so einem Empfinden war ich weit entfernt. Und in diesem Verlies sogar noch weiter entfernt als je zuvor.

«Aber», wandte ich ein, «ich hatte doch in der Zwischenzeit Augenblicke des vollkommenen Glücks erlebt, da hätte ich mich doch schon längst wieder zurückverwandeln müssen.» Dass ich dabei an das Essen mit Dracula dachte, an seine Massagen und natürlich auch an den phänomenalen Sex, behielt ich lieber für mich.

«Typisch, ihr Menschen», spottete Baba, «verwechselt Ekstase mit Glück.»

Da war ich schuldig im Sinne der Anklage.

«Und nicht nur du müssen vollkommenes Glück verspüren», erklärte Baba weiter, «auch deine Familie. Ihr zur gleichen Zeit durch gleichen Zauber verzaubert. Sie waren auch unglücklich. Ihr alle nur wieder normal werden ...»

«... wenn wir auch im gleichen Moment Glück empfinden», vollendete ich. Traurig. Denn meine Familie war nicht hier bei mir. Und selbst, wenn sie es gewesen wäre, wir Wünschmanns würden gewiss keinen solchen Moment gemeinsam erleben können.

Aber was würde ich tun können, um Draculas Pläne zu vereiteln? Selbstmord begehen mit Ilja Rogoffs Knoblauch-Dragées? Mein Leben opfern für die Menschheit, damit Dracula keine Armee aufbauen konnte? Dazu hatte ich nicht den Mut. Sosehr ich es auch versuchte, ich fand nicht den inneren Jesus, der bereit war, für alle anderen zu sterben. Doch immerhin fand ich bei meiner Suche den inneren Spartakus, von dem ich nicht geahnt hatte, dass es so einen mutigen Kämpfer in mir gab.

«Dann gibt es nur noch eine Möglichkeit», verkündete ich in bester Spartakus-Manier, «ich muss gegen Dracula kämpfen.»

«Du willst gegen ihn kämpfen?», fragte Baba erschrocken. «Dann du sein noch stupider als stupider als stupide ...»

«Ich weiß», seufzte ich. «Ich weiß. Aber ich muss es versuchen.»

«Du es nicht werden alleine schaffen», sagte sie, «du brauchen Verbündete.»

«Hast du welche parat?»

«Ja ...»

«Und wen?», fragte ich neugierig, wer mir helfen konnte in meinem unmöglichen Kampf.

«Deine Familie.»

Da erwischte mich die Hexe voll auf dem falschen Fuß.

«Ich sie zaubern her!»

«Aber dann bringst du sie mit in Gefahr ...», protestierte ich.

«Solange Dracula lebt, ihr alle seid in Gefahr», widersprach sie, hob ihr Amulett und begann wieder zu brabbeln: «Brajanci transportci ...»

FRANK

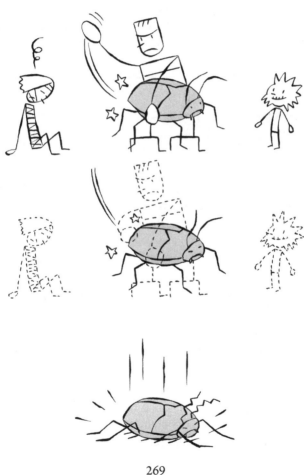

EMMA

Mit einem lauten Knall und jeder Menge Schwefel tauchten sie alle im Verlies auf: Frank, Fee, Max ... und sogar auch Cheyenne und Jacqueline. Während die anderen in den Schwefelschwaden noch husteten, blickte ich Baba fragend an, und sie antwortete: «Familie sein nicht nur eigen Fleisch und Blut.»

Da sprach sie etwas Wahres aus: Cheyenne und Jacqueline waren einen großen Weg auf unserer Reise mitgegangen und gehörten daher tatsächlich irgendwie zu unserer kaputten Familie. Schlecht für die beiden, denn dadurch befanden auch sie sich nun in allergrößter Gefahr.

Während sich der Rauch langsam verzog, versuchte ich, Frank nicht ins Gesicht zu sehen, mein Magen verkrampfte sich vor Fremdgeh-Schuldgefühlen. Auch er sah von mir weg, genau so, wie Max von Jacqueline wegsah und die von ihm. Auch zwischen den beiden schien irgendetwas vorgefallen zu sein. Aber herauszufinden, was das wohl sein mochte, lag auf meiner Prioritätenliste ungefähr auf Rang 4238.

Cheyenne fragte dafür gleich nach Platz 1 der Liste: «Ähem, es ist zwar wunderbar, euch alle wiederzusehen, auch wenn mich dieses Verlies ein bisschen an die Höhle erinnert, in der ich mit Che Guevara in Bolivien Liebe gemacht habe ... aber warum sind wir hier?»

«Und wo genau ist hier?», ergänzte Fee. «Und wieso hast du einen Bademantel an und läufst in Unterwäsche rum?»

Auf die letztere Frage mochte ich nicht antworten.

«Und wer ist das Kind in Ketten?», fragte Max.

«Das sein mein Sohn», antwortete Baba und ließ sich matt zu dem Kleinen auf den Boden fallen. Die anderen alle herzuzaubern, hatte sie ihre letzte Kraft gekostet.

«Also, in meiner Klasse haben ja so einige alte Mütter», kommentierte Fee, «aber das hier ist echt übertrieben.»

«Sie soll uns zurücktransformieren!», deutete Max auf Baba Yaga.

Ich überlegte, ob ich meiner Familie davon erzählen sollte, dass die Hexe dies nicht konnte. Dass wir unsere alten Körper nur wiederbekommen würden, wenn wir alle zusammen einen gemeinsamen Moment des vollkommenen Glücks empfanden. Aber ich entschied mich dagegen. Warum sollte ich sie mit einem Szenario quälen, das genauso realistisch war wie die geistige Genesung von Charlie Sheen. Abgesehen davon hatten wir etwas zu erledigen, daher erklärte ich: «Wir sind in Draculas Verlies, und wir müssen erst mal die Menschheit vor ihm retten. Und das geht nur als Monster.»

«Immer, wenn man denkt, es geht nicht beschissener ...», seufzte Fee, «kommt der nächste Haufen.»

Damit brachte sie wohl eines der wesentlichen Naturgesetze des Lebens auf den Punkt.

Frank aber sah mich mit funkelnden, eifersüchtigen Augen an und fragte: «Drfmula? Fmumsi?»

«Da lief nichts mit fmumsi!», log ich hastig wie ein Politiker vor dem Untersuchungsausschuss. «Und wenn hier einer nicht über ‹fmumsi› reden sollte, dann bist ja wohl du das, Mister Fmumsi hoch acht!»

Das Funkeln verließ Franks Augen, schuldbewusst blickte er zur Seite. Angriff ist in Sachen Untreue immer noch die beste Verteidigung.

«Er hat Suleika in die Wüste geschickt», verteidigte Max ihn.

Das verblüffte mich und nahm alle Luft aus meiner Aggressivität.

«Bitte nimm Papa doch wieder zurück», barmte Max und sah mich mit seinen treuen Werwolfsaugen an. Ich blickte unwillkürlich rüber zu Frank. Der drehte vorsichtig den Kopf wieder zu mir und schien tatsächlich darauf zu hoffen, dass ich ihm verzieh.

Wollte ich das?

Konnte ich das?

Vor meinem geistigen Auge sah ich, wie Frank – der menschliche Frank – sich mit Suleika herumwälzte. Gleich darauf sah ich vor meinem geistigen Auge, wie ich mich mit Dracula herumwälzte, und dann verfluchte ich mein geistiges Auge, dass es mir nicht mal nettere Bilder liefern konnte.

Statt meiner antwortete Fee: «Der Mistkerl hat sie doch betrogen!»

Es war schon verrückt: Ausgerechnet meine rebellische Tochter verteidigte mich.

«Motz Papa nicht so an, er ist kein Mistkerl! Er hat uns das Leben gerettet!», verteidigte Max nun seinerseits seinen Vater und brachte Fee damit dazu, von Frank wieder zu weichen. Ihre Wut verrauchte, und sie sagte zu ihrem Bruder: «Okay, okay ... vielleicht hast du recht.»

Anscheinend hatte Frank den Kindern wirklich das Leben gerettet, während ich nicht bei ihnen gewesen war. Er hatte in den letzten Stunden viel mehr für unsere Familie getan als ich. Stunden, in denen ich mich ganz der Leidenschaft mit Dracula hingegeben hatte.

Gott, wie ich mich schämte.

Und beim Schämen schossen durch meinen Kopf wieder die Wälzbilder von Dracula und mir. Bilder, bei denen ich mich fragte, ob selbst für den unwahrscheinlichen Fall, dass ich Frank jemals verzeihen könnte, er mir überhaupt verzeihen würde?

«Ich möchte ja nicht eure *Gute Zeiten, Schlechte Zeiten*-Nummer unterbrechen», mischte sich Jacqueline wieder ein, «aber hatte hier nicht eben jemand was von die Menschheit retten erzählt? Nicht, dass ich die Menschheit geil finde.

Aber wenn es die nicht mehr gibt, gibt es vielleicht auch kein Bier mehr. Und keine Zigaretten. Und das wäre ganz schön scheiße.»

Hastig berichtete ich darauf von Haribos Prophezeiung und Draculas finsteren Plänen. Als ich fertig war, standen alle ziemlich erstaunt da. Jacqueline fand als Erste die Worte wieder: «Das kann ich eben nicht wirklich gehört haben. Ich muss noch bekifft sein.»

«Du warst bekifft?», fragte Max und blickte sie unsicher an. Sie sah mindestens ebenso unsicher zurück und antwortete: «Deswegen hab ich gestern Abend so gelacht.»

Max lächelte zaghaft. Jacqueline lächelte ebenfalls zaghaft zurück. Und ich hatte keinen blassen Schimmer, worum es bei den beiden ging.

Frank, bei dem ein Groschen ja eine Weile dauerte, bis er durch die rostigen Gehirnwindungen fiel, war nun erzürnt bei der Vorstellung, dass Dracula mich ein paar tausend Mal schwängern wollte. Er bückte sich zu dem Verliesboden und zeichnete mit seinen großen Fingern in die Erde:

Frank wollte mich vor Dracula verteidigen. Mich vor ihm retten. So, wie er die Kinder gerettet hatte. Frank hatte als Frankensteins Monster viel mehr Feuer, als er es als Mensch gehabt hatte. Er zeigte jetzt eine Seite, die er lange verborgen hatte.

Oder die ich einfach nur nie gesehen hatte.

Da wurde mir klar: Suleika hatte diese Seite gesehen. Nur ich, seine Ehefrau, nicht. Ich hatte ja schon lange nicht mehr genauer bei Frank hingeschaut, mich schon lange nicht mehr gefragt, was unter seiner vom Job gestressten Oberfläche in seinem Inneren so alles schlummerte. Ja, womöglich hatte ich Frank sogar gar nicht mehr richtig gekannt.

«Hat denn nun jemand eine Idee, wie wir Dracula eins auf die Glocke hauen können?», kam Fee zur Sache und riss mich damit aus meinem Gedankenstrom. «Wir haben eine Welt zu retten.»

Da war sie wieder: die entschlossene, idealistische Fee. Und im Gegensatz zu unserer Begegnung vor der Pyramide war ich diesmal richtig froh, meine Tochter so energiegeladen zu sehen.

«Dracula besiegen nicht einfach werden», sagte Baba, die den kleinen Golem immer noch fest umschloss, «aber ihr haben Möglichkeit.»

«Und welche?», wollte Max wissen.

«Dracula sich müssen einmal am Tag in sein Lazarus-Bad legen. Das bestehen aus Schlamm und magischen Kräutern. Dies er tun jetzt.»

Er war also gar nicht arbeiten, wie er mir am Pool gesagt hatte, sondern machte sich eine Schlammpackung?

«Und warum braucht er so ein magisches Moorbad?», fragte Fee.

«Er sein zwar unsterblich, aber er brauchen es, um nicht zu werden alt.»

«Ohne das Bad wird er also ein Unsterblicher mit Alzheimer, Inkontinenz und Corega Tabs», kombinierte Max.

«Und wie hilft uns das jetzt?» Fee wurde langsam richtig ungeduldig.

«Dracula liegen in Bad, darf nicht heraus und geben so hilfloses Ziel ab», erklärte Baba.

«Und wie lange badet der Typ so?»

«Bis zum Sonnenuntergang.»

Jacqueline nahm ihr iPhone, googelte und verkündete: «Das ist in einer Viertelstunde.»

Mir schossen zwei Gedanken durch den Kopf: zuerst, dass ich gerne auch einen Mobilfunkbetreiber hätte, der so einen guten Empfang bietet. Und danach, dass in diesen nächsten fünfzehn Minuten ausgerechnet die Monsterfamilie Wünschmann das Schicksal der Welt entscheiden müsste.

MAX

Angst durchströmte meinen Körper, denn mir war als Einzigem von uns klar, dass Dracula gewiss scheußliche Kreaturen in seinen Diensten hatte, die ihn während des Rekreations-Bades bewachten. Jeder drittklassige Schurke hatte sinistre Söldner, also erst recht ein erstklassiger wie der Fürst der Verdammten. Aber weder meine Angst, noch Draculas Söldner waren die vorrangige Problematik, zuerst einmal mussten wir uns darum kümmern, wie wir Dracula überhaupt vernichten konnten.

«Knoblauch», kombinierte ich laut, «wird es in diesem Schloss sicherlich nicht geben. So dumm wird er nicht sein. Man wird als Vampir nicht alt, wenn man ein Kretin ist.»

«Ein was?», fragte Jacqueline.

«Vollspacken», dolmetschte Fee.

«Holzpfähle dürften hier auch nicht in Massen rumliegen», ergänzte Cheyenne, und Mama nickte: «Mir fällt gerade auf, dass ich in dem ganzen Schloss kein Stückchen Holz gesehen habe.»

«Dann ist Dracula tatsächlich kein Vollspacken», stellte Jacqueline fest.

«Und Weihwasser wird es auch nicht geben, das wir ihm in sein Moorbad kippen können», seufzte Fee.

Alle sahen enorm deprimiert drein. Wir hatten nur noch vierzehn Minuten bis Sonnenuntergang und nicht den Hauch einer Idee. Ich blickte zu Jacqueline: Wenn sie bei dem Telefonat gestern nur gelacht hatte, weil sie bekifft gewesen war ... dann hatte sie mich ja gar nicht ausgelacht. Das wäre wundervoll. Es bedeutete zwar noch nicht, dass sie meine Gefühle erwiderte, aber immerhin hatte sie sich über diese nicht lustig machen wollen.

Doch wenn die Menschheit eliminiert würde, gäbe es auch keine Jacqueline mehr. Keine Ahnung, was aus uns Monstern würde. Aber ich wollte keine Zukunft ohne Jacqueline, selbst wenn sie mich nicht lieben sollte.

Die neuronalen Synapsen in meinem Hirn arbeiteten im Akkord für Jacquelines Rettung, sendeten Signale zueinander, verschalteten sich immer wieder neu, um zu einer Lösung zu gelangen. Und die Synapsen lieferten Resultate: «Salz und Olivenöl wird es in diesem Schloss doch geben!», rief ich.

Die anderen sahen mich an, als hätte ich nicht mehr alle Protonenzahlen auf der Elementtafel.

«Ich wusste nicht, dass Vampire von Salz vernichtet werden», sagte Mama.

«Die haben doch keinen Bluthochdruck», ergänzte Cheyenne.

«Und von Olivenöl werden Vampire auch eher selten in die Flucht geschlagen», meinte Fee.

«Ufta», gab auch noch Papa seinen Senf dazu.

«Ja», lächelte ich, «aber mit Salz, Olivenöl, Wasser und etwas Balsam stellt man Weihwasser her. Und Balsam haben wir

276

bereits. Fees Mumienbandagen wurden ja damit einbalsamiert. Das müssen wir ihr nur abkratzen.»

Alle staunten, und Fee lächelte anerkennend: «Kleiner Bruder, du bist doch kein so großer Idiot.»

Dabei gab sie mir einen Knuff in die Brust. Ich konnte mich gar nicht daran erinnern, wann meine Schwester mich das letzte Mal so lieb angelächelt hatte. Vermutlich, als ich als kleiner Junge ihre geliebte Diddl-Maus unter dem Esszimmerschrank gefunden hatte. Fees Lächeln war ein weiteres Exempel für das Phänomen, erst zu merken, wie sehr man etwas vermisst, wenn man es wieder erlebt.

Papa befreite mit seinen starken Pranken Baba Yagas Golemkind, wir ließen es mit der geschwächten Hexe in der Höhle zurück und eilten die Treppen hinauf. Nach schätzungsweise hundert Stufen bat Jacqueline mich, kurz anzuhalten. Wir drückten uns an eine Mauer, ließen die anderen passieren und versprachen, dass wir sofort folgen würden. Als alle außer Hörweite waren, erklärte Jacqueline so lieb, wie ich sie noch nie zuvor erlebt hatte: «Du bist nicht nur ‹kein Idiot›, du bist auch tierisch mutig.»

«Nein, das bin ich nicht», schüttelte ich betrübt den Kopf. «Angst-Adrenalin durchströmt gerade meinen Körper, weil wir gleich Dracula begegnen werden.»

«Das meinte ich doch gar nicht», lächelte sie. «Du hast etwas viel Mutigeres getan, als mit so einem Vampir zu kämpfen.»

Ich verstand erst mal nicht, was sie meinte.

«Du hast mir gesagt, dass du mich liebst. So etwas hätte ich mich nie getraut», erklärte sie leise. Dabei wirkte sie richtig mädchenhaft. Aber das erwähnte ich lieber nicht, wollte ich doch eine von ihr absichtlich herbeigeführte Kollision ihres Fußes mit meinem Geschlechtsteil vermeiden.

«Dein Mut insiriert mich», gestand sie sanft.

«Das heißt inspiriert», korrigierte ich sie.

«Willst du diesen Moment echt durch Klugscheißerei kaputt machen?», grinste sie.

«Welchen Moment genau?», fragte ich unsicher. Mein Werwolfsherz schlug auf einmal, so schnell es konnte, und das wollte was heißen, schlugen doch die Herzen von Wölfen bekanntlich 7,83-mal schneller als die von Menschen.

«Diesen Moment», erwiderte Jacqueline.

Dann beugte sie sich zu mir runter und gab mir einen zärtlichen, liebevollen Kuss auf die Wolfsschnauze.

Ja, und manchmal weiß man erst, was man im Leben vermisst hat, wenn man es zum allerersten Mal erlebt.

FEE

So viele Treppen war ich nicht mehr gestiegen, seitdem unsere blöde Klassenlehrerin uns damals bei der Klassenfahrt auf den Kölner Dom gejagt hatte, sehr zur Freude der Raucher in unserer Klasse.

Cheyenne ächzte: «Wenn ich nur zehn Jahre jünger wäre ...»

«... dann wärst du 68 ...», grinste Mama lieb.

«... und wohl genauso fertig», gab Cheyenne ihr recht.

Sie setzte sich erschöpft auf eine der Stufen und bat: «Lasst mich hier zurück. Ich halte euch nur auf.»

«Hier bist du aber nicht sicher», widersprach Mama.

«Das bin ich auch nicht, wenn ich mit euch komme.»

«Ich würde jetzt gerne was dagegen sagen können ...», seufzte Mama und nahm Cheyenne in die Arme, wie man wohl nur Leute in die Arme nimmt, von denen man keine Ahnung hatte, ob man sie je wiedersieht. Dabei sagte sie: «Ich bin froh, dass ich dich nicht entlassen habe.»

«Ich auch. Selbst wenn ich dadurch hier gelandet bin», lächelte Cheyenne.

Jacqueline, die mit Max wieder zu uns aufgeschlossen hatte, rannte jetzt auch auf die alte Hippiebraut zu und küsste sie zum Abschied. Verrückt, ich hatte immer gedacht, das Liebevollste, zu dem Jacqueline in der Lage sei, wäre, jemandem eine Bierdose an den Kopf zu werfen.

«Wir holen dich wieder», versprach sie Cheyenne, «und dann ziehen wir einen durch, Mama.»

«Du nennst sie Mama?», fragten meine Mama und ich gleichzeitig und waren tierisch überrascht dabei.

«Hat euch schon mal jemand gesagt, dass ihr euch ähnlich seid?», grinste Jacqueline.

Papa hob seine Hand: «Ichpf.»

«Wir sind uns nicht ähnlich!», protestierten Mama und ich im Chor.

Jacqueline grinste: «Ach nee …»

«Eure Ähnlichkeit ist jetzt gerade sekundär», drängelte Max. «Wir haben es eilig!»

Damit hatte er natürlich recht. Wir ließen Cheyenne zurück wie einen verwundeten Soldaten in einem amerikanischen Film, erklommen weiter im Laufschritt die Treppen, rannten dann durch Stollengänge mit vielen Gefängniszellen. Die Feen, Schutzengel und Elfen, die darin gefangen waren, so leiden zu sehen, war der blanke Horror für mich. Ihr Anblick erfüllte mich mit unglaublicher Wut. Höchstpersönlich wollte ich Dracula das Weihwasser in sein Schlammbad kippen und anschließend seine Asche gerne den Schweinen in den Trog mischen. «Wo sind die Schlüssel zu den Zellen?», fragte ich.

«Wir haben keine Zeit, sie zu befreien!», erwiderte Mama.

Ich blickte sie wütend an. Ich wollte die Wesen nicht eine Sekunde länger so leiden sehen.

«Wir müssen uns erst um Dracula kümmern», redete Mama weiter auf mich ein.

Damit hatte sie natürlich recht. So wenig es mir auch gefiel.

Es machte keinen Sinn, alle zu befreien, wenn dann die Welt unterging. Und in dem Zustand, in dem die Wesen waren, konnten sie uns im Kampf gegen Dracula kein bisschen helfen.

Dennoch konnte ich mich nicht losreißen: Es war das erste Mal, dass ich irgendjemanden mit eigenen Augen so habe leiden sehen. Das war was ganz anderes als im Fernsehen. Und mit einem Schlag wurde mir klar, was ich mit meinem Leben anfangen wollte, wenn wir hier jemals lebend rauskommen sollten: Ich wollte Wesen in Not helfen. Es ging nicht darum, Revolutionen anzuzetteln oder Diktatoren zu stürzen, es ging darum, Leid zu mindern. Dazu brauchte es keine Mumien mit Superkräften, sondern Menschen, die sich für andere einsetzten.

Mann, hätte das noch vorgestern jemand zu mir gesagt, ich hätte gefragt, ob er zu viel Weihrauch eingeatmet hatte.

«Komm jetzt endlich», drängelte Mama, ich nickte, und wir rannten aus dem Verlies in das eigentliche Schlossgebäude. Während wir liefen, erklärte Mama uns: «Dracula hat einen Drei-Sterne-Koch.»

«Wer für so einen arbeitet, ist ein Vier-Sterne-Arschloch», antwortete ich.

«Die meisten Sterneköche kochen für nicht allzu nette Menschen, denn nur solche können sich die leisten», machte Mama einen auf sozialkritisch.

«Jedenfalls wird uns so ein dussliger Kochlöffel-Jongleur nicht aufhalten können», antwortete ich, als ich die Schwingtür zur Küche aufstieß.

«Da könnte man auch eine Gegenthese zu entwickeln», schluckte Max und deutete auf den Koch, der mitten in der schicken Edelstahl-Küche am Küchenblock stand. Es war ein Dämon aus der Hölle, über zwei Meter groß, komplett mit Hörnern auf der Stirn und einem Schwanz, an dessen Ende Zacken waren wie bei einem Morgenstern. Wenn man so ein Ding ins Gesicht bekam, musste man sich nie wieder Sorgen um Pickel machen.

Dass der Dämon eine Kochmütze aufhatte, ließ ihn leider auch nicht harmloser wirken. Er sah uns und rief stinkig: «Raus aus meiner Küche, hier gibt es strenge Hygiene-Bestimmungen!»

Papa ging sofort auf ihn zu. Sicher würde er gleich mit dem Dämon den Boden aufwischen, so wie er es mit dem Käfer Impotent gemacht hatte.

Er schlug auch gleich mit einem lauten «Ufta» zu, mit seiner Faust voll auf das rote Kinn des Dämons. Doch dann schrie er und hielt sich seine Hand. Der Dämon hatte anscheinend eine Haut härter als Stahl. Lächelnd prügelte er Papa mit seiner Pfanne, und der flog darauf quer durch die Küche gegen ein Regal voller Töpfe. Dort fiel er ohnmächtig zu Boden, die Töpfe regneten auf seinen harten Kopf herab, und dadurch erklang eine Melodie wie bei einem unharmonischen Glockenspiel.

«Der Dämon ist enorm stark», winselte Max.

«Wär mir so nicht aufgefallen», schluckte ich.

Der Kochteufel hingegen hatte andere Sorgen: «Meine Sauce béarnaise kocht über!»

Probleme, die man haben will, dachte ich mir.

«Hören Sie», versuchte Mama es mit Kommunikation, «wir wollen nur etwas Salz und Oliv...»

Weiter kam sie nicht. Der Dämon versetzte ihr ebenfalls mit der Pfanne einen Schlag, auch sie flog gegen die Wand und landete neben Papa. Dieses Wesen aus der Hölle war durch pure Kraft nicht zu bezwingen. Also galt es herauszufinden, wie es mit seinem Willen bestellt war. Mit tierischem Schiss und wackeligen Beinen ging ich auf ihn zu, während er den Soßentopf vom Gasherd nahm. Entweder würde ich ihn hypnotisieren können, oder er würde mich so schlagen, wie er es bei Papa und Mama getan hatte. Nur würde ich dann nicht benommen in der Ecke hängen wie die beiden jetzt. So ein Schlag würde mir glatt den Mumienkopf vom Hals fetzen.

Ich stand nun beim Herd und sagte: «Hey, Tim Mälzer ...»

Der Dämon blickte zu mir, ich fixierte sofort seine höllisch funkelnden roten Augen und bat: «Ich wünsche mir, dass du uns Salz und Olivenöl gibst.»

«Zu und zu gerne!», kam die Antwort.

Ich atmete erleichtert durch. Mein Plan ging auf. Der Dämon ließ sich hypnotisieren. Er holte Öl und Salz. Doch dann gab der Kochteufel mir doch nicht die Sachen.

«Was ist?», fragte ich verwirrt.

Und er grinste: «Veraaaaarscht!»

Dabei lachte er, im wahrsten Sinne des Wortes höllisch. Hinter mir hörte ich, wie Max murmelte: «Der Humor dieses Dämons ist suboptimal.»

Dafür war das Fleischermesser, das er zur Hand nahm, beeindruckend. Auf keine gute Art und Weise.

«Jetzt verarbeite ich dich zu Küchentuch», grinste der Höllenkoch mich breit an.

Ich sah auf das große Messer, es machte mir mehr Angst als alles Übernatürliche, das ich in den letzten Tagen erlebt hatte. Viel mehr.

Früher hatte ich nie verstanden, warum in Slasher-Filmen die miniberockten Teenager-Zicken immer schrien, anstatt einfach wegzurennen, wenn der Serienkiller mit einem Messer vor ihnen stand. Aber jetzt konnte ich es nachvollziehen und selbst auch nur noch loskreischen.

Der Dämon hob das Fleischermesser. Wie noch nie zuvor hatte ich Angst um mein Leben, konnte mich aber keinen Schritt bewegen. Ich war komplett in Schockstarre und hörte meinen eigenen Schrei wie ein entferntes Echo.

Der Dämon stach zu …

… und in diesem Augenblick sprang Mama dazwischen.

Das Fleischermesser traf sie voll ins Herz.

Sie fasste sich an die Brust und brach vor mir zusammen.

«Mama!», schrie ich.

Meine Starre löste sich, und ich warf mich zu ihr auf den Boden. Sie hatte eine tiefe Stichwunde im Oberkörper und bewegte sich nicht mehr ... Mein Gott, sie bewegte sich nicht!

Max rannte sofort zu ihr, schnupperte hektisch und panisch winselnd an ihr herum.

«Beim eitrigen Beelzebub!», stöhnte der Dämon auf, als er begriff, was er getan hatte. «Ich hab die Vampirin gekillt! Dracula wird sich fürchterlich rächen, wenn er das sieht. Es ist besser, wenn ich das Weite suche!»

Dann legte er die Kochmütze ab und murmelte dabei: «Lieber brat ich wieder Menschen-Burger in der Hölle, als ihm das zu erzählen!»

Sagte es, löste sich mit einem lauten *Knall, Puff, Peng* in Luft auf und wurde nie wieder gesehen.

Ich aber nahm Mama in die Arme, starrte auf die Wunde in ihrem Fleisch und begann loszuheulen: «Mama ... Mama ...»

Max jaulte dazu wie ein Schlosshund: «Whahuuuuuuu!!!»

Ich konnte an gar nichts mehr denken, nicht daran, dass Mama sich für mich geopfert hatte, nicht daran, dass ich schuld daran war, dass sie starb, nicht daran, was jetzt aus der Menschheit würde ... durch meinen Kopf jagten nur die Bilder, wie ich früher auf ihrem Schoß saß, im Schlafanzug, und sie mir vorlas ... und wie sie mich im Bett immer zudeckte und mich dabei dreimal küsste ... auf die Stirn, auf die Nase und auf den Mund ... und während diese Bilder durch meinen Kopf sausten, zog sich mein ganzer Körper zu einem einzigen Weinkrampf zusammen. Ich heulte ... und heulte ... und heulte ...

Mit einem Male hörte ich leise: «Schnuffel ...»

Es war Mama!

Sie lag in meinen Armen und redete. Leise, aber sie redete!

Max hörte auf zu jaulen.

«Alles halb so wild», flüsterte Mama. «Vampire haben doch gar kein Herz.»

Sie lebte. Sie lebte. Gott, sie lebte!

Max machte darauf gleich mal Freudenpipi.

Und ich weinte jetzt vor Erleichterung.

Und vor Scham.

Weil ich hohle Nuss sie angemotzt hatte, dass sie mich nicht als Tochter haben wollte.

Dabei hatte Mama ihr Leben für mich riskiert.

Und je mehr ich begriff, wie viel ich ihr doch bedeutete, desto mehr mischte sich in meine Scham ein anderes Gefühl: Jetzt weinte ich auch vor Glück.

EMMA

Die Stichwunde tat zwar höllisch weh, aber sie verheilte innerhalb einer Minute, dann war nur noch eine Narbe zu sehen, und selbst die verschwand nach einigen weiteren Sekunden. Wir Vampire besaßen ein beeindruckendes Heilfleisch. Kein Wunder, dass man uns nur durch so alberne Dinge wie Knoblauch oder Weihwasser vernichten konnte.

Kalkuliert hatte ich mit der Wunderheilung aber nicht: In dem Augenblick, in dem der Dämon Fee erstechen wollte, folgte ich nur noch meinem Mutterinstinkt. Mein eigenes Leben war mir egal, ich wollte das meiner Tochter retten. Und ich war so erleichtert, dass mir das gelungen war.

Ich rappelte mich wieder auf. Fee umarmte mich und gab mir einen dicken, fetten Kuss auf die Wange. Das haute mich fast wieder um: Meine Tochter küsste mich? Meine pubertierende Tochter? Küsste?? Mich???

Vielleicht war ich ja doch gestorben und in einem besonders skurrilen Leben nach dem Tode gelandet.

«Wenn ihr beide mal fertig seid mit Abschlabbern», unterbrach uns Jacqueline, «wir haben da noch so ein kleines Problem mit Weihwasser zu besprühen. Und dafür haben wir nicht mehr viel Zeit.»

Sie deutete aus dem Küchenfenster, und wir sahen, wie die Sonne langsam über den transsilvanischen Bergen unterging.

«Außerdem stehst du voll in Hunde-Pipi», ergänzte Jacqueline.

Ich sah zu meinen nackten Füßen, und tatsächlich: Ich stand in einer kleinen warmen Pfütze.

«Ich ...», lächelte Max sehr verlegen, «geh dann mal Papa wecken!»

Er rannte los und schlabberte Frank mit seiner Zunge durchs Gesicht.

Frank rappelte sich benommen auf, während ich unter Anleitung von Max aus Wasser, Olivenöl, Salz und dem, was wir an Balsam von Fees Mumiengewand abkratzen konnten, einen Tonkrug voll Weihwasser anrührte. Dann eilten wir allesamt durch die Küche raus in die Schlosshalle zu einem alten vergitterten Fahrstuhl, der innen mit dunkelrotem Samt ausgelegt war. Wir traten ein und standen in dem modrig riechenden Käfig eng beieinander. Frank stieß fast mit dem Kopf an die Decke, und wir sahen auf die Tafel mit den Etagen-Knöpfen, die von eins bis dreizehn durchnummeriert waren.

Ich drückte die 13, weil ein Typ wie Dracula sicherlich dort wohnte, und der Fahrstuhl setzte sich laut knarzend, wie es sich für so ein altes Gefährt gehörte, in Bewegung. Max schmiegte sich während der Fahrt bei Jacqueline ans Bein, und sie kraulte ihn. Irgendetwas hatte ich in der Entwicklung zwischen den beiden definitiv verpasst.

Bei Stockwerk neun sahen Frank und ich uns aus Versehen an und blickten ganz hastig wieder weg. Krampfhaft suchte ich mir einen Punkt, den ich anstarren konnte, und blickte auf die Anzeige der Stockwerke: ... 10, 11, 12 ... was mochte uns gleich erwarten? ... 13! Es machte *Ping*!

Wir waren da. Die Türen ratterten auf. Still und angespannt betraten wir einen alten Schlossgang, in dem jede Menge Gemälde hingen. Mit jedem Schritt umklammerte ich fester den Krug mit Weihwasser.

«Rembrandt, Renoir, van Gogh …», zählte Max die alten Meister beeindruckt auf.

«Van Gogh? Hat der nicht mal Bayern München trainiert?», fragte Jacqueline.

Max wollte gerade ansetzen, sie zu korrigieren, wie es seine Art war, doch dann besann er sich und lächelte sie nur an. So lässt man nur einen Menschen das Gesicht wahren, den man von Herzen liebt.

Trotz der Lage war ich neugierig, was genau zwischen den beiden lief, schließlich war ich eine Mutter und er mein Sohn. So fragte ich ihn leise: «Seid ihr zusammen?»

«Ich … ich glaube schon», antwortete er verlegen.

Ich freute mich für ihn, hatte ich doch Jacqueline für ihren Mut und ihre Ehrlichkeit zu schätzen gelernt. Lieber so ein Mädchen für meinen Sohn als ein Püppchen, das sich mit Make-up besser auskennt als mit dem Leben. Und dann sagte Max etwas sehr Überraschendes: «Das hab ich nur dir zu verdanken.»

«Mir?», fragte ich erstaunt.

«Du hast gesagt, dass ich meine Angst immer überwinden kann, und das hat mir Mut verliehen.»

Er strahlte mich dankbar an. Dabei hatte er mich noch gestern Abend verflucht. Ja, er war jetzt wirklich ein amtlicher Pubertist mit allem, was da so an Stimmungsschwankungen dazugehörte. Aber wenn wir dieses Abenteuer im Schloss überlebten, dann sollte ich wohl auch eine weitere Pubertät durchstehen können.

«Wartet mal», blieb Fee unvermittelt stehen, «mir ist da gerade was auf den Kopf gefallen.»

Auch wir blieben stehen. Fee nahm einen kleinen braunen

Köddel vom Haupt. Sie sah ihn an und meinte: «Ich hab wieder ein Gefühl ... diesmal ein ganz beschissenes.»

Sie hielt den Köddel zwischen den Fingern hoch und ergänzte: «Im wahrsten Sinne des Wortes.»

Wir alle blickten langsam hoch an die Decke. Und dort hingen die Fledermäuse.

FEE

Ungefähr ein Dutzend Viecher baumelten kopfüber von der Decke. Dann flogen sie los und schwirrten um uns herum. Bedrohlich. Unheimlich. Immer haarscharf an unseren Köpfen vorbei.

«Mir gefallen die besser, wenn die einfach nur kacken», meinte Jacqueline.

Das fand ich auch. Aber selbst dieses Herumgefliege war super im Vergleich zu dem, was als Nächstes kam: Die verfreakten Fledermäuse verwandelten sich in zweieinhalb Meter große Vampire in schwarzen Anzügen und mit schwarzen Sonnenbrillen. Es waren Typen, die so wirkten, als könnten sie ihren Gegner auf 1234 verschiedene Arten töten, ohne dass der Gegner überhaupt mitbekam, dass er selbst Gegner hatte.

«Das dürfte Draculas Leibgarde sein», schluckte Mama.

Der größte Typ der Garde trat auf uns zu. Er nahm die Sonnenbrille ab und sah uns aus seinen tiefroten Augen böse an, mit einem Blick, der sagte: Mit mir ist nicht gut Kirschen essen. Auch nicht Bananen. Noch nicht mal ein McDonald's-Spar-Menü. Das Einzige, was mit mir gut zu essen ist, ist Menschenblut.

Mit leiser, aber bedrohlich tiefer und durchdringender Stimme erklärte er Mama: «Normalerweise würden wir jeden sofort töten, der es wagt, auf Draculas Gemächer zuzugehen, aber du bist die Braut des Fürsten, daher werden wir von euch nur alle Nicht-Vampire töten.»

«Nur?», fragte Max entsetzt. «Was ist denn daran ‹nur›?»

Die Vampire jaulten mordlüstern auf. Das klang so fies, dass ich mich fast nach dem Messer des Koch-Dämons zurücksehnte.

«Ich kipp das Weihwasser auf sie», flüsterte Mama uns zu.

Aber das durfte sie doch nicht! Mama musste das Weihwasser für Dracula aufbewahren. Sie sollte es nicht verschwenden, um uns zu retten. Selbst wenn das bedeuten würde, dass ich nie mit einem Jungen die volle Distanz gehen würde, weil mir so etwas total Beknacktes wie der Tod dazwischenkäme.

Mama wollte gerade den Krug auf die Leibgarde kippen, da hielt ich sie am Arm zurück.

Au Mann, ich konnte mich nicht ausstehen, wenn ich selbstlos war!

Es war purer Selbstmord, mich gegen die Garde zu stellen. Ich konnte ja schlecht zwölf Vampiren gleichzeitig in die Augen schauen, um sie zu hypnotisieren, und das waren auch Typen, die sich wohl kaum von einem Froschregen oder Stechmücken beeindrucken lassen würden. Selbst eine Viehpest würde denen nichts anhaben können. Ich hatte also nur noch eine Wahl: den fürchterlichen Fluch der Mumie!

Dumm daran war nur, dass der Fluch wohl ebenfalls so gut wie ein Selbstmord war. Immo hatte mir erzählt, dass der Fluch den Opfern zwar den sofortigen Tod bringt, aber blöderweise konnte auch die Mumie selbst dabei abkratzen. Das lag wohl an einer Art mystischer Rückkoppelung.

Wie man den Fluch abließ, war allerdings simpel: Man musste nur sagen «Ich verfluche euch». Ich gab dem Ganzen aber noch meinen eigenen Dreh und rief: «Ich verfluche euch, Arschgeigen!»

Die Vampire brachen sofort auf dem Boden zusammen.

Und ich brach mit.

Jacqueline murmelte anerkennend: «Mama und Tochter sind sich wirklich ähnlich. Opfern sich für die anderen auf!»

Jacqueline hatte recht: Mama und ich waren uns anscheinend wirklich ähnlich, nicht nur in bekloppten Dingen wie unserem flachbrüstigen Körperbau oder darin, dass wir uns vom anderen ständig so reizen ließen, bis wir explodierten. Ich hatte auch noch die Selbstlosigkeit von Mama. Vielleicht war es also doch nicht so mistig, so zu sein wie sie. Aber das würde ich ihr gegenüber natürlich niemals zugeben, das wäre dann doch eine ganze Spur zu schleimig. Abgesehen davon war ich gerade viel zu sehr damit beschäftigt abzukratzen.

EMMA

Die Vampire lagen als Skelette auf dem Boden vor uns, und von den blanken Knochen stieg Rauch auf. Der Fluch der Mumie machte keine halben Sachen.

Fee lag ohnmächtig daneben, aber sie atmete noch. Langsam. Flach. Sie schien zu überleben. Gerade mal so. Aber würde sie auch wieder aufwachen?

Ich starrte sie an, krank vor Sorge, unsicher, wie ich ihr helfen konnte, bis Jacqueline etwas sehr Unangenehmes sagte: «Noch eine Minute.»

Gleich darauf sagte sie etwas noch Unangenehmeres: «Noch 59 Sekunden …»

Ich wusste, dass ich mich von Fee losreißen musste, wenn ihr Opfer nicht umsonst gewesen sein sollte. Ich konnte es aber nicht.

«58 …»

«Schon gut!», keifte ich, ließ aber nicht von Fee ab.

«57!»

«Ich hab gesagt: SCHON GUT!»

«Da ist aber jemand gestresst.»

Ich bat Frank, unsere Tochter vom Boden zu heben und zu tragen. Er nahm sie zärtlich in seine riesigen Arme. Fast wie früher, als sie noch kleiner gewesen war. Frank war im Herzen immer ein guter Vater gewesen. Diese blöde Arbeit. Mit den ganzen Überstunden war sein Job für den guten Kerl so schädlich gewesen wie Dracula für die Menschheit.

Wir rannten nun los zum Ende des Ganges auf eine hohe Eichenholztür zu. Dahinter musste Draculas Gemach liegen. Ich öffnete die schwere Tür, und tatsächlich: In einem so gut wie leeren Saal befand sich der Fürst der Verdammten in seinem Lazarus-Bad. Doch dies war ganz anders, als ich es mir vorgestellt hatte. Dracula trieb langsam auf und ab in einem riesigen Zylinder aus Plexiglas, der in etwa wie eine durchsichtige Litfaßsäule aussah. Die Flüssigkeit, in der er schwamm, schimmerte bläulich transparent, und er selbst schien sich in einem tiefen Schlaf zu befinden. Außer ihm war nur noch eine silberne Box in dem Tank, sie lag da auf dem Boden. Keine Ahnung, was da wohl drin war, was nahm man in so ein Bad schon mit? Sein Quietsche-Entchen? Oder hatte so jemand wie Dracula eher einen Quietsche-Piranha? Quietsche-Hyäne? Quietsche-Gaddafi?

Dass Dracula nackt war, ließ mich aufwallen und erschaudern zugleich, dachte ich doch sofort an den Sex mit ihm zurück, der so wunderbar war und im Nachhinein doch so abstoßend. Ich schüttelte mich, Frank bekam dies mit, und ich blickte ihn schamerfüllt an. Und auch, wenn er langsam im Denken war, im Fühlen war er es nicht. Er spürte ganz genau, dass ich ihn mit Dracula betrogen hatte. Tief getroffen legte er Fee auf den Boden, sagte aber nichts.

«Whao, hat der Fürst ein Dingeling!», staunte Jacqueline.

«Jacqueline!», jaulte Max empört.

Frank sah Dracula zwischen die Beine und wurde noch eifersüchtiger.

Penisneid unter Monstern.

Freud hätte gestaunt.

«Ich spring jetzt auf den Zylinder und kipp ihm das Weihwasser rein», verkündete ich. Doch da stellte sich Max mir in den Weg: «Das hier geht alles irgendwie zu einfach.»

«Zu einfach?» Ich konnte es nicht fassen. Wir hatten uns gegen Draculas Leibgarde durchgesetzt und gegen die Höllenversion von Jamie Oliver, wir hatten Cheyenne zurückgelassen, und Fee lag jetzt bewusstlos in Franks Armen. Wenn das einfach war, dann wollte ich bei schwer nicht mitmachen und von sehr schwer noch nicht einmal wissen, was das sein könnte.

«Das ist der Fürst der Verdammten, es wäre viel zu simpel, wenn wir ihn so besiegen», insistierte Max.

Bevor ich überhaupt etwas erwidern konnte, hörte ich Draculas Stimme durch einen ultramodernen Lautsprecher, der am Tank befestigt war, sagen: «Sieh an, ein kluger Wolf.»

Erschrocken sah ich zu Dracula, er trieb immer noch mit geschlossenen Augen in dem Zylinder auf und ab. Er musste noch bewusstlos sein, oder? Aber wie konnte er dann sprechen? Mit einem Male riss er seine Augen auf. Mein nicht vorhandenes Herz stockte. Dann lächelte er auch noch. Und das Blut gefror in meinen Adern.

«Ich sehe, du hast etwas mitgebracht», schmunzelte er und deutete durch die Scheibe auf meinen Krug. «Ich nehme mal an, das ist improvisiertes Weihwasser.»

«Du musst es jetzt reinkippen», drängelte Jacqueline, «wir haben nur noch dreißig Sekunden!»

«Glaubst du wirklich», lächelte Dracula, «ich wäre auf einen Verrat von dir nicht vorbereitet?»

«Ich hab es doch gesagt», winselte Max.

«Mir egal!», erklärte ich entschlossen, «ich werde jetzt tun, wofür ich hierhergekommen bin.»

Dank meiner starken Vorderbeine sprang ich mit dem Krug auf den Zylinder und stand auf dessen – vielleicht zwanzig Zentimeter breitem – Rand. Dracula schwamm schnell und elegant zu Boden und öffnete die Schachtel. Aber was konnte er da schon groß rausholen? Seinen Quietsche-Gaddafi? Alles, was mich töten könnte, würde ihn doch auch sofort killen.

«Nie wieder Massagen!», rief ich wütend und wollte den Krug in den Tank werfen. Doch da nahm Dracula eine kleine blaue Pille aus der Schatulle, warf diese, und sie schoss wie eine Pistolenkugel durch die Flüssigkeit hindurch, aus dem Tank heraus, direkt in meinen Mund. Von da fiel sie durch meinen Schlund in den Magen. Und mit einem Male peinigte mich der furchtbarste Blutdurst, den ich je hatte.

Im Tank lächelte der nackte Fürst der Finsternis: «Für jedes Gegengift gibt es ein Gegengift.»

Ich vergaß komplett, was ich vorgehabt hatte. Ich wollte nur noch Blut. Köstliches, verdammtes Blut!

Ich sprang vom Zylinder herunter und warf den Weihwasserkrug weit weg von mir gegen eine Wand, wo er zerschellte. Die Scherben fielen zu Boden, das Wasser tränkte das Parkett, und Entsetzen machte sich breit auf den Gesichtern der anderen.

«Oh Shit!», rief Jacqueline.

«Oh Shit ist noch eine freundliche Formulierung», zitterte Max. «Das … das war unsere einzige Option …»

«Du bist wirklich ein kluger Wolf», bestätigte Dracula.

«Ich wäre lieber ein Pinguin», antwortete Max zitternd. «In der Antarktis.»

Mir hingegen war es völlig egal, ob ich die einzige Chance, Dracula zu vernichten, zerstört hatte. Ich begehrte Blut … nicht das eines Wolfes oder einer bewusstlosen Mumie, auch nicht das einer biertrinkenden Teenagerin, ich wollte das von jenem Wesen, das am meisten von dem wunderbaren Lebenssaft in sich trug.

Ich sprang Frank an, riss ihn zu Boden und landete auf ihm. Gierig wollte ich meine Reißzähne in seinen Hals schlagen. Hätte ich überhaupt etwas erwartet in meinem Rausch, dann, dass er sich mit all seiner übermenschlichen Kraft wehrte. Aber dies tat er nicht. Ganz im Gegenteil. Er lag reglos da und kämpfte nicht. Stattdessen flüsterte er: «Ich liebe dich.»

Er sagte nicht «Ich fmiebe dich» oder «Ipf liebe dipf» oder Ähnliches, nein, auch wenn es ihn eine ungeheure, ja übermenschliche Konzentration kostete, er sprach das erste Mal einen Satz richtig aus. Den richtigsten Satz überhaupt: «Ich liebe dich.»

In mir tobte das rasende Verlangen nach Blut zwar weiter, aber ich nahm die Reißzähne von seinem Hals. Ich lag jedoch immer noch auf ihm drauf und konnte daher jederzeit in seine Halsschlagader beißen.

Frank redete weiter, es kostete ihn große Kraft, um die Worte richtig auszusprechen. Er schaffte es auch nicht, jeweils mehr als drei Worte aneinanderzureihen. Aber immerhin. Mit drei Worten kann man viel sagen. Und er sagte: «Arbeit zu wichtig … Jetzt nicht mehr … Wichtig nur wir … Suleika war Fehler …»

Bei der Erinnerung an diese Frau wollte ich glatt wieder zubeißen.

«Aber das vorbei … wir haben Zukunft …»

Dieser Gedanke ließ mich meinen Hunger für einen Moment glatt ganz vergessen.

«Schöne Zukunft», bekräftigte Frank.

Das waren zwar nur noch zwei Worte, aber dafür wundervolle.

Dracula merkte in seinem Zylinder, wie ich zögerte und dass vielleicht Frank unsere Liebe so wecken konnte, dass ich meinen Hunger ganz vergaß. Deswegen rief der Fürst laut: «Ich hab mit deinem Weib geschlafen!»

Frank war geschockt. Obwohl er es schon geahnt hatte, war die Bestätigung ein harter Schlag für ihn. Gleich würde er sicherlich wütend werden, laut grollen und mich von sich schubsen. Dann würde ich wieder in den Blutrausch geraten und ihn reißen wie ein wildes Tier.

«Und sie war auch ganz gut im Bett!», legte Dracula nach.

Spätestens jetzt hätte Frank loswüten müssen, aber er tat nichts dergleichen. Er grollte kein bisschen. Stattdessen blickte ich in seine Augen und sah dies:

Frank lächelte mich liebevoll an: «War meine Schuld ... Ich verzeihe dir ...»

Seine Liebe war so groß, dass er verzeihen konnte. Und diese große Liebe drang durch meinen Rausch zu meiner Seele durch.

«Beiß ihn endlich!», rief Dracula.

Mein Durst war noch da, aber ich hörte Dracula kaum noch zu. Und Frank schaffte es jetzt, sogar mehr als drei Worte aneinanderzureihen: «Ich liebe dich für immer.»

Nachdem er dies gesagt hatte, hatte ich meinen Hunger nicht nur vergessen, ich hatte ihn überwunden. Der Blutdurst war weg. Endgültig besiegt von Franks Liebe zu mir.

Liebe ist nun mal größer als Rausch.

Liebe macht aus Monstern Menschen.

Mein Kopf war ganz klar. Und mein Herz war es jetzt auch. Frank konnte mir meinen Betrug verzeihen und ich dadurch auch seinen mit Suleika. Denn sein Beispiel hatte mir gezeigt: Liebe ist Verzeihung.

Ich lag immer noch auf ihm drauf, und das war eine ideale Position: Ich küsste seinen metallenen Mund, und er küsste meine kalten Vampirlippen. Und dennoch erwärmte dieser Kuss mein – organisch nicht vorhandenes – Herz. Es war der schönste Kuss, den wir je hatten. Sogar noch schöner als unser erster. Und auf seine eigene Art und Weise war dies ja auch ein erster Kuss. Der erste Kuss einer neu entflammten Liebe.

«Menschen …», hörten wir Dracula seufzen, «ihr seid ja so verdammt anstrengend.»

Seine Stimme kam nicht mehr durch den Lautsprecher. Erschrocken sahen wir zu dem Tank, und der Fürst der Finsternis stand oben auf dem Rande des Zylinders.

Au Mann, da war wohl gerade eine Sonne untergegangen.

«Noch mal whao!», staunte Jacqueline. «Ich dachte immer, Dingelings schrumpfen im Wasser, aber wenn der geschrumpft ist … wie sieht er dann normalerweise aus?»

«Jacqueline!», rief Max empört.

«Emma weiß, wie der aussieht», lächelte der nackte Fürst.

Frank und ich rappelten uns schnell auf. Allerdings hatten wir kein Weihwasser mehr, um Dracula zu vernichten. Könnten wir Wünschmanns ihn auch so besiegen? Ohne Knoblauch, Weihwasser oder Holzpfähle in unseren Händen war er unsterblich. Und er besaß Tausende von Jahren an Erfahrung im Töten. Wir waren gerade mal drei Tage lang Monster. Mit uns würde es wohl jetzt endgültig zu Ende gehen.

Aber: Mich konnte er ja eigentlich nicht killen wegen der

Prophezeiung von Haribo. Womöglich gab mir das die Chance, meine Familie zu retten, selbst wenn ich dafür ein unsterbliches Leben in Höllenqualen an der Seite Draculas erleiden musste.

«Verschon meine Familie, dann bleib ich freiwillig bei dir», erklärte ich.

«Emma!», rief Frank.

«Ich weiß, was ich tue», erklärte ich tapfer.

«Nein!», rief mein Mann. Seine Sprache hatte er dank seiner Liebe zu mir nun ganz wiedergefunden.

«Keine Sorge», grinste Dracula, «ich will Emma nicht mehr.»

Er wollte mich nicht mehr? Das war irgendwie nicht schmeichelhaft.

«Es ist mir zu öde, dich ewig um mich zu haben und Kinder mit dir zu zeugen.»

Ganz und gar nicht schmeichelhaft.

«Ich hatte schon unzählige Frauen in meinem unsterblichen Leben, und ich muss sagen: Du bist nur unteres Mittelmaß.»

Wenn ich so Zeichnungen gemacht hätte wie Frank, hätte ich in dem Augenblick das hier gekritzelt:

«Als ich es mit dir versuchte», erklärte Dracula mit einem Male etwas leiser, «da hab ich wahrlich gehofft, dass ich in meinem Leben womöglich doch noch mal so etwas wie Liebe empfinden könnte ... aber, da gab es nichts.»

Für einen kurzen Moment sah er enttäuscht aus, er hatte doch nicht gelogen, als er von seiner Sehnsucht nach Liebe erzählt hatte, doch anscheinend war er einfach nicht zur Liebe fähig.

«Aber was ist mit der Prophezeiung?», fragte ich und hegte die Hoffnung, dass dann wenigstens die Menschheit verschont bleiben würde, wenn wir jetzt keine Vampirhorde zeugten.

«Es gibt auch eine andere Art, euch Menschen zu vernichten.»

«Und welche?», fragte Jacqueline.

«Ich glaube, wir wollen gar nicht wissen, welche das ist», schluckte Max.

«Ich erzähle aber freimütig von ihr», erwiderte Dracula, dessen manisches Grinsen jetzt jedweder Charme verlassen hatte. «In meinem Computerkonzern haben wir einen sehr aparten Virus entwickelt, mit dessen Hilfe ich heute Nacht die Kontrolle über das russische Atomwaffenarsenal erlangen werde.»

«Du beginnst den dritten Weltkrieg?», fragte ich entsetzt.

«Ich nenne ihn ‹Den letzten Weltkrieg›», grinste er und sprang auf den Boden.

«Der Mann hat zu viele James-Bond-Filme gesehen», schluckte Max.

«Wenn du die Erde verstrahlst», versuchte ich zu argumentieren, «dann stirbt mit den Menschen doch auch deine Nahrung.»

«Ich habe genug von den roten Pillen für ein unendliches Leben. Und ich bin dann endlich all die unerträglichen Menschen los.»

Seine Augen leuchteten bei dieser Vorstellung. Den Wunsch, alleine zu sein, hat ja jeder mal, zum Beispiel vor Mitarbeiterkonferenzen, Familienfesten oder Elternabenden – aber das hier ... das war die ultimative Perversion des Verlangens, alleine zu sein.

Dracula ging nun an eine schwere Eichenkommode und holte eine Gasmaske aus einer Schublade heraus.

«Was soll das denn jetzt?», fragte Jacqueline.

«Ich glaube, das wollen wir auch nicht wissen», antwortete ich.

«Nein, wir wollen lieber weglaufen», bestätigte Max.

«Zu spät», hörten wir Dracula durch seine Gasmaske röcheln.

«Jetzt hat er auch noch einen Darth-Vader-Soundeffekt», stöhnte Max.

Und dann erkannten wir auch, warum es zu spät war, davonzulaufen: Der Fürst drückte auf einen unscheinbaren Knopf in der Wand. Ein ultramodernes Kommandozentrum mit Bildschirmen, Computern und Konsolen fuhr aus dem Boden hoch. Während wir noch staunten, betätigte Dracula bereits einen weiteren Knopf auf einer der Konsolen. Düsen traten von überall aus den Wänden des Saales hervor, und diese Düsen versprühten Gas. Frank, Max und Jacqueline begannen sofort zu husten und sich zu krümmen und fielen nach und nach zu Boden.

«Mama ... du bist unsere einzige Chance ...», keuchte Max, kurz bevor er als Letzter von ihnen ohnmächtig wurde. Er dachte sicherlich, dass ich als Vampir gegen das Gas immun war. Doch auch mir wurde höllisch schlecht. Das Gas war mit Knoblauch versetzt.

Als ich wieder aufwachte, roch ich, als hätte mich jemand in Tsatsiki eingelegt. Ich fühlte mich schwach und lag auf einem schmucklosen Betonboden. Neben mir standen in einem leeren, großen Raum, der wie ein Bunker wirkte, Frank, Max und Fee.

Meine Tochter war wieder bei Bewusstsein! Der Fluch der Mumie hatte sie nicht getötet. Doch konnte ich mich darüber nicht so unbeschwert freuen. Zum einem wirkte sie noch recht wackelig, zum anderen, und noch viel schlimmer, waren ihre Hände, wie die der anderen, mit silbernen Ketten auf dem Rücken gefesselt. Diese wiederum führten zum Boden, wo sie im Beton eingelassen waren. Frank zog wütend an seiner Kette, aber er konnte sie einfach nicht aus ihrer Verankerung reißen. Das silberne Material, aus dem sie bestand, schien viel stärker zu sein als normales Eisen. Aber das Merkwürdigste an der ganzen Situation war: Warum war ich nicht an so eine Kette gelegt?

«Gut, dass du endlich wach wirst», hörte ich Dracula sagen. Er lehnte – ohne Gasmaske, dafür im eleganten Anzug – lässig an der Tür des Raumes, schwenkte in der Hand ein Glas Champagner und grinste: «Es ist immer schöner, wenn Menschen im wachen Zustand sterben. Na ja … schöner für mich.»

«Wo ist Jacqueline?», fragte Max besorgt.

«Mit der alten Cheyenne im Verlies. Ich dachte, euer letztes Zehntel-Stündlein sollte ein reines Familienfest werden. Ich habe diesen Raum für spezielle Hinrichtungen erschaffen lassen, inspiriert von meinem Lieblingsschriftsteller … »

«Das ist wohl kaum Jane Austen», murmelte ich.

«Mein Lieblingsschriftsteller ist Edgar Allan Poe.»

Antiker Horror von einem Quartalsirren. War ja klar.

Gequält lächelnd erwiderte ich: «Du solltest es lieber mal mit Alan Alexander Milne versuchen. *Pu der Bär* ist ganz zauberhaft … »

«Vielleicht lese ich das, wenn ihr Menschen alle tot seid, dann bin ich endlich allein. Dann hab ich endlich genügend Zeit. Und vor allen Dingen: Ruhe.»

Er blickte kurz sehnsuchtsvoll drein, dann redete er weiter: «Wisst ihr, Poe hat eine wunderbare Geschichte über die spanische Inquisition geschrieben ...»

«*Die Grube und das Pendel*», schluckte Max.

«Ich mag an der Geschichte besonders den Teil, in dem der Raum kleiner wird.»

Er drückte einen Knopf, der sich an der Wand neben der Tür an einer Armatur mit zwei weiteren Knöpfen befand. Aus der Decke schossen Holzpfähle hervor. Dutzende. Allesamt stark, spitz, tödlich. Auch und gerade für Vampire.

Dracula drückte den Knopf ein weiteres Mal, und die Decke bewegte sich ganz langsam auf uns zu.

«Ich habe Edgar Allan Poe noch nie gemocht», winselte Max.

«Dann sogar lieber Schiller im Deutschunterricht», stimmte Fee zu.

«Habt noch ein schönes Leben», wünschte Dracula, trank seinen Schampus aus und sagte, während er sich zur Tür wandte: «Ach übrigens, die Ketten sind aus unzerstörbarem Titan.»

Frank rüttelte darauf noch stärker an seinen Ketten. Vergeblich. Aber ich hatte ja keine um. Ich rannte wie von Sinnen auf Dracula zu. Doch der hielt mir seelenruhig eine Halskette entgegen, und an der hing das Kreuz Christi. Obwohl ich noch einen ganzen Meter entfernt war, ließ es meine Eingeweide brennen. Noch einen Schritt weiter, und ich wäre innerlich geschmolzen. Instinktiv wich ich zurück, und ertappte mich dabei, dass ich wie ein wildes Tier fauchte. So sehr ging das Kreuz an meine Vampir-Substanz.

Dracula selbst machte es nichts aus. Er hängte die Kette an die Armatur mit den Knöpfen, ging lächelnd aus der Tür und schloss sie hinter sich, während die Decke unaufhaltsam auf uns zukam. Ich versuchte, mich der Armatur zu nähern, aber das Kreuz machte es mir unmöglich. Ich brach mit Höllenqualen davor zusammen, und bevor es mich endgültig zerriss, robbte ich vom Kreuz weg hin zu meiner Familie.

«Jüdische und moslemische Vampire haben es in solchen Situationen eindeutig besser», kommentierte Max.

«Wenn ich nur die Kraft für einen weiteren Fluch hätte», sagte Fee ohne Angst, ohne Verzweiflung.

Mein Gott, sie hatte eben erst den einen Fluch überlebt und wäre schon wieder bereit gewesen, ihr Leben aufs Spiel zu setzen.

Ich hatte ihr wirklich unrecht getan. Immer hatte ich geglaubt, sie sei ein Mädchen, das sich nur für sich selbst interessierte, eine antriebslose Chaotin. Dabei konnte ich stolz auf sie sein, sie war selbstlos, sie ergriff Initiative. Ja, ich durfte mich sogar geehrt fühlen dürfen, wenn jemand meinte, wir seien uns ähnlich.

Fee war eine starke, junge Frau.

Vermutlich war sie schon immer so stark gewesen. Und ich hatte es einfach nur nicht gesehen.

So wie ich bei Frank nicht erkannt hatte, wie mutig er war.

Und bei Max nicht, dass sich hinter der Fassade des Bücherwurms ein romantischer Junge verbarg, der sogar in der Lage war, jemanden wie Jacqueline zur Liebe zu bekehren.

In diesem Moment wurde mir endgültig klar: Ich Idiotin war all die Jahre viel zu sehr mit mir selbst beschäftigt gewesen, um meine Familie im richtigen Licht zu sehen.

Hätte ich es getan, anstatt nur darüber nachzudenken, was mich an meinem Leben störte und wie es hätte besser werden können, hätte ich sie alle anders beurteilt.

Und mein Leben hätte mich dann auch nicht mehr so genervt, und es wäre garantiert besser geworden!

Ich hätte mich bestimmt auch nicht ständig mit meiner Familie gestritten, das Stephenie-Meyer-Debakel hätte es nie gegeben, Frank und ich wären nicht fremdgegangen, und wir würden jetzt nicht in Draculas Edgar-Allan-Poe-Gedächtnisbunker stehen.

Aber vor allen Dingen: Hätte ich sie alle mit anderen Augen gesehen, hätten wir auch als Familie miteinander glücklicher sein können.

Diese Erkenntnis kam spät. Viel zu spät.

Oder nein, vielleicht kam sie doch nicht zu spät. Noch lebten wir ja!

Auch wenn die Lage hoffnungslos war, wir uns nicht retten konnten und bald sterben würden, war es doch nicht zu spät, meine Familie endlich richtig zu sehen. Nicht in dem Licht des Alltags, des Frustes und der Überforderung. Sondern im Licht ihrer Möglichkeiten.

So schaute ich sie mir alle an. Zum ersten Mal mit anderen Augen:

Die starke Fee.

Den mutigen Frank.

Den liebenden Max.

Ich konnte sie erkennen als das, was sie sind: etwas ganz Besonderes.

Ich war so stolz auf sie.

Daher sagte ich von ganzem, tief erfülltem Herzen: «Ich liebe euch.»

Fee schaute kurz erstaunt, dann lächelte sie und sagte: «Ihr alle habt mal das Leben für mich riskiert. Wer hat schon so eine Familie?»

«Kein einziger Held in der Literatur», lachte Max.

«Es ist gar nicht so schlecht, ein Wünschmann zu sein», lächelte Fee glücklich.

«Dem kann ich mich nur vollinhaltlich anschließen», grinste Max.

Und dann sprach Fee wunderschöne Worte. Die schönsten, die es überhaupt gibt: «Ich liebe euch auch.»

Max strahlte übers ganze Gesicht: «Auch dem kann ich mich nur vollinhaltlich anschließen.»

Wir alle blickten zu Frank. Obwohl die Pfähle der Decke nur noch fünf Zentimeter von seinem Kopf entfernt waren, stand er aufrecht und lächelte uns an. Und in seinen Augen sahen wir:

Wir rückten darauf alle zusammen, die anderen in den Ketten und ich ohne, und wir drückten uns aneinander.

Ganz nah.

Ganz eng.

Und voller Liebe.

Ja, wir waren sicher keine Familie, die immer happy war. Sondern eine, die sich stritt und einen Haufen Stress hatte. Aber wir waren eine Familie, die sich liebte. Und am Ende zählt nur das im Leben.

Dass wir so eine Familie waren, machte mich glücklich.

Zutiefst glücklich.

Aber anscheinend nicht nur mich.

Denn Fee, Frank und Max verwandelten sich in diesem Augenblick vor meinen Augen zurück in Menschen.

Das ließ nur einen Schluss zu: Auch sie hatten, gemeinsam mit mir, bei der Umarmung einen Moment des Glückes gehabt. Und da wir diesen Augenblick zusammen empfunden hatten, verlor Baba Yagas Zauber seine Wirkung.

Ich verwandelte mich ebenfalls zurück, in die gute alte Emma. Oder besser gesagt: in die neue Emma. Eine, die glücklicher war als noch vor drei Tagen.

Dadurch, dass Frank wieder sein normales Ich besaß, war er jetzt kleiner und schmaler als zuvor und konnte aus seinen Ketten herausschlüpfen. Ich umarmte ihn, er küsste mich, und seine normalen Lippen fühlten sich um so vieles besser an als die metallenen. Und mit meinen normalen Lippen war der Kuss ebenfalls sehr viel besser als mit den Blutsaugerlippen.

«Ich hab ja nichts dagegen, wenn ihr rumknutscht», drängelte Fee, «aber … WIR SIND DABEI, AUFGESPIESST ZU WERDEN, VERDAMMTE KACKE NOCH MAL!»

Sie hatte recht, die Kinder hatten zwar ihre Gestalt geändert, aber nicht ihre Größe, und waren daher immer noch in Ketten. Und die Decke näherte sich unaufhaltsam.

Frank und ich rannten zu den Knöpfen. Für mich war es erst nicht einfach, konnte ich doch mit meinen menschlichen Augen und ohne meine Brille nicht ganz so gut sehen – aber wie hatte schon Antoine de Saint-Exupéry gesagt: Nur mit dem Herzen sieht man gut. Und meins hatte ja endlich seine Sehkraft wiedergefunden.

Die Decke war so niedrig, dass die Kinder sich hinter uns bereits hingesetzt hatten. Frank und ich mussten gebückt rennen, und ich dachte: «Jetzt bloß keinen Hexenschuss kriegen.»

Endlich erreichten wir die Armatur, drückten den Knopf für die Decke, und sie fuhr wieder hoch.

«Gott sei Dank», stöhnte Frank erleichtert auf. Es war toll, wieder seine normale Stimme zu hören.

Die Kinder atmeten ebenfalls durch. Ich drückte einen weiteren Knopf, die Tür öffnete sich. Und dann fragte ich mich, wofür wohl der dritte Knopf sein mochte, und hoffte, dass er für die Ketten war – irgendwie musste man die ja lösen, wenn man die Leichen der Opfer entsorgen wollte. Und tatsächlich: Kaum hatte ich den Knopf gedrückt, sprangen die Ketten auf. Die Kinder rannten auf uns zu, und wir umarmten uns alle endlich richtig, ohne Fesseln. Als Menschen.

Nach einer Weile befand Frank: «Es wird Zeit, dass wir aus diesem Schloss verschwinden.»

«Wir sammeln Jacqueline und Cheyenne auf und dann nichts wie weg!», bestätigte Max.

«Aber wir müssen vorher noch die Gefangenen befreien», sagte Fee bestimmt.

«Nein, wir bleiben», erwiderte ich.

«Weil es hier so verdammt schön ist?», fragte Fee und verzog das Gesicht.

«Weil wir die Welt retten müssen. Wenn wir abhauen, wird Dracula den Atomkrieg entfesseln.»

«Wir können doch die Polizei benachrichtigen oder die Armee oder die Geheimdienste ...», argumentierte Max.

«Und die werden uns glauben?», fragte ich rhetorisch.

«Wohl nicht», gab Max kleinlaut zu.

«Wir haben aber keine Monsterkräfte mehr», gab Fee zu bedenken.

Es stimmte. Wir hatten nicht mehr die Kräfte, mit denen wir Zombies, Godzillas, Mumien und Vampire besiegt hatten. Allem Anschein nach waren wir hilflos.

Es waren aber nicht die Monsterkräfte gewesen, die uns alle Gefahren hatten bestehen lassen, das wusste ich jetzt. Es war eine andere Kraft, die wir auf der Reise entdeckt hatten.

«Keine Sorge», verkündete ich. «Dracula hat keine Chance gegen uns.»

«Und wieso?», wollte Fee wissen.

«Nun …», grinste ich. «Wir sind die Wünschmanns!»

FRANK

Als wir zu dem Fahrstuhl rannten, war ich glücklich: Ich war kein Monster mehr. Ich konnte wieder reden und endlich wieder weiter als bis acht zählen (hätte ich es als Monster gekonnt, hätte ich Emma gestehen müssen, dass ich mit Suleika sogar zwölfmal geschlafen hatte). Ich stieß auch nicht mehr gegen Kronleuchter oder gegen zu niedrige Decken. Aber das Beste war: Ich war nicht mehr müde. Ich wollte nicht mehr Lieder singen wie «Ich kann nicht mehr», «Ich will auch nicht mehr» oder «Ich hau mit dem Kopf auf die Tischplatte».

Stattdessen wollte ich Songs schmettern wie: «Zeig mir den Baum und ich reiß ihn aus», «Wer braucht schon Red Bull?» und «Hey, Mister Endorphin».

Ich wollte die Welt retten, meine Kinder umarmen und mit meiner Frau schlafen.

Als wir in den Fahrstuhl stiegen, sah ich auf Emmas Hintern. Wunderbar. Im Vergleich zu ihr hatte Stephenie Meyer doch wirklich einen Breiarsch.

Lange hatte ich Emmas Po nicht mehr so angeschaut, und, noch viel schlimmer: Lange hatte ich mir ihr wunderschönes Gesicht nicht mehr richtig angesehen. Es war ein Wunder, wie es leuchtete, wenn Emma sich für etwas begeisterte. Mit dieser wundervollen Frau hatte ich zwei Kinder gezeugt, auf die ich stolz sein konnte. Verrückt: Wie großartig meine Familie war, hatte ich erst als hirnloses Monster begriffen.

Jetzt, da ich mein Hirn wieder besaß, durfte ich nicht wieder in den alten Trott fallen. Diese idiotische Ernährer-Durchhalte-Parole hätte mich beinahe meine Familie gekostet. Und dann hätte ich Trottel ja nur noch die Bank in meinem Leben gehabt. Was für eine Horror-Vorstellung. Ich hatte Kollegen, die nur noch ihren Finanzjob hatten – mit denen könnte man glatt den Film *Tanz der toten Seelen* nachdrehen.

Aber mir würde so etwas jetzt nicht mehr passieren. Endlich hatte ich es verstanden: Der Sinn des Lebens bestand darin, Menschen zu retten und besonders meine Familie, aber gewiss nicht die Banken.

MAX

Während wir mit dem Fahrstuhl hochfuhren, waren zwei Fakten angenehm anders als zuvor: Zum einen stand ich auf zwei Beinen. Als Homo sapiens. Und, was noch enormer war: Ich verspürte keinen Terror. Kein einziger Nanoliter Adrenalin schüttete sich in meinen Organismus aus.

Warum sollte ich auch vor jemandem wie Dracula Angst haben? Der war doch ein maximaler Feigling, viel ängstlicher als ein stinknormaler zwölfjähriger Junge. Im Gegensatz zu ihm hatte ich keine Angst vor der Liebe!

Ja, es war richtig mutig von mir gewesen, Jacqueline meine Liebe zu gestehen. Damit hatte ich mehr gewonnen als viele andere große Helden: Frodo Beutlin ging am Ende seiner Geschichte allein ins Elfenland und Luke Skywalker sogar ins Zölibat. Diese Helden mochten mutiger sein als ich im Kampf. Aber nicht in der Liebe! Da waren sie im Vergleich zu mir uncouragierte Weicheier!

Frohen Mutes sah ich der Konfrontation entgegen: Wenn heute das Gute siegen sollte, dann würden wir vier Wünschmanns zu Heroen. Und falls nicht: Wer will schon in einer Welt existieren, in der nicht das Gute triumphiert? Außer vielleicht Dracula, Darth Vader und der ein oder andere Atomkraftwerksbetreiber.

Im dreizehnten Stockwerk angekommen, liefen wir durch den Gang, stießen die Tür zu Draculas Gemach auf, wo dieser an seinem überdimensionierten Keyboard des Schreckens saß, mit dessen Hilfe er gerade die russischen Raketen starten wollte. Auf den Bildschirmen sah man schon, wie sich die Luken der Atomsilos öffneten. Auweia, in diesem Moment wollte ich nicht zu der Besatzung so eines Silos gehören und ins Telefon sagen müssen: «Ähem, Herr Präsident … da passiert uns gerade ein kleines Malheur …»

Der Fürst der Finsternis war konsterniert, uns zu sehen, und dann auch noch in unserer menschlichen Gestalt. Als er seine Sprache wiedergefunden hatte, fragte er irritiert: «Seid ihr die Wünschmanns?»

Fee antwortete: «Nein, drei Chinesen mit dem Kontrabass.»

Und ich rief voller Pathos: «Dein letztes Stündlein hat geschlagen, Schurke!»

Dann grinste ich und sagte zu den anderen: «Das hab ich schon immer mal sagen wollen.»

FEE

Graf Knalldepp begann darauf laut zu lachen: «Ihr Menschen ... manchmal seid ihr richtig amüsant.»

Wir ließen ihn lachen. Er würde ja nicht mehr lange Spaß haben. Wir Wünschmanns hatten noch im Bunker gemeinsam einen Plan ausgeheckt. Und zwar einen richtig guten.

Während Dracula für einen Augenblick vor Lachen seine Atomraketen vergaß, tat jeder, was er sollte: Papa rannte zu dem Psycho und packte ihn. Uns war schon klar, dass es ungefähr eineinhalb Sekunden dauern würde, bis Dracula Papa gegen die nächste Wand schleudern würde. Aber mehr brauchten wir ja auch nicht! Wir benötigten nur die Ablenkung, während ich an die Truhe rannte, in der die Gasmaske lag, und Max gleichzeitig zu der Konsole flitzte.

Papa klatschte gegen die Wand, rutschte zu Boden und grunzte dort: «Selten hat Schmerz so viel Spaß gemacht.»

Dracula sah nun zu Max, bemerkte ihn aber zu spät.

«Das darfst du nicht!», rief der Fürst.

Und Max erwiderte: «Jacqueline würde jetzt vielleicht so etwas sagen wie: Ach, setz dich doch auf deinen Daumen und dreh dich im Kreis!»

Dann drückte er den Knopf, und die Düsen traten aus den Wänden hervor. Dracula wusste, in einer weiteren Sekunde würde das Zeugs lossprühen, und er würde es nicht überleben. Panisch rannte er auf mich zu, um mir die Gasmaske zu entreißen, seine letzte Rettung.

Aber, hey, was wäre ein guter Plan, wenn wir das nicht einkalkuliert hätten?

EMMA

Die ganze Zeit stand ich da und sah mir meine Familie einfach nur an. Im richtigen Lichte. Es war großartig, sie so in Aktion zu sehen.

Dann warf mir Fee, wie besprochen, die Gasmaske zu. Damit hatten wir die entscheidende Sekunde Zeit gewonnen, die wir noch gebraucht hatten, bis das Knoblauchgas aus den Wanddüsen strömte. Ich zog mir die Maske auf, während die anderen zur Abwechslung mal wieder röchelnd zu Boden gingen. Doch im Gegensatz zum letzten Mal taten es Frank, Fee und Max mit einem Lächeln im Gesicht. Dracula hingegen keuchte zwischen zwei Hustern: «Das wirst du büßen!»

Ich ging zu ihm, beugte mich runter auf den Boden und sprach mit schönster Gasmaskenstimme in sein Vampirohr: «Ich glaube nicht!»

Der Rest war ziemlich einfach: Ich rannte zur Konsole, stoppte die Atomraketen, was sicherlich der russische Präsident mit einem Wodka-Gelage feiern würde. Dann suchte ich nach den Schaltern, die die Zellengitter im Verlies kontrollierten. Ich fand sie, drückte darauf und sah auf den Bildschirmen, wie die Zellen im Verlies aufsprangen. Elfen, Schutzengel und Feen verließen ihr Gefängnis. Sie jubilierten, tanzten fliegend in der Luft und sangen die wunderschönsten Lieder der Freiheit. Und danach halfen sie mir, gemeinsam mit Cheyenne und Jacqueline, Draculas Schloss aufzuräumen, versprengte Diener wie Renfield in die Verliese zu sperren und meine Familie wieder aufzupäppeln. Aber vor allen Dingen halfen sie mir, Dracula seinen größten Herzenswunsch zu erfüllen.

DRACULA

Ich war allein, als ich in meinem Bunker aufwachte. Mit tausend Kisten von roten Pillen. Sie würden für lange, lange Zeit reichen. Selbst das Lazarus-Bad hatten mir die Elfen, Feen und Schutzengel aufgebaut. Doch die Knöpfe des Bunkers waren zerstört, die Tür verriegelt – ich würde also auf ewig hier drinbleiben. Erleichternd war in diesem Zusammenhang lediglich, dass Vampire keine Verdauung besaßen.

Ich blickte mich um: Endlich war ich allein, ohne von Menschen gestört zu werden. Wohl auf ewig. Doch mit einem Male war ich mir gar nicht mehr so sicher, ob mir dies tatsächlich so viel Freude bereiten würde.

EMMA

Wir Wünschmanns hatten Dracula hinweggefegt! Jetzt küsste ich Frank erneut. Jacqueline küsste gleichzeitig zum ersten Mal den menschlichen Max, ließ kurz von ihm ab, lachte: «Ich freu mich schon, wenn dir mal ein Bart wächst», und küsste ihn dann weiter.

Fee schaute den beiden zu und grinste: «Wenn sogar der kleine Rollmops die große Liebe finden kann, dann werde ich in meinem Leben auch noch einen Typen abbekommen.»

Cheyenne grinste: «Einen? Du kriegst mindestens 427!»

«Das klingt nach einem Plan», lachte Fee auf.

Aber es war nicht alles nur Friede, Freude, Wünschmannkuchen.

Ich verabschiedete mich kurz von den anderen, stieg hinab in das Verlies und ging zu Baba Yaga. Die Arme lag in ihren letzten Atemzügen. Neben ihr hockte still ihr kleiner Sohn Golem.

Baba konnte mich noch erkennen und fragte mit schwacher, zitternder Stimme: «Ihr haben Dracula getreten in Hintern?»

«Aber so was von!», bestätigte ich.

«Dann du doch nicht lächerliche Frau.»

Ich lächelte leicht.

«Ich jetzt sterben müssen …»

«Das tut mir so leid …», sagte ich. Aufrichtig. Ohne Baba wären wir Wünschmanns die Alten geblieben und als Familie über kurz oder lang zerfallen, höchstwahrscheinlich über kurz.

«Es dir nicht leidtun müssen …», hauchte Baba. «Ich haben aber Bitte an dich …»

«Und welche?»

Sie winkte mich zu sich herunter und flüsterte mir zu: «Bitte … bitte, kümmere dich um Golem …»

Ich zögerte keine Sekunde und versprach mit fester Stimme: «Ich werde ihn aufziehen wie meine eigenen Kinder.»

«Dann …», so Baba, «er werden ein guter Junge.»

Ich bekam einen Kloß im Hals.

Baba aber lächelte, und mit ihrem letzten Atemzug hauchte sie: «Jetzt ich kann glücklich sterben.»

Sie schloss die Augen. Für immer.

Golem begann leise zu weinen. Ich ging zu ihm und drückte ihn an mich. Dabei blickte ich zu der toten Baba, die ein seliges Lächeln auf den Lippen trug. Ich war ihr unendlich dankbar: Durch sie hatte ich etwas Besonderes begriffen: Man muss nicht immer happy sein, um glücklich zu sein.

Als der Kleine zu erschöpft war, um weiterzuweinen, trocknete ich sein Gesicht. Ich führte ihn aus dem Verlies nach oben, zu den anderen und verkündete, dass wir ein neues Familienmitglied hätten. Alle hießen Golem herzlich willkommen.

Fee flachste gar: «Mensch, das hatte ich mir doch immer gewünscht: noch einen Bruder!»

Max haute ihr spielerisch in die Rippen. Und die beiden grinsten sich an. Und selbst Golem huschte nun so etwas wie ein kleines Lächeln über sein Gesicht.

«Jetzt geht es aber wirklich nach Hause!», verkündete ich.

«Das denk ich nicht», erwiderte Fee. «Jedenfalls für mich nicht.»

Da staunte ich dann doch, und sie erklärte: «Das liegt aber nicht nur daran, dass ich nach all dem, was wir erlebt haben, noch viel weniger Bock habe, mich von meinem Biolehrer über Hohltiere vollquatschen zu lassen …»

«Woran denn noch?», fragte ich.

«Während du unten warst, hat mich eine der Feen um Hilfe gebeten. Dieses Zauberwesen heißt Tinkerbell …»

«Oh», sagte Jacqueline, «ich dachte, sie heißt Trinkerbell …»

«Jedenfalls kommt sie aus Nimmerland, und sie braucht Hilfe, um das Reich von der Schreckensherrschaft eines üblen Captain zu befreien …», berichtete Fee weiter.

Ich musste grinsen: «Vor drei Tagen hätte ich dich für so eine Geschichte noch in die psychiatrische Klinik eingewiesen.»

«Ich werde ihnen helfen.»

«Und das will Fee nicht etwa», sprang Max ihr aufgeregt beiseite, «weil sie vom Schicksal auserwählt ist wie Harry Potter oder Luke Skywalker, sondern weil sie ihr Schicksal selbst wählt.»

«Und das ist sehr, sehr viel besser», ergänzte ich stolz lächelnd.

Fee lächelte dankbar zurück und fragte dann plötzlich unvermittelt: «Kommt ihr mit mir?»

Ohne zu zögern antwortete Max: «Wir lassen dich doch nicht solo dahin.»

Und Frank sagte laut scherzhaft: «Ufta!»

Jetzt blickten alle drei erwartungsvoll zu mir, und ich erkannte, dass sie wild entschlossen waren, neue Abenteuer zu erleben.

Ich hatte in den letzten Tagen ja noch etwas gelernt: Es kann nie schaden, wenn man als Familie mal gemeinsam etwas unternimmt.

Und wir waren ja jetzt eine noch größere Familie als zuvor.

Deshalb rief ich: «Na, dann mal auf nach Nimmerland!»

Happy Family End

Danksagung

Vielen Dank an Ulrike Beck, die Heldin unter den Lektorinnen, Michael Töteberg, den Agenten, den kein Monster bezwingen kann, Marcus Hertneck (für die schwäbische Beratung), Marcus Gärtner und Ulf K., den zauberhaftesten Zeichner des Erdballs.

Liebe Leser,

in meinem ersten Roman «Mieses Karma» wurde die Heldin, weil sie so viel schlechtes Karma angehäuft hatte, als Ameise wiedergeboren. Damit Ihnen und mir so ein Schicksal erspart bleibt, habe ich die «Gutes Karma Stiftung» ins Leben gerufen.

Spaß beiseite: Es ist nicht so relevant, ob man an Wiedergeburt glaubt oder an einen Himmel, um hier in diesem Leben etwas zu ändern. Es geht nicht darum, nach dem Tod für seine Taten belohnt oder bestraft zu werden, sondern darum, dass es jetzt, für diesen Augenblick, richtig ist, Menschen zu helfen, die es nicht so gut haben wie wir. Das tut nicht nur denen gut, sondern – und das kann man sich ruhig eingestehen, selbst wenn es nicht ganz so selbstlos ist – es bereitet einem auch selber Freude.

Die «Gutes Karma Stiftung», die nicht zuletzt durch den Erfolg meiner Romane möglich wurde, will Kindern in aller Welt helfen. Dabei liegt der Schwerpunkt auf Bildung. Durchgeführt werden sollen große und kleine Bildungsprojekte in aller Welt – auch bei uns in Deutschland. Zum Start finanziert die Stiftung bereits einen Schulbau in Nepal, der über siebenhundert Kindern die Möglichkeit geben wird, unter guten Bedingungen von der ersten bis zur zehnten Klasse zur Schule zu gehen.

Umgesetzt werden diese Projekte mit wechselnden, seriösen Partnern, bei denen gewährleistet ist, dass Ihre Spenden vor Ort sinnvoll verwendet werden. Also egal, ob Sie verhindern wollen, als Ameise wiedergeboren zu werden, oder einfach nur Gutes tun möchten, hier können Sie konkret helfen.

Weitere Infos erhalten Sie auf der Webseite www.gutes-karma-stiftung.de.

Mit allerbesten Grüßen,
Ihr David Safier